Danuta Łapińska

Amerykanin
Niezwykle skryty dżentelmen

Martin BOOTH

Amerykanin
Niezwykle skryty dżentelmen

Przekład
MACIEJ NOWAK-KREYER

AMBER

Redakcja stylistyczna
Dorota Kielczyk

Korekta
Elżbieta Steglińska

Projekt graficzny serii *Bestsellery do kieszeni*
Małgorzata Cebo-Foniok

Zdjęcie na okładce
© Focus Features LLC. All Rights Reserved.

Skład
Wydawnictwo Amber
Jerzy Wolewicz

Druk
Wojskowa Drukarnia w Łodzi Sp. z o.o.

Tytuł oryginału
A Very Private Gentleman

ISBN 978-83-241-3934-7

Warszawa 2011. Wydanie II

Wydawnictwo AMBER Sp. z o.o.
02-952 Warszawa, ul. Wiertnicza 63
tel. 620 40 13, 620 81 62

www.wydawnictwoamber.pl

FOCUS FEATURES PRZEDSTAWIA PRODUKCJE THIS IS THAT/GREENLIT/SMOKEHOUSE
FILM ANTONA CORBIJNA GEORGE CLOONEY "AMERYKANIN" VIOLANTE PLACIDO
THEKLA REUTEN PAOLO BONACELLI CASTING BEATRICE KRUGER KOSTIUMY SUTTIRAT ANNE LARLARB
MUZYKA HERBERT GRÖNEMEYER MONTAŻ ANDREW HULME SCENOGRAFIA MARK DIGBY ZDJĘCIA MARTIN RUHE
PRODUKCJI ENZO SISTI PRODUCENCI ANNE CAREY JILL GREEN ANN WINGATE GRANT HESLOV GEORGE CLOONEY
NA PODSTAWIE POWIEŚCI MARTINA BOOTHA SCENARIUSZ ROWAN JOFFE REŻYSERIA ANTON CORBIJN

[SPI] FILMBOX

Dla Hugh i Karen

*Ludzie zaczynają dostrzegać,
że wyrafinowane morderstwo
pod względem kompozycji potrzebuje
czegoś więcej niż tylko dwóch durni:
zabijającego i zabijanego, a także noża,
sakiewki oraz ciemnego zaułka.*

Thomas de Quincey
O morderstwie jako jednej ze sztuk pięknych
Wyznania angielskiego opiumisty
przeł. M. Bielewicz

Wysoko w górach, w Apeninach, tym kręgosłupie Italii, rusztowaniu, do którego przyczepione są ścięgna i mięśnie starego świata, jest mała jaskinia nad przepaścią. Bardzo trudno do niej dotrzeć. Wąska ścieżka zasłana luźnymi kamieniami z wiosenną odwilżą staje się rwącym strumieniem, długim na dwieście metrów. Ukośnie tnie stromą powierzchnię skały i zbiera wodę z roztopów niczym nacięcie na korze kauczukowca, gdzie gromadzi się sok.

Miejscowi twierdzą, że bywają lata, gdy woda robi się szkarłatna od krwi świętego pustelnika, który mieszkał w jaskini. Żywił się tylko mchem, porostami i ziarnami z szyszek spadających z sosen, które rosną wysoko nad przepaścią. Pił jedynie kamienistą wodę, sączącą się przez strop jego siedliska.

Byłem tam. To nie miejsce dla ludzi o słabym sercu czy cierpiących na zawroty głowy. Czasem ścieżka jest nie szersza od deski na rusztowaniu i trzeba iść do góry bokiem jak krab, plecami do ściany, a twarzą ku rozciągającej się w dole dolinie, ku purpurowej mgle szczytów poszczerbionych niczym łuski na smoczym grzbiecie. Mówią, że to sprawdzian wiary, próba, której trzeba się poddać na drodze do zbawienia. Mówią, że w pogodny dzień widać stąd na odległość dwudziestu kilometrów.

W pewnych odstępach przy ścieżce wyrastają karłowate sosny, potomstwo tych na górze. Każda jest obwieszona mnóstwem pajęczyn, jakby na religijne święto, mieniącymi się jak zwiewne, przejrzyste duchy chińskich lampionów. Mówią, że ich dotknięcie pali, kazi grzechem pierworodnym. Ponoć trucizna z pajęczyn nie pozwala oddychać, dławi na śmierć niczym pająk wielki jak sęp, zaciskający włochate nogi na gardle. Wśród uschniętych szpilek, górskich sukulentów i wysmaganych wiatrem ziół śmigają jaszczurki zielone jak szmaragdy. Gady mają paciorkowate czarne oczy i mogłyby być broszami z drogocennych kamieni, gdyby nie ich gibkie, impulsywne ruchy.

Jaskinia jest głęboka na jakieś pięć metrów i dostatecznie wysoka, by mógł w niej stanąć człowiek średniego wzrostu. Nie muszę tam pochylać głowy. Półka wycięta z boku w skale służyła kiedyś świętemu za twarde pokutne łoże. U wylotu jaskini zwykle znajduje się pozostałości ogniska. Kochankowie wykorzystują pieczarę na schadzki, może wybierają to niezwykłe miejsce po to, aby święty pobłogosławił ich cudzołóstwo. Z tyłu jaskini ludzie pobożni, albo spragnieni boskiej interwencji w drobnych kataklizmach życiowych, wznieśli ołtarz z betonowych bloków niedbale pomazanych tynkiem. Na tym topornym podwyższeniu stoi zakurzony drewniany krzyż z lichtarzem z taniego metalu pomalowanego na złoto. Wosk ochlapał kamienny stół ołtarza. Nikt nie dba, aby go zdrapać.

To czerwony wosk. Pewnego dnia ktoś go ogłosi błogosławionym ciałem świętego. Gdy chodzi o wiarę, wszystko jest możliwe. Grzesznik bezustannie poszukuje jakiegoś znaku, do którego warto się odwołać. Powinienem o tym dobrze wiedzieć: ja też byłem grzesznikiem... i katolikiem.

Wszyscy chcą zostawić po sobie ślad, wiedzieć na łożu śmierci, że właśnie z ich powodu, za sprawą ich działań albo myśli zmienił się świat. Są na tyle aroganccy, by sądzić, że kiedy umrą, to inni spojrzą na ich osiągnięcia i powiedzą: „Patrzcie. To zrobił on – wizjoner, człowiek, który doprowadził swoją pracę do końca".

Przed laty, gdy mieszkałem w pewnej angielskiej wiosce, otaczali mnie ludzie na próżno starający się na swoje małe sposoby zostawić ślad w dziejach. Stary Pułkownik Cedric – gdy przechodził w stan spoczynku, był majorem korpusu administracyjnego, a przez sześć lat wojny nie walczył ani jednego dnia – ufundował piąty oraz szósty dzwon niewielkiej dzwonnicy. Miejscowy pośrednik nieruchomości, który nieźle się wzbogacił na wyprzedawaniu wioski, obsadził bukami cały bulwar wiodący od ulicy do swojej posiadłości, kiedyś opuszczonej stodoły do zbierania dziesięciny. Kwaśne deszcze, wiejska młodzież i główny kanał ściekowy – to wszystko składało się na symetrię, jaką miał nadzieję przepołowić pole historii i zachować pamięć o sobie. Każdego jednak przebił miejscowy kierowca autobusu Brian, z piwnym brzuszyskiem i przetłuszczonymi włosami, zaczesywanymi tak, by przykryć łysiejące ciemię. Brian był jednocześnie członkiem rady okręgowej, przewodniczącym rady parafialnej, kościelnym, wiceprzewodniczącym Komitetu Rozwoju Wsi przy zarządzie miejscowości oraz współprzewodniczącym Wiejskiego Stowarzyszenia Dzwonników. Funkcję drugiego współprzewodniczącego pełnił stary pułkownik. To było oczywiste.

Nie zdradzę nazwy tamtej wioski. To nie byłoby mądre. Sam rozumiesz, siedzę cicho nie ze strachu, że ktoś poda mnie do sądu za zniesławienie. Robię tak po prostu, żeby chronić własną prywatność. I przeszłość. Prywatność – którą ktoś mógłby nazwać skrytością – ma dla mnie ogromną wartość.

Nie można zachować prywatności, mieszkając w wiosce, niezależnie od tego, jak wszyscy zajęci są swoimi sprawami, zawsze znajdą się tacy, co węszą, wtykają nos gdzie nie trzeba, wsadzają patyki pod mój kamień, żeby zobaczyć, co jest pod spodem. To ci, którzy nie zdołali pozostawić najmniejszego śladu w historii, w żaden sposób nie wpłynęli na swój świat – wioskę, parafię – nieważne, jak bardzo się starali. W najlepszym razie mogą liczyć jedynie na namiastkę, jaką daje uczestnictwo w drobnych osiągnięciach innych. Mają ambicję powiedzieć kiedyś: „On? Znałem go, kiedy kupował »Glebe«"; albo:

„Ona? Byłem z nią, kiedy to się stało"; czy też: „Widziałem, jak ten samochód wpadł w poślizg. W żywopłocie jeszcze jest dziura, to paskudny zakręt, powinni coś z nim zrobić". Sami jednak nigdy niczego nie zrobili. Gdybym był hazardzistą lubiącym ryzyko, założyłbym się, że w mroźne poranki wciąż piszczą tam opony i wgniatają się drzwiczki.

W tamtych czasach pracowałem u srebrnika, takiego od naczyń i pater, a nie kucia pierścieni czy osadzania diamentów. Naprawiałem imbryki, lutowałem solniczki, prostowałem łyżeczki, polerowałem albo kopiowałem kościelne tace. Obchodziłem sklepy ze starociami i bazary, gdzie próbowano zastawiać sidła na turystów. To zajęcie nie wymagało wybitnych uzdolnień, a i ja nie byłem utalentowany. Znałem tylko podstawy pracy z metalem, podchwycone przypadkiem w warsztatach mojej szkoły z internatem.

Od czasu do czasu zajmowałem się też paserstwem. Mieszkańcy wsi nie mieli pojęcia o tym niegodziwym procederze, a miejscowy policjant był tępakiem – skupiał się na łapaniu kłusowników polujących na bażanty i podkradaczy jabłek, a nie na aresztowaniu kryminalistów. Dzięki temu miał chody u syna pułkownika, zapalonego myśliwego oraz strzelca, który jako licencjonowany producent jabłecznika posiadał własne sady – hodował też bażanty, pod lufę swoją i swoich koleżków. W taki oto sposób konstabl zapewnił sobie miejsce w dziejach. Pułkownik zajmował się bowiem prowadzeniem lokalnych kronik, jako właściciel ziemski i – jak mniemał – sędzia pokoju. Policjant dobrze służył swoim panom, został więc uwieczniony w anegdotach o zatrzymaniach pomniejszych przestępców.

Właśnie paserstwo dało mi bodziec, aby się ruszyć, poszukać odmiany w innych zajęciach. Nielegalność dodawała szczypty pikanterii mojemu raczej bezbarwnemu życiu wiedzionemu w nudnym miejscu. Zapewniam cię, nie zająłem się tym dla pieniędzy. Niedużo zysku przynosiło mi przetapianie albo polerowanie drobnych sreber, pochodzących z rabunków mało znaczących wiejskich domostw czy też włamań do prowincjonalnych sklepów z antykami. Robiłem to, aby walczyć z szarzyzną. Zyskiwałem też znajomości w eterycznym, półmrocznym świecie łamiących prawo, który od tamtej pory zamieszkuję.

Teraz jednak wróciłem do niepodzielonej, jednotorowej egzystencji. Wszystkie jajka trzymam w jednym koszyku – ale to są złote jajka.

Starzeję się i pozostawiłem już swoje ślady w dziejach. A może ich namiastki? Z pewnością uczyniłem to potajemnie. Ci, którzy zechcą węszyć w księgach parafialnych tamtej wioski, dowiedzą się, kto zawiesił wspomniane dwa dzwony albo kto wreszcie ustawił znak „Zwolnij" na śliskim zakręcie. Niewielu zaś wie, jaki był mój wkład w historię i nikt się już nie dowie, oprócz czytelnika tych słów. A to wystarczy.

Ojciec Benedetto pija brandy. Lubi koniak, woli armaniak, chociaż nie jest zbyt wybredny. Jako duchowny nie bardzo może sobie na to pozwolić – jego mały prywatny dochód zależy od wahań rynku. We Włoszech zanikają praktyki religijne i słabnie zwyczaj chodzenia do kościoła, dlatego na tacę trafia mniej pieniędzy. We mszach uczestniczą tylko staruchy okutane czarnymi szalami pachnącymi kulkami na mole oraz starcy w beretach i zakurzonych marynarkach. Gdy w sutannie udaje się na nabożeństwo, ulicznicy wołają za nim *bagarozzo**.

Dzisiaj, tak jak co dzień, włożył swój zwyczajny uniform, kapłański strój rzymskokatolickiego księdza: czarny garnitur o niemodnym kroju, z kilkoma jego krótkimi, siwymi włosami na ramionach, czarnym, jedwabnym plastronem i wysoką koloratką wytartą na krawędziach. Ten kapłański mundurek wyglądał na lekko wyświechtany i staroświecki już w chwili, gdy opuszczał stół krawca i przecięto ostatnią nić niczym kościelną pępowinę łączącą go ze świecką belą materiału. Skarpety i buty ma czarne. Buty wypolerowała mu sutanna, w trakcie powrotów do domu z mszy.

Jeśli brandy trzyma jakość, trunek pije się gładko, a słońce ogrzewa kieliszek, ojciec Benedetto jest zadowolony. Lubi powąchać napój, zanim go posmakuje, jak pszczoła unosząca się

---

* *Bagarozzo* – rzymska gwarowa odmiana słowa *bacherozzo*, karaluch; żartobliwie o księdzu (z powodu czarnej sutanny) (wszystkie przypisy pochodzą od redakcji).

13

nad kwiatem albo motyl przysiadający na płatku przed zaczerpnięciem nektaru.

– To jedyna dobra rzecz, jaką robią *francesi* – stwierdza. – Wszystko inne...

Lekceważąco macha ręką i się krzywi. Dla niego Francuzami nie warto sobie głowy zawracać: zwykle mawia, że to intelektualni włóczędzy, uzurpatorzy Prawdziwej Wiary – jego zdaniem z Awinionu nie pochodził żaden dobry papież – a także wichrzyciele Europy. Uważa za bardziej niż trafne, że po angielsku „pójść na wagary" to „wyjść po francusku", a znienawidzoną *preservativo*, prezerwatywę, nazywa się „francuskim listem". Francuskie wino ma za mało mocy (podobnie Francuzi), francuski ser natomiast jest zbyt słony. Poza tym Benedetto daje do zrozumienia, że oni sobie zbytnio folgują w seksualnych przyjemnościach. Zresztą to wcale nie jakaś ich nowa, niedawno odkryta cecha. Włosi, utrzymuje z pewnością naocznego świadka, wiedzą o tym od wieków. Francuzi nie zmienili się od czasów, gdy jeszcze Rzym nazywał ich kraj „prowincją Galią". Pogańska hołota. Tylko ich brandy jest warta uwagi.

Dom kapłana stoi w połowie krętej alei odchodzącej od via dell'Orologio. To skromna piętnastowieczna budowla, ponoć kiedyś siedziba doskonałych zegarmistrzów, którym pobliska ulica zawdzięcza nazwę. Drzwi frontowe wykonano z solidnego dębu, poczerniałego ze starości i nabijanego żelaznymi ćwiekami. Za nimi nie ma dziedzińca, tylko z tyłu jest przytulny, otoczony murami ogród – choć górują nad nim inne budynki, pozostaje odizolowany. Do tego ogrodu, położonego na zboczu wzgórza, wpada niespodziewanie dużo światła. Kamienice stojące bardziej w dole są niższe, więc nad niewielkim patio słońce utrzymuje się dłużej.

Teraz właśnie siedzimy na patio. Minęła czwarta po południu. Dwie trzecie ogrodu spowija cień, ale nas oblewa leniwy, usypiający blask. Butelka brandy – dzisiaj pijemy armaniak – jest pękata, z zielonego szkła, z prostą etykietą wydrukowaną czarnym tuszem na kremowym papierze. Nazwę też ma prostą: La vie.

Lubię ojca Benedetta. Oczywiście, to pobożny człowiek, jednak nie uważam tego za wadę. Taka świątobliwość daje się zaakceptować. Jest gawędziarzem, gdy chce się nim stać, konserwatystą i erudytą, który nigdy nie bywa dogmatyczny w swoich argumentach ani pedantyczny w ich prezentacji. Ma mniej więcej tyle samo lat, co ja. Krótkie szpakowate włosy i bystre, wesołe oczy.

Po raz pierwszy spotkaliśmy się zaledwie kilka dni po moim przybyciu. Przechadzałem się po okolicy i mogło się zdawać, że rozglądam się z wyraźną nonszalancją. W rzeczywistości studiowałem miasto, zapamiętywałem ulice i najlepsze drogi ucieczki, gdyby kiedyś były mi potrzebne. Podszedł do mnie i odezwał się po angielsku. Z pewnością wyglądałem wtedy bardziej angielsko, niż miałem nadzieję.

– Mogę panu w czymś pomóc? – zapytał.

– Tylko się rozglądam – odparłem.

– Jest pan turystą?

– Nowym mieszkańcem.

– A gdzie pan mieszka?

15

Uniknąłem tego śledztwa wymijającą odpowiedzią:

– Podejrzewam, że długo tu nie zostanę. Aż skończę pracę.

To była prawda.

– Jeśli ma pan tutaj mieszkać, powinien pan wypić ze mną szklaneczkę wina – oznajmił. – Na powitanie.

Wtedy po raz pierwszy odwiedziłem cichy dom w dole alejki wychodzącej z via dell'Orologio. Wspominając to, jestem teraz prawie pewien, że ojciec Benedetto ujrzał wtedy we mnie potencjalną duszyczkę do nawrócenia, kogoś, kogo da się jeszcze odzyskać dla Chrystusa. Nawet jeśli zamieniliśmy tylko kilka słów.

Dzisiaj, od tej godziny, gdy jeszcze cały ogród zalany był światłem, pijemy, rozmawiamy, znowu pijemy i zajadamy brzoskwinie. Dyskutujemy o historii. To nasz ulubiony temat. Ojciec Benedetto wierzy, że historia, przez którą rozumie przeszłość, wywiera najważniejszy wpływ na ludzkie życie. Twardo obstaje przy swoim. Jest duchownym mieszkającym w domu dawno zmarłego zegarmistrza. Bez historii jako ksiądz nie miałby zajęcia, bo religia, aby być prawdziwą, karmi się właśnie przeszłością. No, a przy tym mieszka w domu dawno zmarłego zegarmistrza.

Ja się z nim nie zgadzam. Historia nie wywiera aż tak wielkiego wpływu. To tylko splot okoliczności, który może kształtować ludzkie działania oraz postawy albo nie może. Twierdzę, że najczęściej bywa nieistotna, to zbitek dat, faktów i bohaterów, a wielu z nich jest oszustami, samochwałami, *blagueurs* (kłamcami), zachłannymi handlarzami, ewentualnie ludźmi mającymi szczęście, że znaleźli się w odpowiedniej chwili w harmonogramie przeznaczenia. Naturalnie, ojciec Benedetto nie wierzy w ślepy los. Przeznaczenie wymyślił człowiek. Nami wszystkimi włada Bóg.

– Ludzie są uwięzieni w historii, a historia jest w nich jak krew Chrystusa w kielichu – mówi.

– Czym jest historia? Z pewnością nie pułapką – odpowiadam. – Historia nie ma na mnie wpływu, może poza sprawami materialnymi. Nasze ubrania zostały zrobione z poliestru ze względu na wydarzenie historyczne, wytworzenie nylonu. Prowadzę samochód, ponieważ wynaleziono silnik spalania wewnętrznego. Ale to błąd twierdzić, że zachowuję się tak, a nie inaczej, bo historia jest we mnie i na mnie oddziałuje.

– Nietzsche twierdzi, że historia ustala nowe prawdy. Każdy fakt, każde nowe wydarzenie wpływa na każdą epokę i każde nowe pokolenie ludzi.

– W takim razie człowiek jest idiotą!

Przecinam brzoskwinię, sok jak plazma spływa na deski stołu. Wyłuskuję pestkę i czubkiem noża pstrykam nią w stronę klombu. Pestki – pozostałość naszej popołudniowej uczty – niczym bruk zaściełają już ziemię między złotogłowymi nagietkami. Ojciec Benedetto z niechęcią słucha mojej obelgi. Dla niego obrażanie ludzkości jest ganieniem Boga, na którego podobieństwo ludzie zostali stworzeni.

– Skoro tak przepaja nas historią, to chyba niezbyt ją sobie bierzemy do serca – kontynuuję. – Wszystko, czego nas nauczyła, to to, że jesteśmy za głupi, aby czegokolwiek się z niej nauczyć. Koniec końców, to czymże jest historia, jak nie prawdą o rzeczywistości przekręconej w wygodne kłamstwa przez tych, którym odpowiada, by zobaczyć ten czy inny zapis? Historia to jedynie narzędzie człowieczego kultu własnej osoby. – Wysysam z brzoskwini trochę soku. – Ojcze, powinieneś się wstydzić!

Szczerzę się w uśmiechu, co przekonuje ojca Benedetta, że nie staram się go urazić. Wzrusza ramionami i sięga po brzoskwinię. W drewnianej misie zostało ich jeszcze pięć.

Obiera owoc. Ja swój zjadam w milczeniu.

– Jak możesz mieszkać tutaj, we Włoszech – pyta, kiedy pestka uderza o mur i spada na nagietki – gdzie zewsząd otacza cię historia, ciśnie się dookoła... i traktować ją z taką pogardą?

Rozglądam się po jego prywatnym ogrodzie. Okiennice budynku za drzewkiem brzoskwiniowym są jak powieki, skromnie przymknięte, aby nie dojrzano księdza w kłopotliwej sytuacji, na przykład w wannie.

– Historia? Wszędzie wokół mnie? Owszem, są tu ruiny i starożytne budowle. Ale Historia? Przez wielkie „H"? Nadal twierdzę, że historia to fałszerstwo. Prawdziwa historia to coś powszedniego, niezapisanego. Mówimy o historii Rzymu, wiedząc o jego chwale, ale większość Rzymian nie wiedziała o niej albo nie chciała wiedzieć. Co taki niewolnik albo sklepikarz wiedział o Cyceronie, Wergiliuszu, Sabinkach albo magii jeziora Sirmio? Nic. Historia to były dla nich na wpół zapamiętane urywki o gęsiach ratujących miasto czy Kaliguli zjadającym swoje nienarodzone dziecko. Historia była starcem mamroczącym coś nad kubkiem. Oni nie mieli czasu na historię, kiedy obrzynana moneta w ciągu tygodnia straciła na wartości, przez miesiąc urosły podatki, cena mąki podskoczyła, a upał nadszarpnął nerwy.

– Ludzie lubią być zapamiętywani... – zaczyna ojciec Benedetto.

– Zatem legenda może uczynić z nich kogoś większego – przerywam.

– Synu, ty nie chcesz pozostawić po sobie śladu?

Nazywa mnie tak, kiedy chce mnie zirytować. Nie jestem jego synem ani dzieckiem jego Kościoła. Już nie.

– Może chcę – przyznaję z uśmiechem. – Ale czegokolwiek dokonam, będzie niezbite. A nie podatne na błędną interpretację.

Jego kieliszek jest już pusty. Ojciec Benedetto sięga po butelkę.

– Czyli żyjesz przyszłością?

– Tak – odpowiadam stanowczo. – Żyję przyszłością.

– A czymże jest przyszłość jak nie historią, która dopiero nastanie?

Pytająco unosi brwi i puszcza oko, zerkając na mój kieliszek.

– Nie, nie. Bardzo dziękuję, już pójdę. Zrobiło się późno, a muszę jeszcze skończyć kilka szkiców.

– Sztuka? – wykrzykuje ojciec Benedetto. –
To coś niezbitego. Twój podpis na unikalnym
malowidle.

– Można podpisać się na czymś innym niż
papier. Są tacy, co potrafią pisać na niebie.

Uśmiecha się, a ja się z nim żegnam.

– Powinieneś kiedyś przyjść na mszę –
mówi cicho.

– Bóg jest historią. Nie mam z niego pożytku. – Uświadamiam sobie, że to może zranić
księdza, więc dodaję: – Jeśli on istnieje, to na
pewno i on nie ma pożytku ze mnie.

– I tu się mylisz. Nasz Pan ma pożytek
z każdego.

Ojciec Benedetto nie zna mnie, chociaż
sądzi, że zna. Bo gdyby mnie znał, najpewniej
zmieniłby swój osąd. Ale może – co byłoby naj-
wyższą ironią, godną samego Boga – ma rację.

Signor *Farfalla*! Signore! La posta**!*

Signora Prasca woła tak co rano, spod fontanny na podwórzu. To jej rytuał. Trzymanie się
rutyny stanowi oznakę starzenia się. Moja ruty-
na jest tymczasowa. Nie zaznaję jeszcze luksusów związanych ze swoim wiekiem i nie jestem
zdolny do zamienienia sobie życia w serię kon-
formizmów.

---

* *Farfalla* (wł.) – motyl.
** *La posta* (wł.) – poczta.

– Dziękuję!

W każdy dzień powszedni, zawsze gdy przychodzi do mnie poczta, wszystko odbywa się tak samo. Signora Prasca woła po włosku, ja odpowiadam po angielsku, wtedy odkrzykuje: *„Sulla balaustrata! La posta! Sulla balaustrata, signore!"** *

Idę na górę. Kiedy wychylam się z balkonu na drugim piętrze i spoglądam w dół, w mrok podwórka, gdzie blask słońca pada tylko przez półtorej godziny w połowie dnia w połowie roku, to widzę listy – balansują na kamiennym filarze u podnóża balustrady. *Signora* Prasca zawsze je tam upycha. Największy kładzie na dole stosu, a najmniejszy na szczycie. To zazwyczaj pocztówka albo list w małej kopercie, dlatego zawsze jest najbarwniejszy. Pobłyskuje w półmroku jak pieniążek albo święty medalik z optymizmem wrzucony do studni.

Signor Farfalla – tak właśnie mnie nazywa. Podobnie jak inni moi sąsiedzi. Luigi – właściciel baru przy piazza di S. Teresa. Alfonso z warsztatu samochodowego. Piękna Clara i prosta Dindina. Księgarz Galeazzo. Ojciec Benedetto. Nie znają mojego prawdziwego nazwiska, zatem mówią o mnie „Pan Motyl". Lubię to.

Ku zdziwieniu signory Praski koperty są zaadresowane: Mr. A. Clarke, Mr. A.E. Clarke albo Mr. E. Clark. To wszystko aliasy. Niektóre listy przychodzą nawet do M. Leclerca, a inne do

---

* *Sulla balaustrata! La posta! Sulla balaustrata, signore* (wł.) – Na balustradzie! Poczta! Na balustradzie, proszę pana.

Mr. Giddingsa. Nie wypytuje mnie o to, a jej plotki nie dają powodu do snucia jakichś domysłów. Nikt nie wysuwa żadnych podejrzeń, bo tutaj są Włochy i ludzie pilnują własnych spraw, nawykli do bizantyjskich intryg samotnie mieszkających mężczyzn.

To ja sam wysyłam większość tej korespondencji – kiedy gdzieś wyjeżdżam, adresuję do siebie jedną, dwie puste koperty albo pocztówkę, zmieniając charakter pisma. Potem udaję, że przyszły od krewnego. Mam fikcyjną, ulubioną siostrzenicę, która nazywa mnie wujkiem i podpisuje się „Pet". Wysyłam też koperty zwrotne do towarzystw ubezpieczeniowych, biur podróży, agencji nieruchomości, magazynów branżowych i innych źródeł pocztowych śmieci. Teraz bombarduje mnie kolorowy chłam. Informacje, że wygrałem tani samochód, urlop na Florydzie albo milion lirów rocznie do końca życia. Dla większości te niechciane odpadki są przekleństwem. Mnie pozwalają uczynić kłamstwo doskonalszym.

Dlaczego pan Motyl? To proste. Maluję motyle. Wszyscy myślą, że tak zarabiam na życie, malowaniem motylich portretów.

Ta przykrywka sprawdza się najlepiej. Wiejskie tereny wokół miasteczka, nieskażone jeszcze agrochemikaliami, nieuszkodzone niezgrabnym stąpaniem ludzkich stóp, aż roją się od motyli. Oglądanie maleńkich błękitków sprawia mi wielką przyjemność, a malowanie im portretów fascynuje mnie. Rozpiętość ich skrzydełek rzadko przewyższa średnicę pensówki. Mają opalizujące barwy, przechodzące z odcienia w odcień. Na zaledwie kilku milimetrach jasny letni błękit zmienia się w wyblakły błękit świtu. Na skrzydełkach są kropeczki, czarne i białe obwódki, a z tyłu prawie mikroskopijne poły, wystające jak maciupkie kolce. Dobrze namalować takie istoty to duże osiągnięcie, prawdziwy triumf w dziedzinie przedstawiania detali. A właśnie dzięki detalom i różnym szczególikom wciąż żyję. Bez gorliwego przykładania się do nich już dawno byłbym martwy.

Aby jeszcze bardziej uwiarygodnić oszustwo, rozproszyłem podejrzenia, wyjaśniając signorze Prasce, że Leclerc jest francuską wersją nazwiska Clark (z „e" na końcu albo bez), a Giddings to pseudonim artystyczny gryzmolony na obrazach.

Dla lepszego efektu napomknąłem kiedyś, że artyści często posługują się fałszywymi nazwiskami, żeby chronić swoją prywatność. Malarzy nie można ciągle niepokoić. To dekoncentruje, wyhamowuje twórczą pracę, natomiast galerie, wydawcy, redaktorzy i autorzy żądają prac w terminach.

Od tamtej pory czasem słyszę pytanie, czy właśnie pracuję nad ilustracjami do nowej książki.

Wzruszam ramionami i mówię:

– Nie, teraz maluję na zapas. Na deszczowy dzień. Kilka obrazów pojedzie do galerii.

Sugeruję, że kupują je kolekcjonerzy miniatur albo entomolodzy.

Pewnego dnia dostałem list z południowoamerykańskiej republiki. Widniały na nim znaczki z jaskrawymi, tropikalnymi motylami, krzykliwe, te ukochane przez dyktatorów. Owady miały barwy intensywniejsze niż w rzeczywistości, za mocne, niewiarygodne. Błyszczały jak rzędy przyznanych samemu sobie medali, stały element kostiumu każdego generalissimusa.

– Ha! – zawołała wtedy signora Prasca i zrobiła falisty ruch ręką.

Uśmiechnąłem się porozumiewawczo i puściłem oko.

Myśli teraz, że projektuję znaczki dla jakiejś republiki bananowej. Nie rozpraszam tej użytecznej iluzji.

Dla niektórych mężczyzn Francja jest krajem miłości, kobiet o wyzywająco pięknych oczach, przepełnionych niewinnością i żądzą, o ustach błagających, aby je namiętnie całować. Krajobrazy widzą jako łagodne i miękkie, nieważne dokąd zawędrują – czy na neolityczne wzgórza Dordogne, w poszarpane Pireneje czy na podmokle łęgi Camargue. Wszystko przepaja aura ciepłego słońca i dojrzewającej w nim latorośli. Spoglądają na winnice i myślą tylko o tym, aby położyć się z butelką bordeaux i dziewczyną o smaku winogron. Z kolei dla kobiet Francuzi całują w dłoń, delikatnie się kłaniają, są czarującymi rozmówcami, subtelnymi uwodzicielami. Jakże inni od Włochów. Włoszki są zarośnięte pod pachami, cuchną czosnkiem i szybko tyją, objadając się makaronem. Włosi podszczypują dupeczki w rzymskich autobusach, a kiedy uprawiają miłość, pchają zbyt mocno. Oto pokrzykiwania ksenofobów.

Dla mnie Francja jest krajem prowincjonalnej banalności, gdzie patriotyzm kwitnie tylko dlatego, by skryć ziemię splamioną rewolucją, gdzie historia zaczęła się w Bastylii za sprawą hordy wieśniaków w amoku biegających z widłami i ścinających lepszych od siebie za to właśnie, że są lepsi. Przed rewolucją Francuzi upierali się przy swoim szczekliwym akcencie, galijskim wzruszeniem ramion kwitowali sprzeczności, a ich kraj zamieszkiwała wyłącznie biedota i arystokracja. A dziś... znowu wzruszeniem ramion i zadzieraniem brody podkreślają wątpliwą wielkość Francji. Prawda zaś jest taka, że mają tam teraz biedotę ducha oraz arystokrację polityków. Włochy są inne. Włochy to romans.

Lubię ten kraj. Dobre wino, gorące słońce, ludzie akceptują swoją przeszłość i nie pieją nad nią z zachwytu. Kobiety są delikatnymi, powolnymi kochankami – przynajmniej Clara, bo Dindina jest bardziej żywiołowa – a mężczyźni cieszą się dobrym życiem. Nie ma duchowego ubóstwa, każdy jest bogaty duchem. Urzędnicy dbają o czystość ulic, o to, żeby nie tworzyły się korki, pociągi jeździły, a z kranów płynęła woda. *Carabinieri* i *polizia* jako tako zwalczają przestępców, a *polizia stradale*, drogówka, ogranicza szybkość jazdy po autostradach. Podatki ściąga się jedynie troszkę starannie. Ludzie żyją, piją wino, zarabiają, wydają pieniądze i pozwalają się światu kręcić.

Włochy to kraina leseferyzmu*, bukoliczna anarchia; tu rządzi wino i przymyka się oczy na rozmaite zamiłowania – do dobrego jedzenia, seksu, wolności, tumiwisizmu, do nastawienia „bierz albo spadaj", a przede wszystkim do życia. Narodowe motto Włoch powinno brzmieć *senza formalità*, bez formalności, albo *non interferenza*, niemieszanie się w cudze sprawy.

Pozwól, że opowiem ci pewną historię. Kiedyś władze w Rzymie chciały złapać tych, którzy uchylają się od płacenia podatków – ale nie tak jak w Anglii, gdzie wyszukuje się nawet osoby winne pensa i ściga się, dopóki nie uregulują należności. Nie, im chodziło tylko o cezarów wśród kantujących państwo, imperatorów podatkowej ucieczki. Aby ich dopaść, nie zakładano marnych pułapek po bankach, nie studiowano potajemnie transakcji związanych z akcjami i obligacjami. Wysłano tylko ekipę, by we włoskich marinach i portach sprawdziła rejestrację każdego jachtu mierzącego ponad dwadzieścia metrów. Przykład cudownej, śródziemnomorskiej logiki: jacht poniżej dwudziestu metrów jest tylko zabawką zamożnego człowieka; ale już większy stanowi dużą słabostkę prawdziwego bogacza. Znaleziono sto sześćdziesiąt siedem łodzi. Właściciele byli władzom całkowicie nieznani – nie figurowali w rejestrach podatkowych, w spisach majątkowych, a w paru przypadkach brakowało

---

* Pogląd filozoficzno-ekonomiczny głoszący wolność jednostki, zwłaszcza w wymiarze społeczno-ekonomicznym.

metryk urodzenia. Nawet na Sycylii. Nawet na Sardynii.

Czy znaleziono tych ludzi? Czy zapłacili zaległe miliardy lirów? Któż to wie? To tylko taka historyjka.

Jak dla mnie, nie ma lepszego miejsca. Całkiem prawdopodobne, że mógłbym tu zostać na zawsze, ukryty jak etruskie katakumby, zamaskowane przy via Appia jako przepust kanalizacji. Tak długo, aż nie kupię jachtu mierzącego ponad dwadzieścia metrów i nie będę trzymał go na Capri. Teraz nie ma na to szans. Zresztą gdybym chciał takiej zabawki, dawno bym ją sobie sprawił.

Dzisiaj na dziedzińcu jak zwykle jest chłodno. Przypomina kryptę, której sklepienie zawalono, by niebo mogło spoglądać w dół i być świadkiem rozgrywających się tam drobnych dramatów.

Niektórzy mówią, że przy fontannie na środku podwórza zamordowano kiedyś arystokratę i co roku, w rocznicę zabójstwa, woda staje się różowa. Inni opowiadają, że za czasów Mussoliniego zginął tutaj jakiś socjalista. Nie umiem powiedzieć, czy woda robi się różowa za sprawą krwi, czy dlatego, że – jak się twierdzi – arystokrata chętnie ubierał się w róż, czy przez to, że socjalista był tylko umiarkowanym lewakiem. A może mieszkał tu święty i wszyscy się mylą? Tyle, jeśli chodzi o historię.

Kamienne płyty są szare, jakby wytarte stuleciami szorowania i polerowania. Fontanna opływa chłodną wodą, poprzez naszyjnik z mchu i alg, a kapiące krople odbijają się echem w jaskini podwórza. Wykonana jest z marmuru poznaczonego czarnymi żyłkami, co wygląda, jakby starzejący się budynek dostał żylaków na sercu. Bo ta fontanna jest sercem domu. Wewnątrz niej stoi posąg – panna w todze trzyma muszlę małża, z której leci woda dostarczana ćwierćcalówką wykonaną z brązu. Dziewczyny nie wyrzeźbiono z marmuru, lecz z alabastru. Patrząc na nią, zastanawiam się, czy to właśnie woda na jej skórze chłodzi nasz budynek.

Drzwi zwrócone są ku fontannie, na nią spoglądają żaluzjowe okiennice, ku niej pochylają się balkony. Ona sprawia, że nawet w najgorętsze dni dom jest wilgotny i chłodny. Kapanie nigdy nie milknie. Krople spadają na bruk szczerbą wyciętą w marmurze i znikają w żelaznej kracie, spod której wystaje liść wodnego zielska.

Zimą, gdy góry okrywa śnieg, a miejskie alejki są oblodzone, ta fontanna też stara się zamarznąć. Ale nie potrafi. Niezależnie od tego, jak nieruchome i zimne jest powietrze, jak bardzo długie sople zwisają z muszli trzymanej przez dziewczynę, woda ciągle kapie, kapie i kapie.

Nikt nie uruchamia fontanny. Nie ma tam żadnej pompy elektrycznej ani podobnych urządzeń. Woda sączy się prosto z głębin ziemi, jakby cały budynek postawiono na ranie w gruncie.

Ciężkie drewniane drzwi za fontanną wiodą do alejki, *vialetto*. To wąska uliczka między gmachami, z dwoma zakrętami pod kątem prostym. Kiedyś była dróżką w ogrodzie. Przynajmniej tak twierdzi signora Prasca. Opowiada, powołując się na autorytet swojej babki, że w XVII wieku cały dom otaczały ogrody, alejka natomiast biegnie linią wytyczoną przez ścieżkę. Stąd właśnie nazwa *vialetto*, a nie *vicolo*, zaułek, czy *passaggio*, pasaż. Moim zdaniem to androny. Sąsiednie budynki są rówieśnikami naszej kamienicy. W tym starym kwartale nigdy nie było żadnego ogrodu, tylko dziedzińce, gdzie arystokraci i socjaliści sztyletowali się w ciemnościach.

Z boku fontanny zaczynają się strome kamienne schody. Prowadzą na czwartą kondygnację, tam gdzie mieszkam. Jeden ciąg schodów przypada na każdy bok dziedzińca. Stopnie są wytarte pośrodku. Signora Prasca chodzi po bokach, zwłaszcza kiedy pada. Z dziurawej rynny woda ścieka na drugą kondygnację. Nikt tego nie naprawia. Ja tego nie zrobię. Zmienianie drobnej historii, reperowanie rynny i przedłużenie schodom żywota o jeszcze jedno stulecie to nie moja rola. A właśnie coś takiego uczyniłaby większość Anglików. Nie chcę, aby uważano mnie za Anglika. Zajmuję się poważniejszymi sprawami.

Na każdej kondygnacji jest półpiętro, balkon otwarty na dziedziniec i kwadrat nieba, jednak niewidoczny dla nikogo oprócz mieszkańców i ich bogów.

Ściany pomalowane są na kolor kawy z mlekiem, szczyty balkonowych kolumn pociągnięto farbą klejową, która teraz się łuszczy. Usłyszałem, że każdej zimy pęka tynk, kiedy tylko w górach spadnie pierwszy śnieg, wskazując to tak dokładnie jak najlepszy barometr. Wszystkie okiennice wykonano z lakierowanego buku, sądząc po kolorze. To, jak na Włochy, niezwykłe drewno do wyrobu okiennic.

Nie mam żadnych naprawdę bliskich przyjaciół: tacy przyjaciele mogą być niebezpieczni. Wiedzą zbyt wiele, za bardzo się starają o czyjeś dobre samopoczucie, za bardzo wnikają, co się z kimś dzieje, gdzie był, dokąd się wybiera. Są jak żony, choć nie tak podejrzliwi – jednak ciekawscy, a ja obejdę się bez zainteresowania moją osobą. Nie mogę ryzykować. Zamiast przyjaciół mam znajomych. Niektórzy są mi bliżsi od innych i pozwalam im zajrzeć za zewnętrzne wały swojej egzystencji, chociaż żaden z nich nie jest tym, kogo określa się mianem bliskiego przyjaciela.

Znają mnie. Ściślej mówiąc, wiedzą o mnie. Kilku się orientuje, w której dzielnicy mieszkam, ale żaden jeszcze nie wkroczył do mojego strzeżonego gniazda. Wstęp zarezerwowany jest dla bardzo starannie dobranej grupy gości, przychodzących w sprawach zawodowych.

Kilku znajomych zbliżyło się na sto metrów i nakryło mnie, gdy skądś przychodziłem albo dokądś szedłem. Pozdrawiałem ich z wesołym uśmiechem, sugerując przy tym, że już czas zrobić sobie wolne. Słońce stoi wysoko. Może pora wypić butelkę wina? Szliśmy do baru – powiedz-my, na piazza di S. Teresa albo drugiego, na piaz-za Conca d'Oro. Opowiadałem o *Polyommatus bellargus*, *Polyommatus anteros*, *Polyommatus dorylas* i delikatnym błękicie ich skrzyde-łek, o ostatnim rządowym skandalu w Rzymie czy Mediolanie, a także o tym, że po górskich drogach mój mały citroën mknie jak kozica. Ku uciesze wszystkich mówię o swoim samocho-dzie *il camoscio**. Tylko obcokrajowiec, przy-puszczalnie Anglik i ekscentryk, nadawałby autu imię.

Jeden z moich znajomych to Duilio. Jest, jak oznajmia z rozbrajającą skromnością, hy-draulikiem – w rzeczywistości jednak bogatym przedsiębiorcą, który zajmuje się kanalizacją. Jego firma kładzie rury ściekowe, robi podziem-ne systemy kanalizacyjne, studzienki odpływo-we. Ostatnio poszerzył swoją ofertę o zapory przeciwlawinowe. To wesoły człowiek, bachicz-nie rozmiłowany w dobrym winie. Jego żona Francesca jest radosną, krągłą kobietą. Nigdy nie przestaje się uśmiechać. Duilio twierdzi, że ona uśmiecha się nawet przez sen. Obscenicznie puszcza oko, dając do zrozumienia, co stanowi tego przyczynę.

Po raz pierwszy spotkaliśmy się, kiedy sprawdzał rynnę jako przyjaciel przyjaciela si-gnory Praski. Istniała nadzieja, że któryś z jego ludzi za drobną sumę w jakiś wolny dzień napra-wi usterkę. Zaczęliśmy rozmawiać – Duilio trochę mówi po angielsku, chociaż lepiej po francusku –

---

* *Camoscio* (wł.) – kozica.

a potem ruszyliśmy do baru. Rynny nie naprawiono, ale mało kto się tym przejmował. Drobne reperacje mogą dać początek przyjaźni, ale nie mogą jej zniszczyć. Kilka tygodni później zaprosił mnie do swojego domu, abym skosztował jego wina. To był zaszczyt.

Duilio i Francesca mają kilka mieszkań: dom nad morzem, dom w górach, apartament w Rzymie na wyjazdy w interesach, a może też na romansiki, jakimi Włosi wypełniają sobie godziny spędzane z dala od żon. Górski dom stoi wśród winnic i sadów morelowych, piętnaście kilometrów za miastem, w wyższej części doliny. Jest tam już za wysoko dla oliwek, a szkoda. Nie ma na świecie wielu większych luksusów od wylegiwania się w długie popołudnia w skąpym cieniu oliwnego gaju, gdy promyki słońca wciskają się między gałęzie, zagłębiając się w sny na jawie niczym palce w ciasto.

Trzykondygnacyjną nowoczesną willę wbudowano w bok rzymskiego zbiornika na wodę, co wydaje się stosowne, biorąc pod uwagę, że właściciel konstruuje systemy kanalizacyjne. Duilio śmieje się z tej ironii losu.

Jak twierdzi, podtrzymuje lokalną tradycję i naprawia w sadach kanały irygacyjne. On także pragnie odcisnąć swój ślad w historii.

Wyrabia wino: jasnoczerwone, z winogron odmiany Montepulciano. W domu nie ma piwniczki. Wystarcza mu ogromny garaż – w tylnej części ciemny, wilgotny i tajemniczy jak jaskinia. Za ścianą z pustaków, za regałami z wąskimi rurkami i częściami zamiennymi do pomp, za masywnymi kluczami maszynowymi i urządzeniami do cięcia rur, pudłami kraników i zaworami – jest wino. Butelki pokrywa cementowy pył, tynk i łajno nietoperzy. Aby dotrzeć do tej szczególnej półki, Duilio musi stanąć na masce swojego nowiutkiego mercedesa. Sięgając po trunek, aż dyszy z wysiłku. Nie jest w formie. Za to wino – doskonałe.

– *Voilà*! – woła, a potem na cześć gościa mówi łamaną angielszczyzną. – To wyśmienite wino. – Jest dumny jak ojciec, gdy jego syn albo córka poślubia nadzwyczaj dobrą partię. – Ja je zrobiłem.

Klepie butelkę jak pośladki dziwki.

– Ona jest dobra.

Łokciem ociera szyjkę flaszy, szary pył brudzi mu skórę. Spomiędzy pudła z uszczelkami i skrzyni pełnej puszek oleju maszynowego wyciąga korkociąg. Otwarciu butelki towarzyszy cicha eksplozja jak przy strzale z broni z tłumikiem. Nalewa wina do dwóch kieliszków stojących na stole. Zasiadamy i czekamy, aż trunek nagrzeje się w słońcu. Jaszczurki przemykają po oślepiająco białej ziemi podjazdu, szeleszczą wśród zeschłego ostu i trawy pod napęczniałymi morelami.

– *Alla salute!*

Niczym prawdziwy koneser pociąga mały łyk, obmywa wnętrze ust i przełyka powoli.

– Ona jest dobra – powtarza. – Jak myślisz?

Zdaje się, że we Włoszech wszystko, co ma jakąkolwiek wartość, jest rodzaju żeńskiego: dobra samochód, dobra wino, dobra salami, dobra książka i dobra kobieta.

– Tak – zgadzam się.

Gdyby to wino stało się kobietą, mówię, byłaby młoda i seksowna. Od jej pocałunków pękłoby serce, jej dłonie zmieniłyby obwisłego starca w młodego byczka o herkulesowych proporcjach. Ogiery aż oszalałaby z zazdrości. Jej oczy błagałyby o miłość.

– Jak krew – oznajmia Duilio. – Włoska krew. Dobra czerwień.

Kiwam głową na to wspomnienie o krwi i historii. Powinienem już wracać do pracy. Zbieram się do wyjścia i niechętnie przyjmuję w darze pozbawioną etykiety butelkę z winną krwią. Wzięcie jej stawia mnie w niedogodnej sytuacji. Ten, kto dostaje wino od znajomego, ryzykuje, że przyjaźń zostanie pogłębiona, a jak powiedziałem, nie chcę żadnej przyjaźni, bo niesie ze sobą niebezpieczeństwa.

Pozwól, kimkolwiek jesteś, że udzielę ci pewnej rady. Nie staraj się mnie odszukać.

Całe życie kryłem się w tłumie. Jeszcze jeden człowiek, tak anonimowy jak wróbel, tak nie do odróżnienia od innych ludzi jak kamyk od kamyka na plaży. Mogę stać obok ciebie w kolejce do odprawy na lotnisku, na przystanku autobusowym, w ogonku w supermarkecie. Mogę być starym mężczyzną śpiącym pod mostem w jakimś europejskim mieście. Starym zgredem podpierającym bar w wiejskim angielskim pubie. Nadętym sukinsynem jadącym autostradą

rollsem kabrioletem, powiedzmy białym corni-
che, z dziewczyną trzy razy młodszą od siebie,
o piersiach upakowanych pod podkoszulkiem,
w spódniczce, która nie zakrywa opalonych,
długich nóg. Mogę być trupem na katafalku
w kostnicy, włóczęgą bez nazwiska, bez domu,
bez nawet jednego żałobnika ponad paszczą
ubogiego grobu. Nie wiesz.

Nie zwracaj uwagi na pozorne tropy. Włochy to duży kraj, idealny, aby się w nim ukryć.

Ale ty myślisz sobie: piazza di S. Teresa,
gdzie stoi bar Luigiego. Myślisz: signora Prasca,
Duilio – hydraulik milioner i Francesca. Clara
i Dindina. Dobry węszyciel potrafiłby to wszystko wyśledzić, dodać dwa do dwóch. Szukałby
zeznań podatkowych jakiejś starej panny albo
wdowy o nazwisku Prasca, grzebałby w policyjnych komputerach, aby znaleźć dane dwóch
prostytutek z tego samego burdelu: Clary i Dindiny, przejrzałby katalog włoskich producentów części kanalizacyjnych. Szukałby piazza di
S. Teresa w pobliżu alejki z dwoma zakrętami
pod kątem prostym, pretensjonalnie nazywanej
vialetto.

Odpuść sobie. Nie trać czasu. Może i jestem
stary, ale nie głupi. Inaczej nie byłbym stary, lecz
martwy.

Nazwiska zostały zmienione, miejsca zostały zmienione, ludzie zostali zmienieni. Istnieje z tysiąc piazza di S. Teresa, dziesięć tysięcy
alejek bez nazwy, nieistniejących na żadnych
mapach poza tymi w głowach mieszkańców
i miejscowego *postino*, co zna je tylko jako ślepe
uliczki, które musi przemierzać każdego ranka

z pocztą jedynie po to, aby wracać na via Ceresio i kontynuować obchód.

Nie znajdziesz mnie. Nie pozwolę na to, a bez mojej zgody się zgubisz. Brytyjscy antyterroryści, MI-5, CIA i FBI, Interpol, KGB czy GRU, rumuńskie Securitate, nawet Bułgarzy, specjaliści od tropienia ludzi – oni wszyscy mnie szukali, ale nigdy nie znaleźli, chociaż kilku dotarło całkiem blisko. Ty nie masz szans.

Mieszkanie ma niezależne wejście. Nikt nie może dostać się tam inaczej niż przez główne drzwi. Żadnych tylnych schodów, górujących budynków, z których intruz zdołałby zejść. Brak wyjścia awaryjnego. Znam drogę ucieczki, ale ty jej nie poznasz. Ujawnienie jej byłoby z mojej strony wręcz ekstremalną głupotą.

Apartament jest trzypoziomowy, ponieważ budynek postawiono na zboczu wzgórza, na którym rozciąga się całe miasto. Gdybyś wszedł drzwiami na balkonie czwartej kondygnacji, natrafiłbyś na krótki hol prowadzący do głównego salonu. To przestronne pomieszczenie, całe pięć na siedem metrów. Na podłodze leżą siedemnastowieczne płytki, kiedyś czerwone, teraz ochrowe. Pośrodku znajduje się ruszt na ćwierćmetrowym podwyższeniu, nad nim zwisa mosiężna pokrywa połączona z kominem. Zimą bywa tutaj chłodno. Wokół paleniska jest kilka leżanek, takich z zestawów kupowanych w sklepie meblowym. Krzesła są płócienno-drewniane, jak te na których siadają reżyserzy. Przy stole z masywnego dziewiętnastowiecznego dębu stoją tylko dwa. To więcej niż potrzeba.

Na ścianie ciąg okien – podobnie jak palenisko stanowią współczesny dodatek. Naprzeciwko – półki z książkami.

Lubię książki. Żadne lokum nie nadaje się do zamieszkania, jeśli nie ma w nim rzędu książek. Zawierają skondensowane doświadczenia ludzkości. Aby w pełni żyć, należy dużo czytać. Nie planuję nigdy stawiać czoła lwu ludożercy na afrykańskich sawannach, skakać z samolotu do Morza Arabskiego, szybować przez kosmos albo z rzymskimi legionami maszerować na Galów czy Kartaginę – jednak książki zabierają mnie w te miejsca, do tych wydarzeń. W książce może mnie uwieść Salome, mogę zakochać się w Marie Duplessis, mieć własną Damę Kameliową, prywatną Marilyn Monroe czy Kleopatrę na wyłączność. W książce mogę obrabować bank, szpiegować wroga, zabić człowieka. Zabić dowolną liczbę ludzi. Nie, tak to nie. Jeden człowiek naraz wystarczy. Zawsze tak było. I nie zawsze szukałem doświadczeń z drugiej ręki.

Książki są obciążeniem, więc kiedy ruszam, muszę je zostawić, pozbyć się jak worków z piaskiem z opadającego balonu, balastu z przechylonego statku walczącego z huraganem. W każdym nowym miejscu od nowa tworzę bibliotekę. Ciągle kusi mnie, aby oddać książki na przechowanie do magazynu, ale do tego trzeba adresu, określonego miejsca, a nie wolno mi aż tak sobie folgować. Jednak teraz, spoglądając na swój księgozbiór, myślę, że może okazać się trwalszy niż w przeszłości.

Muzyka też sprawia mi przyjemność. Jest luksusem, ucieczką od rzeczywistości. Na półce mam odtwarzacz płyt kompaktowych. Obok niego leży z pięćdziesiąt płyt. Głównie klasyka. Nie przepadam za muzyką współczesną. Trochę jazzu. Chociaż też klasycznego – Original Dixieland Jazz Band, King Oliver, Bix Beiderbecke, Original New Orleans Rhythm Kings, McKenzie i Condon's Chicagoans. Muzyka to również doskonały sposób zniekształcania lub zagłuszania innych dźwięków.

Na pozostałych ścianach wiszą obrazy. Nie jakieś cenne. Kupione na targu pod katedrą, gdzie w soboty przychodzą miejscowi artyści. Niektóre są abstrakcyjne: kwadraty, trójkąty i zawijasy z farby. Inne to marne wyobrażenia okolicznego, wiejskiego krajobrazu: kościół z kiepsko oddaną kampanilą, młyn wodny otoczony wierzbami, zamek usadowiony na szczycie wzgórza. W okolicy jest wiele fortec balansujących na górskich grzbietach. Obrazy są wesołe i radośnie prymitywne, przypominają ładne dziecięce rysunki. Dodają pomieszczeniu kolorów i światła.

Potrzebuję światła. W moim ciemnym świecie światło to podstawa.

Na krańcu pomieszczenia mieści się nieduża kuchnia z piecykiem gazowym, lodówką, zlewem i blatem z imitacji marmuru. W wąskim, ciemnym korytarzu znajduje się toaleta z sedesem i zbędnym w moim siedlisku bidetem. Na przeciwległym skraju pokoju są kolejne drzwi –

prowadzą do pięciu wznoszących się schodków i następnego korytarza. Cała jego ściana to okno, poprzedzielane tylko kolumienkami. Kiedyś był tutaj taras; został oszklony przez mojego poprzednika.

Przy tym korytarzu są dwie duże sypialnie i łazienka – wanna, prysznic, szafka na ręczniki i kolejny zbędny bidet. Jak informuje mnie signora Prasca, poprzedni lokator był niesamowitym *amante*. Mówi to, uśmiechając się do wspomnień, jakby sama należała do grona jego zdobyczy. Kiedy jednak opowiada o uciążliwości wyprawianych przez niego przyjęć, jego gwałtownym usposobieniu i głośnych jękach młodej kochanki, dobiegających w letnią noc przez okno otwarte, to wtedy nazywa go *seduttore*, uwodzicielem. Przestaje być miłą starszą panią.

Pierwsza sypialnia jest skromnie umeblowana: podwójne łóżko, sosnowa komoda, krzesło z plecionym siedziskiem, szafa na ubrania. Nie jestem osobą spragnioną luksusowego snu. Sypiam czujnie. To wiąże się z moim zawodem. Pokój pełen satyny, miękkich poduszek, luster i zapachów usypia umysł równie skutecznie jak morfina. Poza tym nie przyprowadzam tu przecież żadnych pięknych dziewczyn. Wstawiłem podwójne łóżko po prostu dlatego, że chcę mieć więcej przestrzeni. W moim fachu czasem potrzeba przestrzeni, nawet w trakcie drzemki. Materac jest twardy; miękka pianka i sprężyny to kolejne usypiacze. Rama nie skrzypi. W tym łóżku nie uprawia się – jakiego teraz używa się eufemizmu? – horyzontalnego joggingu. Trzeszczenie ramy było ostatnim dźwiękiem, jaki słyszało wielu ludzi. Nie zamierzam dołączać do tej dostojnej kompanii nieżywych głupców.

Między sypialniami mieści się łazienka, gustownie wyłożona białymi kafelkami, na których w przypadkowy sposób, dookoła pomieszczenia, nadrukowano kolorowe wizerunki górskich kwiatów.

Drugą sypialnię na razie pominę.

Na skraju dawnego balkonu znajdują się jeszcze jedne kamienne schodki, wytarte jak te główne. Zanim – mniej więcej dwadzieścia lat temu – kamieniczkę podzielono na apartamenty, ktokolwiek wchodził frontowymi drzwiami, z pewnością odbywał pielgrzymkę aż na sam szczyt, chyba że był służącym albo handlarzem. Na końcu tych schodów znajduje się ośmiokątna loggia – korona włoskiej architektury.

Wstawiłem tam krzesło i stół z kutego żelaza, pomalowane na biało. Nic więcej. Nie ma nawet poduszek. Ani światła elektrycznego. Na niskiej, drewnianej półce pod ścianą parapetową stoi lampa naftowa.

Signora Prasca od czasu do czasu wyraża niezadowolenie z tego, że nie przyjmuję gości. A mogliby rozkoszować się loggią i rozciągającą się z niej panoramą; dzieliłbym z nimi świt i zmierzch, łagodne letnie bryzy i wschody zimowej, skrzącej się Wenus.

Ta loggia jest tylko moja. Zbyt cenna dla mnie, aby jakikolwiek gość po niej stąpał. To całkowicie prywatne miejsce. Bardziej prywatne niż cała reszta apartamentu. Z loggii podziwiam dolinę i góry, rozmyślając o Ruskinie, Byronie, Shelleyu, Walpole'u, Keatsie i Beckfordzie.

Jeśli usiądę na środku, pod kopułką dachu, nie widać mnie ani z dołu, ani z budynków po drugiej stronie. Dałoby się mnie zobaczyć tylko z dachu albo parapetu na fasadzie kościoła stojącego wyżej na wzgórzu, ale zamykają go na noc, a tylko ktoś bardzo zdeterminowany by się tam wspinał.

Od wewnątrz kopułę zdobi niezwykłe malowidło. Fresk, jak zgaduję, ma ze trzysta lat. Przedstawia ten sam horyzont, jaki widać z loggii, szczyty gór i fasadę kościoła. Czas nie odmienił widnokręgu. Ponad tym wizerunkiem jest malowane niebo o barwie królewskiego lazuru, usiane złotymi gwiazdami. Gdzieniegdzie farba wyblakła i złuszczyła się, jednak ogólnie fresk pozostaje w dobrym stanie. Nie potrafię rozpoznać gwiazd, zakładam, że są tworem wyobraźni artysty albo mają jakieś symboliczne znaczenie. Nie starałem się tego zgłębiać. Szkoda mi czasu na nurzanie się w historii. Wystarczy, że ją kształtuję, na własny, drobny sposób.

Nieczęsto wybieram się na spacer w środku dnia. Nie chodzi tutaj o rozmyślne zaprzeczenie, że jestem wygnańcem. Piosenka *Mad Dogs and Englishmen* Noëla Cowarda mnie nie dotyczy. Nie podaję się ani za Anglika, ani za Francuza, Niemca, Szwajcara, Amerykanina, Kanadyjczyka czy Południowoafrykańczyka. W gruncie rzeczy, za nikogo. Signora Prasca (i w sumie wszyscy moi znajomi) przyjmują, że pochodzę z Anglii. Swoje radio tranzystorowe – a oni słyszą je od czasu do czasu – mam ustawione na BBC World Service. Jestem także lekko i niegroźnie ekscentryczny, bo maluję motyle, bardzo rzadko przyjmuję gości, cechuje mnie niezwykła skrytość. Anglicy nie wychodzą z domu w środku dnia. W oczach innych muszę zatem być Anglikiem. Ja zaś nie neguję ich przypuszczeń.

To, że zostaję w mieszkaniu – gdy tylko mi to odpowiada – wynika z wielu różnych powodów.

Po pierwsze, wolę pracować za dnia. Każdy hałas, jaki wywołam, da się wtedy zamaskować ogólnym szumem miasta. Każdy zapach ginie w oparach samochodowych spalin i gotującego się jedzenia. Lepiej mi się pracuje w blasku słońca niż przy sztucznym oświetleniu. Muszę bardzo dokładnie widzieć to, co robię. Zaletą Włoch jest duża liczba słonecznych godzin.

Po drugie, w ciągu dnia ulice są pełne ludzi. A tłum, co wiem aż za dobrze, to najlepsza kryjówka – nie tylko dla mnie. Niektórzy chcieliby skryć się w nim przede mną, aby mnie obserwować, dowiedzieć się czegoś o mnie, dociec, czym się zajmuję.

Nie lubię tłumów, jeżeli nie są mi użyteczne. Dla mnie tłum jest tym, czym las tropikalny dla leoparda. Może się okazać bezpieczny albo groźny, w zależności od nastawienia, pozycji, wewnętrznych przeczuć. Poruszając się w tłumie, stale muszę być czujny, zachowywać ostrożność. Po jakimś czasie ciągła czujność robi się męcząca, słabnie. To najgroźniejsza chwila. Właśnie wtedy myśliwy dopada leoparda.

Po trzecie, gdyby ktokolwiek zechciał włamać się do mojego apartamentu, najprawdopodobniej zrobiłby to właśnie za dnia.

Przez niedostępność tego mieszkania nocne wtargnięcie jest dla rabusia w najlepszym razie niewygodne, a w najgorszym – bardzo niebezpieczne. Żaden włamywacz, nawet jakiś idiota amator, nie zdecydowałby się wspinać po dachach z luźnych dachówek, dźwigać siedmiometrowej drabiny, przerzucać jej nad otwartą przestrzenią, piętnaście metrów od ziemi, a potem ostrożnie się po niej gramolić. A to wszystko zaledwie po kilka bibelotów, jeden czy dwa zegarki na rękę albo telewizor.

Włamywacz wolałby pojawić się za dnia, przebrany za inkasenta, osobę przeprowadzającą spis ludności, urzędnika służby zdrowia, inspektora budowlanego. Nawet wtedy nie poszłoby mu łatwo. Gdyby przemierzył dziedziniec, okłamał sprytną signorę Prascę – która strzeże kamienicy jeszcze od przedwojnia i umie rozpoznać każdy wybieg – musiałby otworzyć drzwi do mojego mieszkania. Są dwuskrzydłowe, zamknięte dwoma zamkami typu Chubb, a ich drewniane płyty mają ponad dwa centymetry grubości. Od wewnątrz obiłem je siedmioma arkuszami stalowej blachy.

Tak czy siak, zwykły włamywacz zmarnowałby czas. Swój jedyny zegarek noszę przy sobie. Nie mam ochoty wegetować, oglądając głupie teleturnieje i biusty mediolańskich gospodyń domowych, więc nie trzymam telewizora, tylko odtwarzacz płyt kompaktowych i radio tranzystorowe, które dla członków Włoskiego

Stowarzyszenia Złodziei nie są popularnym łupem.

Jednak obawiam się jakiegoś bardziej inteligentnego włamywacza. To, co mógłby mi zabrać, nie ma wartości materialnej. Jest wiedzą, którą skradziono by chętniej niż wysadzaną diamentami broszę albo rolexa Oyster Perpetual. Nie każdy pragnie superzegarka, ale cały świat pożąda informacji.

Po czwarte, lubię swój apartament za dnia. Okna wpuszczają bryzę, światło słońca przesuwa się nieubłaganie po podłodze, potem znika i zaczyna przesączać się przez okna z drugiej strony. Dachówki stukają w skwarze, a jaszczurki biegają po parapetach. Jaskółki gnieżdżą się pod okapami, świergocząc i popiskując w upale. Nurkują do tych swoich ulepionych z błota mis niczym akrobaci, jakby sunęły po niewidocznych linach. Wiejska okolica wędruje poprzez zmieniające się światło: zamglenie świtu, ostrą jasność porannego słońca, rozmyte kontury południa i popołudnia, purpurę ciemniejącą aż po zmierzch, pierwsze iskierki zapalające się w górskich wioskach.

Po trosze jestem romantykiem. Nie zaprzeczam. Ze swoją troską o misterne szczegóły, uwielbieniem precyzji, sposobem postrzegania detali i wrażliwością na przyrodę chyba powinienem zostać poetą, jednym z niedocenionych ustawodawców świata. Zresztą ja już jestem takim niedocenionym ustawodawcą, chociaż od czasów szkolnych nie napisałem ani linijki. Co prawda, kilkakrotnie spotkałem się z wyrazami uznania, ale zawsze anonimowo.

I koniec końców, kiedy przebywam w mieszkaniu, to sprawuję całkowitą kontrolę nad swoim przeznaczeniem. Mogę paść ofiarą trzęsienia ziemi, bo nawiedzają tę część Włoch. Za dnia otruć się spalinami samochodów. W trakcie letniej burzy może razić mnie piorun. Na całym świecie nie ma lepszego miejsca do przyglądania się temu bożemu igrzysku niż właśnie moja loggia. Może też trafić we mnie jakiś odłamek z samolotu. To prawdopodobne. Nikt nie uniknie nieprzewidywalnych zdarzeń.

Pozostaję jednak bezpieczny, jeśli chodzi o zdarzenia przewidywalne, zagrożenia, które da się oszacować, przeanalizować i opisać. Ludzkie kaprysy.

Wychodzę wczesnym rankiem. *Vialetto* więzi noc jeszcze przez pół godziny po brzasku. Przy via Ceresio skręcam w lewo i idę za róg via de' Bardi. Naprzeciwko stoi stary dom, według signory Praski najstarszy w mieście. Zaraz przy dachu ma dziesięciocentymetrowe pęknięcie spowodowane sędziwym wiekiem, wstrząsami odległych wulkanów i wibracjami wzbudzanym przez ciężarówki jeżdżące po viale Farnese. W tej rozpadlinie mieszka kolonia nietoperzy, całe tysiące. Stojąc o świcie na skrzyżowaniu, patrzę, jak wracają, aby się schronić na dzień, i rozmyślam o D.H. Lawrensie i jego *pipistrello*. Miał rację. Nietoperze nie tyle latają, ile miotają się w neurastenicznej paraboli.

W pierwszych promieniach świtu idę czasem po via Bregno, przechodzę przez viale Farnese, wkraczam do *parco* della Resistenza dell'8 Settembre. Sosny i topole szumią, kiedy z doliny spływa pierwsza bryza. Wróble skaczą, szukając okruszków pozostawionych przez wczorajszych spacerowiczów. Kilka zabłąkanych nietoperzy łowi ostatnie nocne owady. W krzakach szeleszczą małe gryzonie – walczą o to, czego nie wyjadły wróble.

Tak wcześnie nie ma jeszcze nikogo. Mógłbym być duchem, który wędruje po ulicach i nie widzi żyjących. Zazwyczaj cały park jest tylko dla mnie – tak najlepiej, bezpiecznie. Gdyby pojawił jeszcze ktoś – portier idący do pracy, para kochanków splecionych ze sobą po nocy pełnej tego, co signora Prasca bez wątpienia określiłaby mianem *l'amore all'aperto*, miłością na łonie natury, jakiś spacerowicz – to mogę go dostrzec, określić motywy, dlaczego znalazł się w parku, określić ewentualne zagrożenie i odpowiednio zareagować.

Czasem, dla odmiany, wychodzę wieczorami. Miasto wtedy tętni życiem, ale nie jest zbyt zatłoczone. Pomimo tłumu są też cienie, gdzie można się wślizgnąć, bramy oraz przejścia, gdzie da się schronić, alejki będące dobrą drogą ucieczki. Mogę też wmieszać się w tłum, zniknąć w nim po cichu jak statek we mgle.

Podjąłem jednak pewne, dyktowane rozsądkiem środki ostrożności. Poza osobami z dyskretnego bractwa mojej profesji nikt nie wie, że tutaj jestem, a przynajmniej dokładnie w którym miejscu długiego włoskiego buta. Muszę jednak pozostawać w gotowości.

Znam to miasto, każdą ulicę, alejkę i przejście. Wędrowałem nimi, nauczyłem się ich, studiowałem zakręty i łuki, proste odcinki, a także kąty, pod jakimi wznoszą się lub opadają. Potrafię w piętnaście minut przejść od zachodniej do wschodniej bramy bez zatrzymywania się i ani razu nie schodząc z linii prostej na więcej niż osiem metrów. Wątpię, aby mieszkali tu inni, co tak potrafią.

Jeśli chodzi o opuszczenie miasteczka, mógłbym wyjechać z niego w samym apogeum szczytu, nawet w środku sezonu turystycznego, w ciągu niecałych trzech minut, począwszy od miejsca, gdzie stoi mój citroën. Siedem minut wystarczy, abym dotarł do bramki autostrady, bilet mam przygotowany w popielniczce. Po kwadransie jestem już wysoko w górach.

Pozwól, że opowiem o widoku z loggii. Signora Prasca słusznie karci mnie za to, że nie podziwiam go wspólnie z innymi – zatem podzielę się nim z tobą. Szkoda, że naprawdę nie znajdziesz się tam ze mną. Nie znam cię, więc tylko tyle mi wolno. Musisz zrozumieć, że w każdej chwili mogę kłamać. Nie, raczej fałszować prawdę. Prawda jest nieuchronnym absolutem. Ja jedynie ją dostosowuję.

Z loggii, od południowego zachodu po północny wschód, rozciąga się panoramiczny widok na dachy domów w dolinie – i na góry. Ponad dachami miasta patrzę na kościół i długi rząd drzew znaczący linię viale Nizza.

Wszędzie łupkowe dachówki, kwadratowe kominy z pochyłymi okapami, które same wyglądają

47

jak miniaturowe dachy. Jedyne odstępstwo na rzecz nowoczesności stanowią anteny telewizyjne na aluminiowych drągach. Wystarczyłoby je usunąć, a widok stałby się identyczny jak ten namalowany we wnętrzu kopuły. Szczyty domów układają się w kształt schodów, w miarę jak wzgórze zmierza w stronę klifu, który opada ku rzece i linii kolejowej na dole.

Dalej, przez trzydzieści kilometrów, od południowego wschodu po północny zachód, rozciąga się dolina. Z obu stron flankują ją góry wysokie na tysiąc pięćset metrów, z przedgórzem między płaskim dnem doliny, a strzelistymi, poszarpanymi szczytami. Ale one nie przytłaczają, bardziej przypominają przyjaznych stróży niż srogich strażników. Zimą linia śniegu zaczyna się ledwie sto metrów od dna doliny. Daleko, w głębi kotliny widać inne wzgórza, wznoszące się znad płaskiego terenu. Podobnie jak góry, są zalesione w tych miejscach, gdzie nie ma skał, a zbocze nie jest zbyt pochyłe. Zazwyczaj śnieg pojawia się tam na krótko. Po drugiej stronie doliny, na pagórkach, pobudowano wioski, małe osady przylegające do płaskowyżu. Ich mieszkańcy utrzymują się z uprawy roli. To niełatwe życie, ale radosne.

Tutaj, w mieście, rozwinął się przemysł: elektroniczny, farmaceutyczny, są zakłady usługowe – wszystko nowoczesne, ekologiczne. Siła robocza zamieszkuje anonimowe przedmieścia na północy, sterylne społeczności w osiedlach niskich bloków albo jednakowych domach otoczonych sosnami, kaleczonymi przez buldożery firm budowlanych. Oto domostwa ludzi, którzy w ogóle nie chcą kształtować historii.

Na szczęście stąd nie dosięgam wzrokiem tych tworów pokalanego poczęcia, jak ojciec Benedetto nazywa jałowe, wymizerowane dzielnice, pretensjonalne enklawy *borghesia Italiana*, włoskiej burżuazji. Przez składaną kieszonkową lornetkę marki Yashica widzę pięć tysięcy lat historii rozciągniętych przede mną niczym gobelin na ścianie katedry, sukno na ołtarzu boga czasu, rozpostarte ponad światem.

Na jednym z grzbietów stoi zamek, sterczy ze skały jak koguci grzebień. Teraz jest tylko ruiną, pozostały jedynie mury obronne otaczające trzy hektary gruntu ze zrujnowanymi koszarami, stajniami, stodołami i rezydencją pana twierdzy. Prowadzi tam zaledwie jedna brama, zamknięta ciężką żelazną kratą i zabezpieczona trzema łańcuchami ze stali i tytanu, jak również ciężkimi kłódkami. Łańcuchy noszą ślady nieudanego piłowania – na ziemi leżą resztki kilku ostrzy piły, zniszczonych ze złości lub z powodu niewłaściwego użytkowania. Ktoś bardziej błyskotliwy od człowieka z piłą starał się poszerzyć szczelinę między prętami kraty, korzystając z hydraulicznych kleszczy. Udało się, ale nie do końca.

Zamek wydaje się równie niedostępny jak w czasach krucjat. Ale ja odkryłem wejście, bo mam umysł podobny do umysłu budowniczego warowni, nawykły do zawiłych intryg; mam różnorodne potrzeby i ciągle towarzyszy mi konieczność posiadania kryjówki, liny, po której da się spuścić z okna, drabiny do zejścia po ścianie. Niedaleko twierdzy stoją ruiny klasztoru Vallingegno. To nawiedzone miejsce. Tak jak w zamku, mury są mocne. Budynki wewnątrz nich przetrwały w lepszym stanie, nie wszystkie sklepienia się zapadły. Podobno wciąż nawiedzają je duchy. Zakonne krypty są plądrowane przez miejscowe czarownice, których w tej części Włoch wciąż jest sporo. W 1942 roku hierarchowie gestapo odprawiali w klasztorze czarnoksięskie ceremonie. Podobno złożono tam do grobu wysokiego rangą oficera. Wiedźmy gorliwie szukają tego cennego łupu, ale na razie bez skutku.

Wokół ruin leżą wioski – San Doménico, Lettomanoppello, San Martino, Castiglione, Capo d'Acqua, Fossa. To malutkie, na wpół opuszczone miejscowości. Mieszkańcy wyjechali do Australii, Ameryki, Wenezueli, uciekając przed zarazą, suszą, bezrobociem albo nędzą. W latach dwudziestych i trzydziestych bieda aż piszczała w tych górskich stronach.

Znam te wszystkie miejsca. I jeszcze inne, leżące dalej, za górskimi przełęczami, przy szlakach, którymi chadzają tylko kozice, pasterze, dziki albo brawurowi narciarze – zjawiają się po pierwszych dużych opadach śniegu.

Ta dolina jest historią. Te góry są historią. Nie dostrzegam tego z loggii, bo widoczność ograniczają mi rzędy topoli w parco della Resistenza dell'8 Settembre. Ale siedemnaście kilometrów stąd wznosi się mostek nad rzeką, okryty podszyciem, gąszczem zarośli i porostów. Z drogi od pięćdziesięciu lat nikt już nie korzysta. Używa się objazdu, dwadzieścia metrów dalej w dół rzeki, po moście motorowym.

Kiedyś przedarłem się przez chaszcze i wkroczyłem na kamienny łuk tego mostku. Zapoznałem się z dziejami okolicy, więc wiem, że kroczyli po nim Otto i Konrad IV, Karol I Andegaweński i angielscy królowie Henryk III oraz Edward I, nie wspominając już o papieżach – dyplomacie Innocentym III, przebiegłym krzyżowcu Grzegorzu X, zakłamanym Bonifacym VIII i łatwowiernym cudotwórcy Celestynie V. Wszyscy byli ludźmi historii, przeznaczenia, pragnącymi zostawić swój ślad w dziejach.

Jako romantyk – choć nie poeta, to jednak ustawodawca, nie zapominaj – wyobrażam sobie dudnienie bębnów i podkowy ślizgające się na kamieniach, łopot proporców, brzęk uzd, szczęk zbroi, szuranie kolczug, skrzyp skóry. Widzę odbity w rzece błysk mieczowej stali i plątaninę barw jedwabi i flag.

Historia. Zamek i klasztor, wioski, most, drogi, kościoły, pola. Lubię tę zwyczajną historię codziennych spraw.

Dzisiaj na górskim grzbiecie jest piekielnie gorąco. Gramoliłem się po skalistej ścieżce prawie dwadzieścia minut. Zbocze wzgórza jest posępne: dziki tymianek, szałwia, niskie krzaki i osty. Do łodyg przylgnęły białe i brązowe pręgowane ślimaki. Skorupy zamknięte stwardniałym śluzem chronią je przed słonecznym żarem. Spieczone w ciągu dnia wyglądają jak perły na szypułkach albo kule żywicy.

Kamienie są luźne i duże, oślepiająco białe niczym emalia, szlak zaś niepewny. Gdyby ta droga była mniej kamienista, wjechałbym samochodem, ale nie mogę ryzykować, że uszkodzi się miska olejowa albo pęknie oś. Potrzebuję sprawnego pojazdu.

Na krańcu ścieżki, która biegnie zakosami przez wzgórze, stoją ruiny wieży i kościółka, niewiele większego od kaplicy. Kiedyś ogradzały go mury fortu, małego, lecz o ogromnym znaczeniu, bo stamtąd widać cały południowy skraj doliny, gdzie teren zaczyna stromo opadać ku równinie. Kręty szlak prowadzący w dół zwężającej się kotliny można objąć wzrokiem na odległość dziesięciu kilometrów. Dzisiaj tej drogi też używa się rzadko. Na wschodzie ciągnie się całkiem nowa, z asfaltu. Ale to właśnie tędy zmierzali krzyżowcy, a wieża i kościół pozostawały w rękach pierwszych bankierów świata: templariuszy.

Wszedłem na szczyt. Obok zwalonej wieży znalazłem odpowiedni głaz i na nim przysiadłem. Słońce nie zna litości. Wyjmuję z plecaka manierkę, pociągam łyk wody. Jest letnia, smakuje chłodem, a nie plastikiem.

Podziwiam tamtych rycerzy. Oni tworzyli historię. Walczyli. Zmieniali przeznaczenie. Zabijali. Strzegli sekretów. Byli małomówni jak wszystkie dyskretne osoby. Za sprawą skrytości, tego swojego zachłannego fetyszu prywatności, narobili sobie wielu wrogów. Podobnie jak ja. Wieża, o którą się opieram, kiedyś należała do nich. Z niej kontrolowali przeznaczenie.

Wielkie przeznaczenie. Nie jakieś tam drobne falki na linii czasu. Wielkie zwroty. Smagnięcia biczem czasu, który okręca się, trzaska i grzmi. Który rani.

Nie budowali kościołów, by trafić do pamięci, jeśli nie Boga, to chociaż pobratymców. Nie wznosili wież, żeby ich w przyszłości podziwiano. Kościoły, jakie postawili, najczęściej są nieduże, surowe, a wieże to stosy kamieni. Oni zmienili nie kształt krajobrazu, ale własnej i mojej egzystencji. Twojej także.

Jestem z tej samej gliny. Ja też cicho odgrywam swoją rolę na olbrzymiej scenie czasu. Nie wznoszę wież, nie stawiam pomników, a mimo to, dzięki mnie i moim działaniom, ustalana jest aktorska obsada historii. Nie takiej, do jakiej odnosił się ojciec Benedetto, złożonej z zawierania i łamania traktatów, kucia przymierzy, wyrachowanych małżeństw między kuzynami, z książąt i ludzi nieznacznie tylko wyniesionych ponad resztę. Chodzi o taką historię, co zmienia powietrze, jakim oddychamy, wodę, w której się kąpiemy, ziemię, po której stąpamy naszym krótkim krokiem, historię oddziałującą na nasz sposób myślenia.

Lepiej zmienić sposób postrzegania świata niż świat. Pomyśl o tym.

Już odpocząłem. Wraca mi oddech, a serce przestaje tak głośno łomotać po wysiłkach wspinaczki. Zajmuję się więc powodem swojej wycieczki za miasto. Właściwie powodami: bo są dwa.

Pierwszą sprawę załatwiam szybko. To zajmuje tylko kilka minut. Przez lornetkę obserwuję teren – od zachodniego zbocza wzgórza po wąską dolinę. Jest zalesiony, są tam dęby, kasztany, jarzębiny. Nie widać żadnej ścieżki z dna doliny, gdzie rozłożyła się najbliższa wioska jak grupa wędrowców chowających się przed burzą. W rzeczy samej to są wędrowcy, podróżnicy w czasie, a burza to sztorm dziejów. Znam tę wioskę, nie ma w niej domu zbudowanego później niż sto lat temu – a dwa wzniesiono w XII wieku. W jednym od zawsze mieści się piekarnia, drugi to garaż skuterów i sklep z częściami zamiennymi.

Znam topografię tych gór. Za grzbietem wzniesienia na szczycie lasów kryje się alpejska łąka.

We Włoszech nie każdy może kupić mapy, nie takie szczegółowe, jakie Brytyjczycy nierozsądnie sprzedają w każdej księgarni czy sklepie papierniczym. We Włoszech dokładne, wojskowe mapy są niedostępne. Dysponują nimi tylko przedstawiciele administracji, armii, kompanii wodnych, *polizia* i władze prowincji. W Italii było za dużo wojen, rozbójników, polityków, aby ryzykowano rozpowszechnianie takich informacji. Mapy pokazujące kontury terenu, górskie ścieżki, zrujnowane i niezamieszkane osiedla, nieużywane drogi nie są ogólnie dostępne. Mapa okolicy w skali 1:50 000 miałaby dla mnie niezmierzoną wartość. Za mapę w skali 1:25 000 chętnie zapłaciłbym z siedemset pięćdziesiąt tysięcy lirów. Jednak nie ważę się tych map szukać. Gdybym się postarał, dotarłbym do nich, ale wtedy byłoby też wiadomo, kto o nie pytał. Muszę zatem polegać na swoim górskim doświadczeniu i właśnie ono podpowiada mi, że gdzieś tam rozciąga się alpejska polana, idealna do tego, co zamierzam.

Robię kilka notatek. Postanawiam wybrać się na drugą stronę wzniesienia i przejrzeć teren, gdy tylko nastanie pochmurny dzień. W słońcu, w górach szyba samochodu odbija światło jak heliograf. Z loggii widywałem już rozbłyski szyb aut odległych o dwadzieścia siedem kilometrów.

Potem zajmuję się kolejnym zadaniem, portretem *Papilio machaon*, znanego lepiej jako paź królowej.

Kto nigdy nie oglądał tego stworzenia, ma życie uboższe, gdyż zabrakło w nim wielkiego piękna. Paź, według wydania leksykonu Kirby'ego z 1889 roku, jest dużym, silnym motylem o szerokich, trójkątnych skrzydłach przednich i wyszczerbionych tylnych. Przednie są siarkowożółte, czarne u podstawy i z czarnymi żyłkami. Mają też czarne plamy po bokach, a przy brzegach szerokie, czarne pasmo przyprószone żółcią. Powierzchnia tylnych skrzydełek jest zasadniczo czarna, przed krawędziami obsypana błękitem. Przy samych krańcach widnieją czerwone plamy przypominające oczy, z przodu obwiedzione czernią i kobaltem. Wzdłuż bocznych krawędzi ciągną się żółte półksiężyce. Rozpiętość skrzydeł wynosi od pięciu do dziesięciu centymetrów. Motyle latają z pełną wdzięku szybkością, łopocząc gwałtownie. Wszystko to wygląda przepięknie.

Między zrujnowaną wieżą a kościółkiem biegnie ciepły prąd powietrza, ciągnąc od dna doliny, od pól jęczmienia i soczewicy, połaci szafranu, winnic i sadów. Sunie tylko tutaj i motyle używają go jako autostrady, aby przemierzać górski grzbiet, gdy wędrują z jednej części doliny do drugiej. Unoszą się na nim tak, jak to robią drapieżne ptaki. Z buteleczki po lekarstwach wylewam na ziemię swoją przynętę, miksturę z miodu i wina zmieszaną z kieliszkiem uryny. Wsiąka w żwir. Zostaje ciemna, wilgotna plama.

Sztuka wynika z obserwacji. Pisarz przygląda się życiu i odtwarza je, prowadząc narrację; malarz szczegółowo bada życie, następnie imituje je w kolorze; rzeźbiarz rozważa życie i unieśmiertelnia w wiecznym marmurze, albo przynajmniej tak sądzi; muzyk wsłuchuje się w życie, po czym je gra na skrzypcach; aktor udaje rzeczywistość. Nie jestem prawdziwym artystą, nikim z wyżej wymienionych. Tylko obserwatorem. Staję na skrzydłach świata, spoglądając na to, co dzieje się poniżej. Moim miejscem zawsze było krzesło suflera. Szepczę słowa, podaję wskazówki, aby akcja rozwijała się dalej.

Ileż to książek widziałem spalonych, ileż malowideł wyblakło i pociemniało, jak wiele rzeźb rozbiła broń, roztrzaskał mróz albo rozpękły się w ogniu? Ile milionów nut słyszałem, gdy ulatywały w powietrze, aby rozwiać się niczym dym pozostawionego cygara?

Nie muszę długo czekać. Przypadkiem właśnie pierwszy zjawia się *Papilio machaon*. Siada na wilgotnej plamie. Wyczuł przynętę. Brakuje mu jednej z tych plam w kształcie oka. Coś rozerwało mu skrzydełko, rozdarcie ma kształt litery „V", ptasiego dzioba. Owad rozwija trąbkę niczym sprężynę. Zniża się ku ziemi i smakuje ją w najwilgotniejszym miejscu. Potem ssie.

Obserwuję go. Ta piękna istota wypija część mnie. Rozkoszuje się tym, co ja wyrzucam.

Wyobrażam sobie, że moja uryna jest słonawa, miód mdłosłodki, a wino uderza do głowy. Wkrótce sporządzonym przeze mnie narkotykiem pożywia się sześć okazów *Papilio machaon*, w towarzystwie motyli innych gatunków, którymi dzisiaj się nie interesuję. Pierwszy paź, ten z rozdartym skrzydełkiem, ma już dosyć. Zatrzymuje się w skąpym cieniu krzaka ostu. Składa i rozkłada skrzydła. Upił się solą i winem, lecz nie na długo. Za dwadzieścia minut wydobrzeje. Pomknie w dół zbocza, aby szukać kwiatów – trunków bardziej przyzwoitych, choć mniej cudownych.

Nie rozumiem, dlaczego ludzie zabijają takie piękno. Z pewnością nie może być żadnej radości w chwytaniu tego arcydzieła ewolucji, duszeniu go chloroformem albo miażdżeniu mu tułowia, potem oczekiwaniu na stężenie pośmiertne i przyszpilaniu, zastygłego, w szklanej gablocie wyposażonej w filtr chroniący kolory przed wyblaknięciem. Dla mnie to szczyt szaleństwa.

Zabijając motyla, niczego się nie zyskuje. Co innego, zabijając człowieka.

Piazza w wiosce Mopolino jest trójkątna. Zachodnią część ocienia rząd ośmiu drzew, ich pnie są pokaleczone i podłubane beztroskim parkowaniem, wystające korzenie poplamione psim moczem i użyźnione niedopałkami. Wyrastają ze spłachetków brudnego żwiru; krawężniki nie zapewniają im żadnej ochrony. To dla włoskich kierowców nie wskazówki, a wyłącznie przeszkody.

Przy wschodnim wierzchołku placyku mieści się tutejsza poczta, mały budynek, nie większy od sklepiku. Pachnie w nim zatęchłą jutą, tanim papierem i klejem. Kontuar jest co najmniej tak stary jak naczelnik urzędu, któremu dałbym z sześćdziesiąt pięć lat. Drewnianą ladę wypolerowano woskiem i rękawami marynarek, chociaż popękała, a szczeliny wypełnia zgromadzony przez lata kurz. Twarz urzędnika też jest wypolerowana i popękana.

Piazza ma taką zaletę, że mieszczą się tu dwa bary, jeden po każdej stronie. Mogę więc siedzieć w jednym i mieć na oku nie tylko cały plac, ale także drugi lokal.

Mało prawdopodobne, by ewentualny obserwator pił w tym samym barze, co ja. Gdybym wszedł, taki człowiek poczułby, że powinien wyjść albo zasiąść przy stoliku na zewnątrz – i od razu stałby się podejrzany. Wolałby zatem od razu usiąść po drugiej stronie *piazza*, przypatrywać mi się z oddali.

Znalezienie odpowiedniej poczty zajęło mi sporo czasu.

W mieście główny urząd pocztowy jest zbyt duży, gwarny, publiczny. Zawsze tam i przy sąsiedniej firmie telekomunikacyjnej przewala się tłum ludzi. Wielu czeka, aby zadzwonić, wysłać list, nadać telegram, spotkać się z przyjacielem, pogawędzić albo po prostu stoi i przypatruje się innym. Niektórzy niecierpliwie przechadzają się tam i z powrotem.

Z tamtego urzędu nie widać żadnego baru. Gdyby jakiś był, przyniósłby właścicielowi majątek. Zaskakujące, że jeszcze żaden sprytny przedsiębiorca nie dostrzegł tego potencjału. Taki lokal mnie też bardzo by się przydał jako doskonały punkt obserwacyjny. Przyglądałbym się ludziom i oszacowywał potencjalne niebezpieczeństwo. Chociaż nie umiem sobie wyobrazić, abym czuł się całkiem bezpiecznie w podobnym miejscu, aż buzującym od gapiów. Od razu po przybyciu w te strony potrzebowałem miejsca, do którego docierałbym cichaczem jak tygrys wracający do swojego łupu i świadomy, że wśród drzew może cierpliwie czekać myśliwy.

A zatem gdy przyjeżdżam do Mopolino, zawsze parkuję swojego citroëna 2CV przy ostatnim drzewie w szeregu, potem idę do baru z lewej strony *piazza*. Niezmiennie siadam przy tym samym stoliku i zamawiam te same napoje – espresso i szklankę wody z lodem. Właściciel, równie stary jak naczelnik poczty, zdążył już mnie poznać i zaakceptować jako stałego, choć milczącego bywalca.

Nie przyjeżdżam tutaj w ten sam dzień tygodnia albo o stałej porze. Z takim sztywnym rozkładem zajęć aż prosiłbym się o kłopoty.

Przez jakiś czas popijam kawę i przyglądam się powolnemu życiu wioski. Oto zjawia się rolnik. Przybył na wozie ciągniętym przez opasłego kucyka. Wózek zrobiony jest z podwozia od półciężarówki fiata i drewnianych burt dwukółki, starszej o wiele dziesięcioleci. Misternie wyrzeźbiono na nich liściasty wzór – jest estetyczny, a cała reszta pojazdu pomysłowa. Koła wzięte

z dużej ciężarówki mają łyse opony Pirelli na-
pompowane do połowy. Po *piazza* na skuterach
przemyka grupa hałaśliwych nastolatków. Ryk
silników i głosy przez chwilę odbijają się echem
od ścian. Jakiś bogacz w kabriolecie sedanie
marki Mercedes-Benz podjeżdża do poczty i porzuca swoje auto na środku ulicy. W ogóle się nie
przejmuje, że zastawił drogę codziennej dosta-
wie mięsa do sklepu rzeźnika. Są tu jeszcze dwie
bardzo ładne dziewczyny. Piją kawę w drugim
barze. Ich śmiech jest lekki, choć jednocześnie
pełen powagi związanej z troskami młodości.

Czekam tak z godzinę. Jeśli nie dostrzegam
niczego niepokojącego, idę szybko na pocztę.

– *Buon giorno* – mówię.

Naczelnik burczy coś w odpowiedzi, wysu-
wając podbródek. To jego sposób pytania się,
czego chcę – chociaż przecież dobrze wie. Zawsze chcę tego samego. Nie kupuję znaczków
i rzadko wysyłam list.

– *Il fermo posta?** – dopytuję się.

Mężczyzna odwraca się do stojaka z prze-
gródkami i worem poczty, który wisi w metalowej ramie. Ten widok przypomina starca wspar-
tego na balkoniku. Zastanawiam się, czy po pracy naczelnik pożycza tej ramy, aby dotrzeć do
domu.

Z jednej z przegródek wyciąga paczkę zwy-
kłych kopert ściągniętych gumką. Niektóre listy
są tam od tygodni, nawet miesięcy. Relikty ro-
mansów, które się nie udały, zaniechanych albo
dawno już dokonanych drobnych przestępstw,

---

* *Il fermo posta* (wł.) – poste restante.

niedotrzymanych umów, a także znajomości z turystami, którzy już dawno ruszyli dalej w swojej niestrudzonej wędrówce. Oto smutny komentarz na temat słabej, zmiennej i nieczułej ludzkiej natury.

Urzędnik przegląda pocztę zręcznie jak kasjer przeliczający gruby plik banknotów. Kiedy dotrze do końca, zatrzymuje się i powtarza cały proces, aż w końcu natknie się na list do mnie. Zawsze tylko jeden. Wyciąga go długimi, chudymi palcami i ciska na ladę z niezrozumiałym mruknięciem. Już zdążył mnie dobrze poznać, nie pyta, kim jestem. Kładę sto lirów w drobnych, jako dowód wdzięczności za tę uprzejmość. On kościstymi palcami zgarnia monety i przesypuje do drugiej dłoni.

Wychodząc z poczty, nie idę od razu do swojego małego samochodu. Najpierw obchodzę wieś. Ulice są spokojne, chłodne w zacienionych miejscach, brukowe kamienie gładkie i twarde pod stopami, a okna zatrzaśnięte przed skwarem dnia. Pod niektórymi drzwiami leżą psy. Wycieńczone upałem nawet nie szczekają na obcego. A może i one mnie już rozpoznają. Nieufne koty kryją się w głębokim mroku pod schodami albo w nadprożach. Mają czujne, błyszczące i przebiegłe oczy jak dziecięcy kieszonkowcy z Neapolu.

Pod jednym z wejść do domów siedzi staruszka. Robi koronkę, jej sękate palce są jak korzenie drzew na *piazza*, ale wciąż żwawe. Przeciągają nić przez ramkę z wyćwiczoną zręcznością, która wzbudza u mnie podziw. Kobieta siedzi w cieniu, lecz dłonie i koronkę trzyma

61

w jasnym blasku słońca. Skóra na kostkach ściemniała i wygląda jak wyprawiona.

Zawsze kiedy przechodzę obok, uśmiecham się do starowinki. Często się zatrzymuję, aby podziwiać jej pracę.

Niezależnie od pory dnia pozdrawia mnie słowami: *Buona sera, signore*. Piskliwy, skrzeczący głos przypomina miauczenie.

Początkowo zastanawiałem się, czy aby nie jest niewidoma i każda godzina to dla niej wieczór. Wkrótce jednak uświadomiłem sobie, że jej oczy raczej wszystko widzą w półmroku, stale oślepiane słońcem odbijającym się od białych nitek.

Wskazuję na koronkę i mówię:
– *Molto bello, il merletto*.

Ta uwaga zawsze wywołuje szeroki i bezzębny uśmiech i taką samą odpowiedź, z chrząknięciem przepełnionym rozbawieniem i drwiną.
– *Merletto. Si! I lacci. No!*

Tak nawiązuje do naszego pierwszego spotkania, kiedy szukając odpowiedniego słowa, uznałem, że *laccio* to koronka – a okazało się, że sznurówka.

Dzisiaj, spacerując, otwieram list, czytam i zapamiętuję treść. Rozglądam się, czy ktoś mnie nie śledzi. Przed powrotem do citroëna zatrzymuję się, aby zawiązać sznurówkę, i obserwuję placyk. Rzucam okiem na zaparkowane samochody. Większość należy do miejscowych. Te, których nie rozpoznaję, studiuję przez chwilę, wbijając sobie w pamięć szczegóły. W drodze powrotnej do miasta sprawdzę, czy ktoś mnie nie śledzi.

Zadowolony, że jestem bezpieczny – a przynajmniej przygotowany – wyjeżdżam. Robię jeszcze kilka innych, zabezpieczających mnie rzeczy, ale nie musisz o nich wiedzieć. Nie mogę ci zdradzić każdego detalu. To byłoby nierozsądne.

W drodze powrotnej do miasta – przez jakieś trzydzieści siedem kilometrów – obserwując, czy nikt za mną nie jedzie, kawałek po kawałku, drę list na jak najdrobniejsze części i szczyptami wyrzucam za okno.

W drugiej sypialni apartamentu urządziłem warsztat. To całkiem spory pokój, dla mnie niemal za duży, bo wolę pracować na bardziej ograniczonej przestrzeni. To upodobanie nie służy mojemu zdrowiu, nie w takim fachu, ale się przyzwyczaiłem.

W Marsylii musiałem wszystko robić w dawnej piwniczce na wino. Nie było tam wentylacji, z wyjątkiem kraty wysoko na ścianie i czegoś w rodzaju przewodu kominowego w jednym z kątów. Brakowało dziennego światła, okropne. Całe tygodnie wysilałem oczy, wciąż trudząc się przy tym samym zajęciu. Rezultat okazał się wyśmienity, przypuszczalnie to było najlepsze dzieło, ale ta praca zrujnowała mi wzrok i podrażniła płuca. Miesiącami cierpiałem na bronchit i bolało mnie gardło. Musiałem też nosić ciemne okulary. Stopniowo zmniejszyłem zaciemnienie szkieł, zanim znowu mogłem bezpośrednio odbierać światło słońca. Przeszedłem piekło. Sądziłem, że już nigdy się nie powtórzy. A jednak.

W Hongkongu wynajmowałem dwupokojowe mieszkanie w Kwun Tong, przemysłowym rejonie nieopodal lotniska Kai Tak. Okropnie zanieczyszczone powietrze rozpościerało się nad okolicą jak warstwy liści w sadzawce. Na dole walały się podroby, resztki jedzenia, kawałki wiązań z rattanowych rusztowań, piankowe pojemniki z fast foodów, porzucone plastikowe buty, papiery. Jeden wielki brud. Od pierwszej kondygnacji – w budynku, gdzie wynajmowałem pomieszczenie na swój tymczasowy warsztat, ironicznie nazywano ją antresolą – aż po trzecią czy czwartą cuchnęło oparami ropy i benzyny. Wyżej odór pochodził głównie z oparów tetrachlorku węgla, w zależności od tego, skąd akurat wiał duszący wiatr, okraszonego delikatną nutą spalonego cukru, ścieków, topionego plastiku, barwników do tkanin lub smażonego tłuszczu. Nad sobą miałem pracownie barwierskie, wytwórnię zabawek, kuchnię, gdzie wyrabiano rybne pulpety, cukiernika, zakład protetyczny firmę produkującą oprawki do okularów i pralnię chemiczną. Ścieki płynęły skorodowaną, dwunastocalową rurą, która przeciekała na czwartym piętrze.

Nienawidziłem tego miejsca. System wentylacyjny mojego mieszkania – jednego z dwunastu „apartamentów" na wyższych piętrach, których mieszkańcy podobnie jak ja zajmowali się wytwarzaniem czegoś – działał prawidłowo, lecz usuwając ode mnie drażniące gazy, przynosił inne. Na dole, pośrodku ulicy, biegły tory kolejki, tak jak nowojorskie metro wsparte na betonowych podporach, tylko znacznie nowocześniejszych i zdumiewająco, nieskazitelnie czystych.

Panował wręcz nieopisany hałas: co trzy minuty turkot kolejki, do tego jeszcze ciężarówki, samochody, maszyny, pokrzykiwania, klaksony, walenie, łupanie, zgrzytanie, posykiwanie. Ponadto przez większość dnia co chwilę z rykiem przelatywał odrzutowiec.

Tak zeszło mi pięć tygodni. Pracowałem bez wytchnienia. Skończyłem pracę szybko, bo bardzo chciałem wyjechać. Przesyłka miała być dostarczona do Manili. Wziąłem sobie potem dłuższy urlop na Fidżi, wylegiwałem się w cieniu jak emerytowany pirat, rozrzutnie żyjąc ze swojego łupu.

W Londynie wynająłem garaż wbudowany w arkady pod wiaduktem kolejowym, na południe od Tamizy. Paskudna okolica – tak się wtedy mówiło – ale mnie odpowiadała. Mogłem pracować przy otwartych oknach, w świetle dnia. W innych przejściach mieściły się zamknięte magazyny, warsztat samochodowy, zakład naprawy telewizorów i punkt napełniania gaśnic. Nikt nikomu nie przeszkadzał. W porze lunchu wszyscy zasiadaliśmy w pobliskim pubie, jedliśmy jajka po szkocku i marynowane śledzie z drożdżówkami obficie posypanymi kruszonką. Popijaliśmy to piwem Bass. Powstała tak swoista wspólnota w owym ponurym, murowanym szeregu przejść z pociemniałą zaprawą i pordzewiałym, łańcuchowym ogrodzeniem, tam, gdzie szło się przez błoto i chlapę, a u góry, z dziwnie uspokajającym rumorem przewalały się kolejki do stacji Charing Cross albo Waterloo.

Pozostali rzemieślnicy sądzili, że wyrabiam ramy rowerowe na zamówienie. Aby pogłębić to fałszywe przekonanie, kupiłem kolarzówkę. Kiedy wyjeżdżałem, naprawdę mało brakowało. Gliny z megafonami i snajperami zjawiły się zaledwie kilka godzin po moim odejściu. Jeden z mechaników warsztatu samochodowego okazał się kapusiem. Doniósł, że kradnę ołów: poczuł zapach, kiedy topiłem i przeformowywałem metal. Śmieszne oskarżenie. Osądził mnie według własnej miary i popełnił błąd.

Wróciłem po dwóch latach. Błotnista ścieżka zmieniła się w chodnik z ładnymi żelaznymi słupkami, na których namalowano herby rady miejskiej. Lokale pod arkadami zajmowały teraz modna restauracja, studio fotograficzne i fryzjer damsko-męski. Znalazłem tamtego mechanika. Mieszkał przy cichym, obsadzonym drzewami placyku nieopodal Old Kent Road. W brukowcach pisano później, że popełnił samobójstwo razem ze swoją młodą konkubiną. W artykułach sugerowano, że to było wspólne postanowienie kochanków. Postarałem się, aby wszystko właśnie tak wyglądało.

Tylko wtedy zdarzyło mi się wrócić. Marsylia, Hongkong... Tam nigdy więcej się nie pojawiłem. Ateny, Tucson, Livingstone, Fort Lauderale, Adelajda, New Jersey, Madryt... Już ich nie widziałem.

Jednak ta druga sypialnia, moje włoskie schronienie, to zdecydowanie najlepsza z pracowni. Przewiewna. Nawet w upalny dzień, w samym środku lata, gdy są zasunięte żaluzje, do środka cały czas przenika bryza. Przez drzwi czy listewki wpada wystarczająco dużo światła, żebym nie musiał korzystać z lamp, chyba że zajmuję się jakąś bardziej precyzyjną pracą. Każdy zdradliwy zapach, który mógłby od czasu do czasu powstać za sprawą tego lub innego procesu, wylatuje zastąpiony świeżym powietrzem. Na zewnątrz szybko się rozprasza. Kamienne podłogi pochłaniają większość dźwięków.

W tym pokoju nie ma typowych mebli. Pośrodku jest duży stół warsztatowy. Obok regał z metalowymi półkami, gdzie trzymam narzędzia. Pod ścianą, z prawej strony okna, stoi mała, jubilerska tokarka. Opiera się na żelaznych nogach, ustawionych na dwóch blokach drewna, między które wsadziłem warstwę solidnej gumy, używanej do wyrobu części silników samochodowych. Przy tokarce przykręciłem do ściany głośnik stereo; po drugiej stronie pracowni jeszcze jeden. Zainstalowałem też stalowy zlew kuchenny i kran z zimną wodą, podłączony do rur sąsiedniej łazienki. Mam taboret, a pod nim dywanik. Obok warsztatu termowentylator, na lewo od drzwi pulpit rysowniczy i jeszcze taboret. To już wszystko.

Z tokarką był pewien problem. Signora Prasca w pełni zaakceptowałaby stół warsztatowy, bo sądziła, że artyści takiego potrzebują. Zresztą zadbałem, aby zauważyła, że sztaluga i pulpit rysowniczy przybyły w tym samym czasie. I lampy. Stół warsztatowy udało się więc zamaskować – niby że należy do wyposażenia malarskiej pracowni. No ale przy malowaniu miniatur nie korzysta się z tokarki. Trzymałem ją więc w częściach w wynajętej furgonetce, którą przyjechałem z Rzymu i zaparkowałem na Largo Bradano. Po kawałku, przez cztery dni przenosiłem maszynę do mieszkania. Podstawa urządzenia okazała się jednak za ciężka. Pomógł mi mechanik Alfonsa, z warsztatu na piazza della Vanga. Myślał, że dźwiga prasę drukarską. Artyści przecież drukują swoje prace. Przynajmniej tak sobie wytłumaczył. Signora Prasca akurat wtedy była na zakupach.

Tokarka robi mnóstwo hałasu, dlatego głośno nastawiam muzykę. Kolumny są podłączone do odtwarzacza płyt kompaktowych w salonie. Jeśli metal zgrzyta, wybieram jeden z trzech utworów: *Toccatę* i fugę d-moll Bacha, I symfonię *Tytan* Mahlera, część drugą, i melodię najodpowiedniejszą – ponieważ doceniam ironię – IV symfonię A-dur *Włoską* Mendelssohna. Może, aby tę ironię uczynić kompletną, powinienem dodać do mojego skromnego repertuaru ostatnich pięć minut uwertury *1812* Czajkowskiego, opus czterdzieste dziewiąte. Wystrzały z armat stanowiłyby odpowiedni akompaniament dla odgłosów wydawanych przez tokarkę.

Imbert. Z tego co pamiętam, był spokojnym człowiekiem. Antonio Imbert. Nie słyszałeś o nim, chyba że jesteś specjalistą od spraw

Ameryki Środkowej albo starszym urzędnikiem z CIA. Nie poznasz także jego współpracowników, towarzyszy, jego współspiskowców. W swoim świecie, w swojej historii odgrywali ważną rolę: Diaz to brygadier-generał, Guerrero – doradca prezydenta, Tejeda i Pastoriza – inżynierowie (nigdy nie wiedziałem od czego). Poza nimi byli jeszcze Pimentel, Vasquez i Cedeno. A także Imbert.

Z tej całej ekipy zabójców spotkałem wyłącznie jego i tylko przy jednej okazji, spędzając jakieś dwadzieścia minut na koktajlu w hotelu w South Miami Beach. Spotkanie okazało się ze wszech miar udane. Hotel – teraz zapuszczony – czasy chwały przeżywał w epoce gangsterów szmuglujących alkohol i prujących do siebie z tommiganów. Budynek w stylu art déco, o zaokrąglonych rogach i miękkich konturach, przypominał staroświecką amerykańską limuzynę, powiedzmy dodge'a albo buicka, automobil Wielkiego Gatsby'ego. Mówiono, że w wolnych chwilach wpadali tam Al Capone i Lucky Luciano. Pamiętam, że do picia wziąłem sobie manhattan. Antonio sączył tequilę z solą i cytryną.

Podobno Imbert jako jedyny stale wymykał się kulom, ciągle ścigającym ludzi jego pokroju, które jak wściekle osy gonią tego, kto kopnie gniazdo. Oni wszyscy kopali w gniazda os. Właśnie tym była Republika Dominikany, a osami zwolennicy generalissimusa Rafaela Leonidasa Trujilla.

Potem zniknął – to znaczy Antonio. Trujillo po prostu umarł. Nigdy nie dowiedziałem się, dokąd wyjechał, chociaż podejrzewam, że najpierw do Panamy. Tak jak uzgodniliśmy, trzydziestego lipca, dwa miesiące po zdarzeniu, dostałem przekaz bankowy z Pierwszego Banku Narodowego, wysłany mi do Colonn.

Spotkaliśmy się dawno temu, pod koniec lutego 1981 roku. Trujilla zabito w maju.

Tradycyjny zamach. Al Capone byłby z niego bardziej niż zadowolony. Atak wyglądał na typowy gangsterski porachunek: taki sam plan działania, taki sam rodzaj egzekucji. Wcale nie jestem nonszalancki: to nie jakaś niezgrabna gra słów, lecz czyste stwierdzenie niepodważalnego faktu. Teraz coś podobnego zdarza się już rzadko. Nie ma spektakularnych zamachów, przeminęły z sugestywną, dekadencką epoką transoceanicznych liniowców, hydroplanów i makabrycznych wdów w futrach z norek, z grubą warstwą makijażu. Teraz jest po prostu bomba i błysk, ulewa pocisków, radiem sterowana mina, przypadkowa eksplozja niekontrolowanej przemocy. Brakuje artyzmu, dumy ze swojej pracy, gorliwości i spokojnego, chłodnego planowania. Brak prawdziwej odwagi.

Trujillo był wierny swoim przyzwyczajeniom. Co wieczór odwiedzał starą matkę w San Cristóbal, trzydzieści dwa kilometry od Ciudad Trujillo. Antonio i jego kumple zatarasowali mu drogę dwoma samochodami, trzeci jechał z tyłu. Kiedy wóz generalissimusa zwolnił, ludzie w tym aucie otworzyli ogień. Z pobocza ich towarzysze zaczęli pruć z automatów. Przynajmniej tak później podawano. Generalissimus ostrzeliwał się z rewolweru. Jego szofer odpowiedział serią z dwóch pistoletów maszynowych. Przeżył. Zabójcy nie celowali w przednie siedzenia. Kierowali ogień dokładnie na tył, w okna i pojedyncze rozbłyski płomienia z broni swojego celu.

Gdy już dopadli dyktatora, nie wystarczył im widok martwej ofiary. Wyszli z ukrycia, kopali ciało, walili w nie kolbami i roztrzaskali lewe ramię. Cisnęli trupa do bagażnika jednego z blokujących drogę aut, po czym wywieźli, aby porzucić w ciemnościach. Wcześniej jeszcze ostatni raz spojrzeli na posiniaczoną, wykrzywioną twarz Trujilla.

I to właśnie było złe. Nie zabójstwo, bo śmierć zawsze można usprawiedliwić. Lecz okaleczenie. Powinien ich zadowolić sam koniec wroga. To nie kwestia estetyki, etyki, politycznej stosowności albo człowieczeństwa. Chodzi o zwyczajną stratę czasu.

Martwi niczego nie czują. Dla nich nastaje już kres. Zabójcy nic nie zyskują, bijąc trupa. Nie dostrzegam w takim postępowaniu żadnej przyjemności, żadnego uzasadnienia, chociaż przyznaję, że jakieś musi być. Podobne zachowanie dehumanizuje i upokarza zamachowców. Akt zabijania – dokładnego, szybkiego – jest w gruncie rzeczy tak bardzo ludzki, że nadawanie mu cech bestialstwa redukuje go do zwykłej rzezi.

Chociaż, jak sadzę, zdołałbym zrozumieć ich tok myślenia, tę wrzącą w nich nienawiść do Trujilla za to, co zrobił, przeciwko czemu wystąpili.

Przynajmniej zostawili w spokoju szofera, ciężko rannego i nieprzytomnego. Nie pobili go, nie uśmiercili. Na odsłaniającym się kobiercu historii był przecież tylko przypadkowym człowiekiem.

Jednak to również było błędem. Nigdy nie zostawiaj świadka zaangażowanego w jakieś wydarzenie. On staje się częścią historii, którą widział. To jego prawo, i jego los. Pozbawienie go tego jest pozbawieniem historii kolejnej ofiary.

Gdybyś powiedział jakiemuś Europejczykowi, że sikanie na drzewo kapokowe jest czynnością tabu – bo robiąc tak, można uwolnić demona zamieszkującego pień, on zaś, uciekając, wspina się po strumieniu moczu, wchodzi w genitalia i powoduje bezpłodność – toby cię wyśmiał. W Starym Świecie tabu nie traktuje się poważnie. Stanowi coś przynależnego ludziom prymitywnym, łowcom głów, dzikusom z pomalowanymi twarzami.

A jednak dla każdego, podobno cywilizowanego człowieka, właśnie takie tabu stanowi śmierć. Boimy się jej, brzydzimy się nią, zabobonnie o niej rozmyślamy. Nasza religia przed nią ostrzega, przed siarką i płomieniami, demonami o czerwonych ogonach, uzbrojonych w widły, czyhających, by nas usidlić, wepchnąć w otchłań. Moim zdaniem nie ma ani demona w drzewie kapokowym, ani piekła. Śmierć to jednak zasadnicza część procesu. Żyjemy i umieramy. Po narodzinach jest jedyną rzeczą pewną, nie do uniknięcia. Wartością zmienną jest tylko czas.

Nie ma sensu bać się śmierci, tak jak nie ma sensu bać się życia. Zostajemy postawieni przed faktem, że jedno i drugie istnieje, musimy je zaakceptować. Nie dostajemy oferty uniku, takiego w faustowskim stylu. Możemy jedynie opóźnić albo przyspieszyć moment śmierci. Ludzie starają się go odwlec. Instynktownie, bo życie wydaje się lepsze.

Przyznaję, że ja też odsuwam nadejście ciemności. Nie wiem dlaczego. Przecież nic nie poradzę, ona się i tak zjawi. Tylko sposób jej nadejścia potencjalnie da się kontrolować.

Jutro mogę się zabić. Buteleczka z kodeiną stoi na półce w łazience, czeka. Codziennie też, oprócz niedziel, na południe jedzie pociąg z Mediolanu. Nie zatrzymuje się na tutejszej stacji: wystarczy jeden krok przed siebie, aby ze sobą skończyć. Poza tym w górach są klify sięgające aż po niebo, zawsze też pozostaje pistolet, czysty i szybki sposób umierania.

Mogę źle zacytować – nigdy nie byłem dobry w językach klasycznych – ale sadzę, że to Symonides napisał: „Ktoś jest szczęśliwy, albowiem ja, Theodorus, nie żyję. A ktoś inny ucieszy się, kiedy tamten ktoś umrze, bo my, każdy z nas, jesteśmy dłużnikami śmierci".

Z pewnością znajdą się tacy, co uczczą moje odejście i dla których słowa króla Francji Karola IX stale są aktualne: „Nic nie pachnie tak miło jak ciało zabitego wroga". Na pewno też zjawi się niewielu żałobników na moim pogrzebie. Może, gdybym umarł dzisiaj, łzę uroniłyby

73

signora Prasca, Clara i Dindina. Ojciec Benedetto wymamrotałby kilka słów zasmucony, że się nie wyspowiadałem. W rzeczy samej, jeśli ceni sobie moją przyjaźń tak bardzo, jak sądzę, to mógłby udawać, że słyszał ostatni, słaby szept żalu za grzechy albo uchwycił malutkie drgnienie powieki w odpowiedzi na ostatnie, wielkie pytanie. Oczywiście, w rzeczywistości nic takiego by nie nastąpiło. Każdy skurcz moich mięśni spowodowałyby tylko milknące nerwy, ciało wyzwalające elektryczność, tkanka wiotczejąca na początku dystyngowanego obracania się w pył.

Nie wiem, jaki napis zamieszczono by w nekrologu albo na nagrobku. Może „A.E. Clarke". Ja wolałbym „il signor Farfalla". Muszę też się pogodzić się z tym, że gdy śmierć mnie już obejmie, wypłynie kwestia mojej tożsamości. Cokolwiek jednak się stanie, na mogile nie pojawi się prawdziwe nazwisko. Na zawsze pozostanę błędem administracyjnym w dokumentach cmentarza.

Nie obawiam się śmierci ani umierania. W ogóle się nad nimi nie zastanawiam. Po prostu akceptuję, że nadejdą w swoim czasie. Podzielam pogląd Epikura. Śmierć, ponoć rzecz najbardziej przerażająca, jest dla mnie niczym. Dopóki żyję, śmierci nie ma, nie wydarzyła się, nie można jej dotknąć ani przewidzieć. A kiedy nadchodzi, jest niczym. Jedynie daje do zrozumienia, że już dłużej się nie istnieje. W związku z tym nie należy się zbytnio przejmować śmiercią, bo żyjący jej nie doświadczają, a martwi także nic o niej nie wiedzą. To tylko drzwi między bytem a niebytem. To nie wydarzenie z życia.

Nie doświadcza się jej jako części egzystencji. Stanowi coś samego w sobie.

Nie za bardzo przejmuję się śmiercią, bo nie przejmuję się tym, że tworzę ją dla innych. Nie jestem płatnym mordercą. Nigdy nie pociągnąłem za spust i nie zabiłem człowieka dla pieniędzy. Ciekawe, czy myślałeś, że właśnie tym się zajmuję. Jeśli tak, myliłeś się.

Moja praca polega na ubieraniu śmierci w ładne opakowanie. Jestem handlarzem śmierci, arbitrem, który może doprowadzić do jej zaistnienia tak łatwo, jak magik wyczarowuje gołębia z chusteczki. Ja nie powoduję śmierci, jedynie aranżuję jej dostarczenie. Jestem urzędnikiem rezerwującym śmierć, gońcem śmierci.

Przewodnikiem na ścieżce ku ciemności. Tym, który trzyma rękę na przełączniku.

Właśnie dlatego pomagam przy zabójstwach na zlecenie. To najlepszy rodzaj rozstania się z tym światem. Śmierć powinna być szlachetna, czysta, nieodwołalna, dokładna, wyjątkowa. Jej piękno leży w ostateczności. Jest ostatnim pociągnięciem pędzla na płótnie życia, maźnięciem kolorem, który kończy obraz, płynie ku perfekcji. Życie wydaje się obrzydliwe poprzez swoją niepewność, jego niejasności są odrażające. Można zbankrutować i pójść na żebry, stracić miłość i szacunek, zostać przez życie znienawidzonym i porzuconym. Śmierć niczego takiego nie przynosi.

Powinna być schludna, precyzyjna jak chirurgiczne cięcie. Życie to tępe narzędzie, a ona jest skalpelem, ostrym jak światło i wyrzucanym po jednym użyciu.

Nie znoszę tych, którzy niechlujnie wydzielają śmierć, na przykład myśliwych goniących za lisami i jeleniami. Dla tych okrutnych, pustych dusz śmierć nie jest majstersztykiem piękna – choć pewnie twierdzą inaczej – lecz wydłużoną podróżą z barbarzyństwa ku obsceniczności, ku zdegradowanej agonii. Dla nich to zabawa. Myślę, że sami chcą umrzeć szybko, uniknąć scen przy łożu śmierci i konania, powolnego psucia się ciała i ducha. Pragnęliby odejść tak, jakby rażeni piorunem. W jednej chwili w pełni świadomi słońca, które przecina promieniami kotłujący się sztorm, a już w następnej – martwi. Mimo to innym wydzielają śmierć powoli, wydobywają z niej każdy zakręt losu, gram cierpienia.

Nie znoszę tych obrzydliwych ludzi w myśliwskich strojach koloru tętniczej krwi. Jak sam widzisz, oni boją się nawet nazywać swoje kurtki karmazynowymi, jaskrawo- albo krwistoczerwonymi. Mówią, że są różowe.

Jadalnia w domu ojca Benedetta jest ponura jak gabinet adwokata. Na ścianach nie ma obrazów, nie licząc zakurzonego olejnego malowidła w odrapanej, polakierowanej na złoto ramie – Dziewica Maryja trzyma małego Chrystusa niemal na odległość wyprostowanego ramienia. Wygląda to tak, jakby Dzieciątko Jezus nie było jej potomkiem: może pachniało nieprzyjemnie, tak jak pachną dzieci – zużytą pieluchą albo mdłym odorem przetrawionego mleka. Mury wyłożone są ciemną boazerią, naznaczoną stuleciami polerowania, dymem z ogromnego, majestatycznego kominka i papierosów poprzednich lokatorów, a także sadzą z lamp naftowych. Na stoliku nocnym stoją dwie takie lampy. Lejki kloszów wykonane z przejrzystego szkła wystają z matowych kul, na których misternie wygrawerowano sceny z życia Pana Naszego.

Zdecydowaną większość miejsca zajmuje stół, masywna konstrukcja z dębu, czarna jak heban, z blatem grubym na kilkanaście centymetrów i sześcioma nogami rzeźbionymi jak żłobkowane kolumny groteskowej katedry. Pną się po nich jałowe winne grona. Unoszą małe, pogardliwie śmiejące się demony.

Najlepsza zastawa stołowa księdza jest bardzo stara. To misterne porcelanowe filiżanki obwiedzione kolorem bordowym i złotym, duże talerze i eleganckie czarki do obmywania palców, gdzie zmieszczą się akurat same czubki, solidne naczynia na zupę, półmiski na ryby. Na każdy talerz można by nałożyć posiłek dla czteroosobowej wiejskiej rodziny. Salaterki na jarzyny i waza na zupę pomieściłyby zaś tyle, ile trzeba, aby wykarmić małą górską wioskę. Pośrodku każdego naczynia widnieje herb, otoczony trzema złotymi ptakami – głowy mają odwrócone, a dzioby otwarte w śpiewie.

Benedetto pochodzi z zamożnej rodziny. Jego ojciec był kupcem w Genui. Matka swego czasu uchodziła za piękność, cieszyła się dużym powodzeniem u zalotników i słynęła z flirtów – choć zachowywała się ostrożnie. Jak przed laty wszystkie mądre kobiety, strzegła dziewictwa, dopóki nie oddała go jako wiana zamożnemu mężczyźnie. Nigdy nie zdołałem ustalić, czym dokładnie handlował ojciec księdza. Benedetto wspominał o chemikaliach, co mogło być eufemizmem oznaczającym broń. Słyszałem też jednak, że zbił fortunę po wojnie na nielegalnych wykopaliskach i eksporcie zabytków wygrzebanych przez wieśniaków z etruskich grobowców. Zmarł, zanim zdołał w pełni nacieszyć się bogactwami, a jego ośmioro dzieci – Benedetto śpiesznie zaznacza, że ojciec był dobrym katolikiem – odziedziczyło tyle, ile rząd pozwolił im zachować po odliczeniu podatku.

Teraz bogactwo z młodych lat księdza zblakło; stało się spadkiem tak mało wartym jak wyświechtane mankiety jego sutanny.

Kiedy pierwszy raz zasiadałem do dębowego stołu, wyraziłem podziw dla tej zastawy.

– To herb rodu mojego ojca – wyjaśnił. – Ptaki są Guazza.

– Guazza?

– Stworzył *Compendium Maleficarum* – odpowiedział, jakbym powinien o tym wiedzieć. – W mojej rodzinie byli krzyżowcy. Dawno temu – dodał. Chyba myślał, że uznam, iż odnosi się do niedalekiej przeszłości, jakiejś współczesnej krucjaty. – Walczyli, szukając śmierci i odpuszczenia grzechów. Guazzo opisał w swojej księdze cuda Wschodu, śpiewające złote ptaki cesarza Leona. Moja rodzina miała takiego, tak się przynajmniej mówi...

W jego głosie pojawił się nagły przejmujący żal.

Dzisiaj wieczorem wspólnie jemy kolację, tylko we dwóch. Ojciec Benedetto utrzymuje jakąś starszą kobietę z miasta, która prowadzi mu dom. Nie mieszka u niego i każdej środy, niezależnie czy w katolickim kalendarzu akurat wypada święto, ksiądz daje jej wolne popołudnie i wieczór. Wtedy sam przyrządza posiłki.

Gotowanie to dla niego sztuka. Rozkoszuje się nim, uwielbia zawiłości zmieniania surowego mięsa w pieczeń, ciasta w chleb, twardych bryłek z ziemi w soczyste jarzyny. Całe popołudnie przygotowuje dania, mrucząc arie operowe w wysoko sklepionej kuchni, obwieszonej zmatowiałymi, miedzianymi rondlami i staroświeckimi, zbytecznymi utensyliami – bardziej przypominają narzędzia tortur niż kulinarne przybory.

Zawsze się zjawiam godzinę wcześniej, rozmawiam z nim, kiedy krząta się i bawi gotowaniem.

– Pichcisz dlatego, że tylko takiej czarciej praktyce wolno ci się poświęcić – mówię. – To coś najbliższego alchemicznym praktykom. A możesz się temu oddawać, nie narażając na szwank swojej duszy.

– Ech, gdyby alchemia była możliwa... – duma ksiądz. – Wtedy zmieniłbym te rondle w złoto i rozdał ubogim.

– Nie zatrzymałbyś czegoś dla siebie?

– Nie – odpowiada stanowczo. – Ale powinienem oddać coś Panu Naszemu dla Jego większej chwały. Nowy ornat dla kardynała, jakiś dar dla Ojca Świętego w Rzymie...

Kręci się przy kuchence. Pali w niej drewnem i przerzuca je brązowym pogrzebaczem. Rondle buzują.

– Gotowanie to coś dobrego. Na nie przenoszę swoją ochotę na seks. Zamiast pieścić kobietę, kształtować ją w obiekt swojego pożądania, formuję jedzenie w...

– Obiekty pożądania?

– Właśnie tak!

Nalewa kolejną porcję wina i wręcza mi kieliszek. Ma też swój, z którego popija między mruczankami.

Po jakimś czasie zasiadamy do stołu. Ja z jednej strony, on z drugiej. Mamrocze po łacinie modlitwę dziękczynną, wymawiając słowa tak szybko, że łączą się w jedną, długą inkantację, jakby śpieszyło mu się do jedzenia. Może i tak jest, bo nie chce, by pierwsze danie wystygło.

Dzisiaj jemy zupę z marchwi i szczawiu. Jest jednocześnie słodka, cierpka i drażniąca podniebienie. Na początku nie rozmawiamy. Taki mamy zwyczaj, że gdy tylko opróżnia talerz, zachęca mnie, abym nabrał sobie jeszcze z wazy. Potem idzie dalej krzątać się w kuchni, podśpiewując sobie pod nosem.

Srebrna łyżka wazowa ma ze trzysta lat. Dekady gorliwego polerowania starły herb i trzy ptaki. Sztućce pochodzą z różnych zestawów: widelce są srebrne, łyżki do zupy posrebrzane, a noże z nierdzewnej stali, o ząbkowanych ostrzach i zaokrąglonych rękojeściach z kości słoniowej w kolorze trupich zębów.

– *Ecco*! – oznajmia, krocząc ze srebrnym półmiskiem, na którym leżą dwie drobiowe tusze polane sosem. Gorąca para bucha prosto w twarz.

– Co to?

– *Fagiano*, dzikie bażanty z Umbrii. Pieczone z pomarańczami. Pewien mój przyjaciel...

Ostrożnie stawia półmisek na stole i pospiesznie wychodzi. Wraca, balansując na ramionach trzema talerzami niczym doświadczony kelner: na jednym jest salsefia* przesiąknięta masłem czosnkowym, na drugim młodziutki groszek w strączkach, na trzecim smażone kapelusze pieczarek, z którymi wymieszał strzępki trufli. W kieliszki wlewa białe wino i serwuje ptaki.

– Sos zrobiłem z soku pomarańczowego, skórki pomarańczy, czosnku, kasztanów, marsali i *brodo di pollo*. Jak to nazywacie po angielsku? – Błagalnie wznosi ręce i spogląda w wysoki sufit. Bóg podsuwa mu tłumaczenie. – Bulion z kurczaka.

Nabieram sobie jarzyn, zaczynamy ucztę. Mięso jest słodkie, chociaż o silnym posmaku dziczyzny. Salsefia miękka i wonna. Wino wytrawne, ale mdłe; butelka nie ma etykiety. Musiał kupić je gdzieś tutaj od znajomego, który na zboczu doliny posiada kilka hektarów winnicy.

– To grzeszne – oznajmiam, wskazując potrawy widelcem. – Dekadenckie, hedonistyczne. Aby to jeść, powinniśmy żyć z tysiąc lat temu.

Przytakuje, ale nic nie odpowiada.

---

* Roślina warzywna rosnąca w krajach śródziemnomorskich.

– Przynajmniej mamy odpowiedni stół – kontynuuję. – Zastawiony posiłkiem godnym papieża.

– Ojciec Święty posila się lepszymi rzeczami – mówi Benedetto, opłukując winem usta. – Ale stół jest odpowiedni. Podobno kiedyś należał do Aldeberta.

Moje milczenie ksiądz prawidłowo interpretuje jako przejaw ignorancji, więc odkłada sztućce i tłumaczy:

– Aldebert był antychrystem. Francuzem. – Wzrusza ramionami, jakby zaznaczał, że jedno wynika z drugiego. – To biskup Franków. Porzucił biskupi stolec i wygłaszał kazania wieśniakom nieopodal Soissons. San Bonifacio, ten angielski biskup, miał z nim sporo kłopotów. Aldebert praktykował apostolskie ubóstwo, potrafił uzdrawiać chorych i twierdził, że narodził się z dziewicy, bo na świat przyszedł przez cesarskie cięcie. Ekskomunikowano go na synodzie w Roku Pańskim 744, ale dalej nauczał i nigdy nie został uwięziony.

– Co się z nim stało?

– Umarł – oznajmia ojciec Benedetto stanowczo. – A któż wie jak? – Znów bierze nóż i widelec. – Francuzi nigdy nie byli dobrymi katolikami. Weźmy pod uwagę tę ostatnią schizmę, tego... – znowu spogląda w górę, szukając boskiej pomocy w przekładzie, ale tym razem nie otrzymuje pomocy – ... *buffone*, który chce trzymać się dawnej tradycji. Jest Francuzem. Przysparza Ojcu Świętemu wielu trosk.

– Ale czy ty, mój przyjacielu, nie wielbisz historii? – wtrącam się. – Czyż tradycja nie jest treścią życia, krwią ciągłości Kościoła? Czy przed jedzeniem nie odmówiłeś modlitwy po łacinie?

Ksiądz wbija widelec w pierś bażanta, tak jakby to był ów francuski ksiądz o wątpliwej pobożności, i nie odpowiada. Posyła mi tylko szeroki uśmiech.

Po kilku kęsach pytam:

– Jak możesz jeść ze stołu Antychrysta? W dodatku Francuza...

Uśmiecha się i usprawiedliwia:

– Kiedy miał ten stół, był biskupem. A zatem nie antychrystem, tylko człowiekiem Boga. Tak sądzę. Leczył chorych. Nawet dzisiaj istnieje charyzmatyczny kościół katolicki. Ja nie... – Unosi widelec z mięsem. – Ale to się zdarza. Często wśród jezuitów.

Nie potrafię stwierdzić, czy teraz chwali jezuitów, czy wręcz przeciwnie.

Kończymy jeść drugie danie, pomagam mu zebrać naczynia. Wyciąga orzechy i koniak. Znowu zasiadamy do stołu.

– Nigdy nie chciałeś zostać kimś innym niż księdzem? – pytam.

– Nie. – Rozgniata skorupę posrebrzanymi kleszczami.

– Lekarzem, nauczycielem albo kimkolwiek innym w obrębie Kościoła?

– Nie. A ty, signor Farfalla?

Uśmiecha się niemalże złośliwie. Musi wiedzieć, że dostaję listy adresowane na nazwisko Clarke, Clark, Leclerc i Giddings. Z pewnością wypytywał się signory Praski, a zacna i bogobojna kobieta mu powiedziała. Przecież jest jej księdzem, a ona starszą panią, która szczerze wierzy duchownym. Ja nie podzielam tego bezwarunkowego zaufania.

– A ty zawsze chciałeś być artystą? – dopytuje się.

– Nie zastanawiałem się nad tym.

– Szkoda. Z pewnością posiadasz inne talenty niż te związane z pędzlem, papierem, akwarelami i ołówkiem. Może też powinieneś robić coś innego. Masz dłonie rzemieślnika, nie artysty.

Nie pokazuję po sobie, że zrobiło mi się nieswojo. Podszedł mnie bardzo blisko.

– Może powinieneś robić także rzeczy. Piękne... które zapewnią ci większy dostatek niż małe wizerunki owadów. Na tym się nie wzbogacisz.

– Racja.

– A może ty już zgromadziłeś majątek? – sugeruje.

– Tak jak ty, przyjacielu.

Uśmiecha się lekko.

– Ja jestem bardzo bogaty. Mam w swoim skarbcu Boga.

– To jedyny skarb, którego nie posiadam – przyznaję. Pociągam łyk koniaku.

– A mógłbyś... – urywa. Wie, że lepiej nie nawracać przy stole z bażantem i brandy.

– Sugerujesz, żebym się czymś zajął?

– Misterną biżuterią. Złotnictwem. Zarobiłbyś mnóstwo pieniędzy. Z twoim talentem do rysowania... Może powinieneś robić banknoty. – Zerka na mnie z ukosa.

Wyobrażam sobie, że gdyby ze ściany konfesjonału zdjęto siatkę, tak właśnie patrzyłby na grzeszników, którzy przybywają po odpuszczenie grzechów i pokutę. Lata doświadczenia dały mu umiejętność spoglądania przez maski.

– To dopiero byłoby grzeszne – staram się zbagatelizować subtelne dochodzenie. – Nawet jeszcze bardziej niż jedzenie zmysłowego posiłku przy stole antychrysta.

Podejrzewam, że on wie, że coś jest nie tak. Że mam pieniądze. Że nie utrzymuję się tylko z malowania pazia królowej. Muszę zachować ostrożność.

– Mam już swoje lata. Wcześniej trochę zaoszczędziłem.

– A czym się zajmowałeś?

Pyta całkiem bezpośrednio. Nie jest przebiegły, chociaż nie czuję też, abym mógł mu zaufać. Z pewnością by mnie nie wydał, ale lepiej zachować ostrożność.

– Tym i tamtym. Przez jakiś czas prowadziłem zakład krawiecki…

Kłamię. Dał się nabrać, bo sprawiam wrażenie, że mu uległem.

– Wiedziałem! – triumfuje na zakończenie pokazu zgrabnej dedukcji. – Masz dłonie mistrza igły, rzemieślnika. Może byś do tego wrócił. Teraz jest koniunktura na projektowanie ubrań.

Uśmiecha się szeroko, wznosi koniak w niemym toaście zarówno na cześć moich krawieckich zdolności, jak i swoich detektywistycznych talentów. Ja też podnoszę kieliszek.

Kiedy wychodzę, życząc mu dobrej nocy, a potem zmierzam ciemnymi uliczkami ku via dell'Orologio, rozmyślam o naszej rozmowie.

Bardzo lubię tego księdza, ale muszę trzymać go na dystans. Nie może odkryć prawdy.

We Włoszech jest prawie tyle kościołów, ilu świętych. Stawia się je zawsze w miejscu narodzin Czcigodnego, tam gdzie on lub ona dokonywali cudów, przy klasztorze, pustelniczej jaskini, miejscu śmierci albo męczeństwa. Niektóre świątynie to okazałe budowle z wysokimi dzwonnicami, imponującymi fasadami. Przed nimi rozciągają się przestronne place, wyłożone kamiennymi płytami. Inne w kategorii miejsc kultu plasują się zaledwie jako nędzne chałupy najpodlejszego rodzaju. Jednak zawsze, nawet przed takimi najskromniejszymi świątyniami, rozciąga się jakaś *piazza*.

Jeśli pójdziesz *vialetto*, skręć w lewo, w via Ceresio, potem zejdź z niej przy via de'Bardi, a dotrzesz do podstawy długich marmurowych schodów. U dołu są wąskie, mają ledwie metr czy dwa, ale w połowie wzgórza się rozszerzają, aż wreszcie, przy *piazza* na szczycie, mierzą już piętnaście metrów. Stopnie są wygładzone upływem czasu i stopami pielgrzymów. Ale dzisiaj gramolą się po nich tylko sklepikarze, objęci kochankowie i turyści z aparatami fotograficznymi i kamerami. Spomiędzy kamieni wyrastają liche kępy trawy, na schodach walają się śmieci. Późną nocą i wczesnym rankiem przesiadują tam narkomani. Ostatnio kilkakrotnie dostrzegłem porzucone igły od strzykawek.

Marmur jest brzydkawy, wybrano go raczej ze względu na trwałość niż kolor. Ma żyłki z ciemnymi plamami, jakby od sadzy – podobnie wyglądają ręce narkomanów.

U szczytu schodów trwa ożywiony ruch. Tam na szerokim chodniku w sezonie turystycznym zbiera się wielu ulicznych przekupniów i artystów. Jeden z nich gra na flecie pod parasolką przywiązaną do zakazu parkowania. Jakiś sfrustrowany kierowca wymalował tam sprayem szydercze słowa *non sempre**.

Flecista to młodzieniec o wyglądzie suchotnika. Skórę ma niezdrowo bladą, oczy zapadnięte. Podejrzewam, że jest jednym z tych, którzy zjawiają się tutaj wcześnie rano, biorą heroinę i palą trawkę – wyrzutki XX wieku, współcześni trędowaci, dzisiejsze ofiary moru. Nie nosi kołatki, tylko odrapany flet.

A jednak wydobywa z niego piękną muzykę. Specjalizuje się w baroku. Zaaranżował kilka utworów i gra je z obojętnością, która zarówno porusza, jak i wzbudza litość. Siedzi pod parasolką, na odrażająco brudnej poduszce, a jego palce przebiegają po czarnym instrumencie z zadziwiającą płynnością. Zdaje się, że nigdy nie brakuje mu oddechu. Przerwę między melodiami robi tylko, aby pociągnąć łyk taniego, kwaśnego wina. Na lunch chadza do pobliskiego baru. Jeśli rano ma dobry utarg, to je chleb z kilkoma

---

* *Non sempre* (wł.) – nie zawsze.

anchovies i pije cearasuolo rozcieńczone wodą mineralną.

Czasem słyszę go wieczorami, muzyka płynie ponad dachami aż do loggii. Rywalizuje z chórem cykad towarzyszącym zachodowi słońca. Siedzę spokojnie, lampa pali się na półce pod parapetem, a ja myślę o tym grajku jako części swojej profesji. Niosę nieskończoność, jestem zapowiedzią wieczności, a on moim minstrelem, Blondelem przygrywającym pod wieżą śmierci.

Inny artysta z placu to lalkarz. Za dnia staje za parawanem okrytym suknem w jaskrawe prążki jak w wiktoriańskich teatrzykach z Punchem i Judy. Porusza marionetkami, ciągnąc za sznurki, a one tańczą i baraszkują. Klaun z czerwoną twarzą robi skomplikowane salta, nie plącząc przy tym linek. Wysokimi, piskliwymi głosami lalki recytują dziecięce rymowanki albo opowiadają tutejsze legendy. Widzami są miejscowi uczniowie, dzieci turystów, starsi ludzie. Wszyscy się śmieją, i dzieci, i zdziecinniali dorośli. Do blaszanej miski obok sceny wrzucają drobne monety i telefoniczne żetony.

Co jakiś czas stopa lalkarza wynurza się zza sukna i zabiera miskę z pola widzenia. Rozlega się brzęk monet, a miska, prawie pusta, zjawia się ponownie. Jak u każdego ulicznego artysty nigdy nie zostaje do końca opróżniona z dowodów szczodrości. Pieniądz ściąga pieniądz. Drobne zostają w naczyniu jako inwestycja, widzowie dostarczają odsetek.

Wieczorami lalkarz daje już inny pokaz. Marionetki odkłada do skrzyni, a bierze pacynki. To nie są śmieszne figurki z wcześniejszych przedstawień: klauni, policjanci, nauczyciele, smoki, staruszki i czarodzieje. Teraz pojawiają się mnisi, żołnierze, modne damy i panowie po fajrancie. Główną treścią widowiska staje się seks. Bohaterowie już nie szczebiocą, ale brzmią jak prawdziwi współcześni mężczyźni i kobiety. W każdej historyjce mowa o uwiedzeniu. Pojawia się też co najmniej jeden naprężony penis, bez wątpienia z małym palcem lalkarza w środku. Członek dzga panie pod spódnice. Ze względu na ograniczoną przestrzeń teatrzyku lalki zawsze pieprzą się na stojąco.

Miejscowi oglądają te przedstawienia z rozbawieniem. Kochankowie zatrzymują się i chichoczą, a potem znikają w parco della Resistenza dell'8 Settembre, aby wypróbować wszystko, co właśnie widzieli. Turyści, zazwyczaj ci z dziećmi, patrzą chwilę, nie rozumieją ani słowa z całej historii, i szybko odchodzą, gdy tylko zaczyna się bzykanie. Tylko Francuzi nie odciągają pociech od pornografii. Ci, którzy mają miesiąc miodowy, z tego co zauważyłem, przyglądają się najdłużej.

Z przekupniów handlujących na schodach moim ulubieńcem jest stary bezzębny Roberto, zawsze ubrany w poplamione czarne spodnie, szarą brudną kamizelkę i koszulę bez kołnierzyka. Bez przerwy kurzy czarny tytoń. U kciuka wyhodował trzycentymetrowy paznokieć. To jedyna czysta część jego ciała. Roberto sprzedaje arbuzy.

Tylko u niego je kupuję. Tak mi wygodnie, bo wózek ustawia stosunkowo blisko mojego mieszkania. Od niego mam do domu z górki, a niekiedy arbuz waży ponad dziesięć kilo. Roberto czasem rozcina owoc, aby klient mógł ocenić jakość. Kiedy towar zostaje już wybrany, sprawdza dojrzałość i solidność miąższu, stukając długim paznokciem we wzór na skórce. Wsłuchuje się w echo. Jeszcze nie zdarzyło mi się kupić u niego niedojrzałego albo przejrzałego arbuza.

Kościół stoi po przeciwległej stronie placu niż lalkarz pornograf, umierający flecista i handlarz stukający w owoce. Jest pod wezwaniem San Silvestra. Którego Sylwestra tu upamiętniono, nie mam pojęcia. Miejscowi twierdzą, że chodzi o Sylwestra I, rzymskiego papieża, który zasiadł na Tronie Piotrowym w 314 roku. Niewiele o nim wiadomo oprócz tego, że próbując wyryć swój ślad na drzewie historii, oznajmił, iż cesarz Konstantyn ofiarował jemu i jego następcom w Rzymie władzę prymasowską nad całą Italią. Sprytne posunięcie jak na człowieka, co został pierwszym świętym, który nie zmarł śmiercią męczeńską. Jednak równie dobrze może też chodzić o Silvestra Gozzoliniego, dwunastowiecznego prawnika. Później jako ksiądz krytykował biskupa za rozwiązłe życie i z własnej woli zamknął się w odosobnionej celi. Gdy stamtąd wyszedł, założył klasztor nieopodal Fabriano. Kiedy umarł, pod jego wezwaniem założono liczne inne klasztory, ściśle trzymające się reguły świętego Benedykta. Po dziś dzień sylwestryni są zakonem benedyktyńskim – Gozzolini okazał się więc jeszcze sprytniejszy od swojego imiennika. Większość tych klasztorów popadła w ruinę, wciąż jednak pobliska ulica nosi nazwę nadaną przez zwolenników Gozzoliniego. Jest jednak wielu innych Sylwestrów, co żyli i pomarli w malutkich wioskach, odkryli źródło albo uleczyli chorą krowę – i dostrzeżono w nich naczynie Ducha Świętego.

Nieważne komu poświęcony, budynek wygląda imponująco. Prostokątny front – często spotykamy tu w górach – nad głównym wejściem okrągłe okno, do tego jeszcze kolumnada podpierająca kamienne ściany. Świątynna jaskinia jest chłodna jak wnętrze arbuza od Roberta.

Posadzkę nawy głównej wyłożono czarnymi i białymi płytkami z marmuru, co bez wątpienia miało naśladować piętnastowieczny kobierzec – a jednocześnie wierni nie dotykali prawdziwego sukna butem czy gołą stopą. W religii tyle jest nieprawdy, więcej podobizn niż realności.

Ogromne sklepienie, rzeźbione monstrum, pomalowano na złoto. Widnieją na nim olejne malowidła przedstawiające wydarzenia z życia świętego. Ozdoby wyglądają tak samo tandetnie i kolorowo jak obramowanie ekranu w przedwojennym kinie czy łuk proscenium sali koncertowej. Starannie wymierzone reflektory oświetlają rokokowe ekstrawagancje, a turyści wyginają szyje i wydają „och" i „ach" na ten okropny widok – jak w trakcie pokazu sztucznych ogni albo prezentacji wizerunku bram raju.

Grobowcowi świętego równie daleko do wstrzemięźliwości. Mieści się w nawie bocznej, jak na całym świecie, i przypomina jarmarczne organy. Żłobkowane kolumny, czarny marmur okryty złotem, wyszywane sukno wokół próżniowej, szklanej skrzyni, w której można zobaczyć zwłoki. Są pomarszczone, twarz zrekonstruowana w wosku, ręce wyglądają jak wyrzucone na brzeg kawałki drewna. Klatka piersiowa zapadła się pod udrapowaną na niej szatą. Stopy okrywa para wyszukanych pantofli, takich, jakimi zazwyczaj bujają na palcach dziwki w oknach amsterdamskich burdeli. Tyle blichtru z powodu jednego człowieka, który okazał się na tyle sprytny, aby zadbać, żeby o nim nie zapomniano. Tyle historii zamkniętej w jednym budynku, w jednym groteskowym grobowym monumencie, w jednej parze butów jakby zdjętych wprost ze stóp kurewki.

Ale co dokładnie osiągnął ten człowiek, kimże był? Prawie nic po sobie nie zostawił. Zaledwie świąteczny dzień w kalendarzu – 31 grudnia, 26 listopada albo jakiś inny. Ustęp w hagiografii, której nikt nie czyta. Kilka grubych, starych kobiet w czarnych sukniach i ciemnych szalach, które tłoczą się wokół ołtarza niczym padlinożercze wrony. Zapalają świece w intencji odpuszczenia swoich grzechów albo ukarania córki za to, że uciekła z aktorem, syna – bo ożenił się ze słabą partią, męża – bo lubi oglądać figlujące pacynki po drugiej stronie placu.

Historia jest niczym, jeśli nie możesz jej aktywnie kształtować. Niewielu zyskało ku temu sposobność. Oppenheimer miał szczęście, ponieważ wynalazł bombę atomową. Chrystus miał szczęście, bo stworzył religię. Takie samo szczęście dopisało Mahometowi. Stworzył drugą religię. Karol Marks to też szczęściarz. Wymyślił antyreligię.

Zwróć uwagę: każdy, kto zmienia historię, niszczy innego człowieka. Hiroszima, Nagasaki, krucjaty i wybijanie w imię Chrystusa setek plemion. Pizarro zmasakrował Inków, misjonarze zepsuli amazońskich Indian i czarnych ze środkowej Afryki. W trakcie powstania tajpingów w Chinach zginęło więcej ludzi niż w obu wojnach światowych. Przywódca tajpingów był świeżo nawróconym chrześcijaninem. W komunizmie miliony straciły życie – na skutek czystek, głodu, wojen na tle etnicznym.

Aby zmienić historię, musisz zabić drugiego człowieka – albo sprawić, żeby został zabity. Nie jestem Hitlerem, Stalinem, Churchillem, Johnsonem albo Nixonem, nie jestem Mao Tse-tungiem. Chrystusem ani Mahometem. Jestem jednak tym, który z ukrycia sprawia, że takie zmiany są możliwe. Dostarczam potrzebnych środków. Ja też zmieniam historię.

Winiarnię prowadzi podstarzały karzeł. Obsługuje klientów, stojąc za ladą na dwóch drewnianych skrzyniach, przybitych jedna na drugiej. Przyjmuje zamówienia i zapisuje je na cienkiej karteczce, a także bierze należność albo rejestruje transakcje w księdze, tak by dało się wszystko podliczyć na koniec tygodnia. Potem drze się gdzieś ku ciemnym zakamarkom sklepu, wtedy stamtąd wyłania się dwumetrowy mężczyzna, czyta zamówienie i znika. Wraca,

93

wioząc butelki na wózku. Nie uśmiecha się, karzeł zaś zawsze rzuca mu kąśliwe uwagi – a to że skrzynki są poobijane, że flaszki grzechoczą, wino jest wstrząśnięte, koło skrzypi. Za każdym razem gdy odwiedzam winiarnię, zastanawiam się, kiedy ten dryblas, który całe życie spędza zgarbiony w piwnicy, zamorduje wreszcie karła, co tylko sięga do kasy znajdującej się na wysokości jego głowy.

Wczoraj wybrałem się tam kupić tuzin butelek frascati i zestaw innych win. Jechałem wąskimi średniowiecznymi uliczkami. Często musiałem naciskać klakson i skręcać gwałtownie, aby ominąć wystające progi, upartych pieszych i boczne lusterka nieprawidłowo zaparkowanych samochodów. Citroën brykał z boku na bok. W winiarni nie czekałem długo. Nie było innych klientów, a rosły magazynier stał za karłem, układał butelki na półkach pod sufit.

Podałem zamówienie. Karzeł wrzasnął na pomocnika, jakby ten siedział ze sto metrów pod ziemią. Natychmiast zjawiło się wino w dwóch skrzynkach. Magazynier przepchnął wózek do mojego samochodu, załadował towar do bagażnika. Dałem mu dwieście lirów napiwku. Jak zwykle się nie uśmiechnął. Podejrzewam, że już zapomniał, jak to się robi – ale po wyrazie jego oczu stwierdziłem, że się ucieszył. Niewielu klientów daje mu napiwki.

Właśnie wtedy go wyczułem – gdy zamknąłem bagażnik i odwróciłem się w stronę drzwi kierowcy. Ktoś mnie śledził.

Nie zaniepokoiłem się zbytnio. Może cię to dziwić. Ale spodziewałem się odwiedzin. A moi goście często wysyłają zwiadowców, by zbadali okolicę i zobaczyli, jak wygląda dany człowiek – czyli ja.

Ostrożnie, bo nie chciałem wystraszyć śledzącego, szybko rozejrzałem się po ulicy. Stał cztery samochody ode mnie, oparty o fiata 500, pod niedużą apteką. Prawą rękę trzymał na dachu auta. Schylał się, jakby rozmawiał z kierowcą. Dwa razy uniósł wzrok, zerkając w obie strony na drogę. To naturalna reakcja mieszkańców miasta: w tak wąskiej uliczce trzeba uważać na auta, toczące się po bruku.

Usadowiłem się w fotelu kierowcy i zacząłem udawać, że szukam kluczyków. Odgrywając to małe przedstawienie, cały czas obserwowałem go we wstecznym lusterku.

Miał trzydzieści pięć lat. Krótkie brązowe włosy. Opalony, średniego wzrostu, niemuskularny, choć zbudowany raczej atletycznie. Nosił okulary przeciwsłoneczne, modne wytarte dżinsy, starannie wyprasowaną jasnoniebieską koszulę, rozpiętą pod szyją, i długie zamszowe buty z cielęcej skóry. Tym właśnie się zdradził, wzbudzając moje podejrzenia – latem we Włoszech nikt nie nosi takich butów.

Przyglądałem się może dwadzieścia sekund, studiując każdy detal, potem uruchomiłem citroëna i odjechałem. Gdy tylko opuszczałem miejsce parkingowe, on ruszył za mną spacerem. Po wąskich uliczkach musiałem przemieszczać się powoli, więc spokojnie mógł się ze mną zrównać, ale wolał utrzymywać dystans. Na skraju ulicy zmieniły się światła. Nagle przejście dla pieszych się zaroiło, chociaż ruch kołowy pozostawał ślamazarny.

Podjechała do mnie furgonetka. Kierowca gestykulował zza przedniej szyby – dawał mi znaki, aby zrobić mu miejsce. Zjechałem w bramę, zatrzymałem się. Zerknąłem przez ramię – w podobnej sytuacji to coś zupełnie naturalnego. Chciałem się upewnić, że furgonetka się zmieści. Człowiek, który mnie śledził, wszedł między dwa samochody. Przecisnął się obok tylnego zderzaka citroëna.

Tak się złożyło, że za furgonetką nie sunęły już żadne auta. Szybko wycofałem się z bramy i zgrabnie wjechałem na ulicę. W bocznym lusterku dostrzegłem tamtego mężczyznę. Wyskoczył spomiędzy samochodów. Furgonetka zaczepiła jednak o boczne lusterko jakiegoś niebieskiego peugeota 309 z rzymską rejestracją oraz małym żółtym dyskiem na tylnej szybie – logo firmy wynajmującej samochody. Lusterko odleciało. Wynikła sprzeczka i od razu zgromadził się tłum gapiów. Kiedy tylko zmieniły się światła, skręciłem w prawo i już mnie nie było.

Zawsze ktoś gdzieś kryje się w cieniu. Trwa tam, krąży cierpliwie, ustalając porządek działania, ukryty jak choroba, która czeka, aby osłabić mięśnie i zatruć krew. Zawsze zakładam taką opcję, tak jak ksiądz zakłada, że w jego parafii jest grzesznik, wychowawca – że znajduje się urwis w klasie, a generał – że tchórz w wojsku. To rzecz nierozerwalnie związana z moim sposobem życia. Muszę więc pozostawać czujny, mieć wszystko na oku, aby unikać konfrontacji, i czmychnąć temu mglistemu człowiekowi.

Kiedyś w Waszyngtonie uciekałem przed ludźmi z cienia. Nie ma potrzeby, abyś wiedział, co dokładnie tam robiłem. Po prostu dostarczałem scenografowi narzędzi. Wtedy byłem nowicjuszem, ale na szczęście prześladowca też nie okazał się doświadczonym ekspertem. Dobry tropiciel potrafiłby zniknąć między kolcami kaktusa stojącego samotnie na pustyni.

W samym środku Waszyngtonu, jednego z najpiękniejszych amerykańskich miast – jeśli nie zwracać uwagi na przedmieścia, gdzie mieszkają czarni robotnicy, nieodzowni do funkcjonowania metropolii białego człowieka – znajduje się tak zwane Mall. Park szeroki na pół kilometra, a długi na niemal półtora, poprzecinany drogami dojazdowymi, opasany arteriami. Przy wschodnim krańcu, na aroganckim i pełnym pychy wzniesieniu, stoi Kapitol. Przypomina tort weselny zostawiony na stole, akurat gdy przeciąg wywiał popiół z komina. Na drugim końcu mamy Lincolna w marmurowym pudle, szorstkiego jak sędzia. Spogląda surowo na zepsucie kraju, który na próżno starał się zjednoczyć. W połowie drogi sterczy falliczna szpica pomnika Waszyngtona. Na północy, odstając od Elipsy, wznosi się Biały Dom, otoczony ścisłym kordonem bezpieczeństwa: zbyt wielu prezydentów przedwcześnie przekroczyło Potomac, wędrując na Cmentarz Narodowy Arlington.

Turyści nie zawsze są tymi, na kogo wyglądają. W promieniu pięćdziesięciu metrów od siedziby prezydenta widziałem, jak to mówią Amerykanie, z tuzin ochroniarzy ze schowanymi spluwami. W tym dwie kobiety. Mieszali się z tłumem. Jedząc lody albo popcorn, popijając colę lub pepsi, w letnim skwarze obserwowali i nasłuchiwali. W moim świecie oni też nie są specjalistami, tylko szeregowymi pracownikami, koniecznymi stratami, mięsem armatnim.

Właśnie tam to się zaczęło, w Muzeum Narodowym Historii Naturalnej. Wędrowałem po salach wystawowych, z ciekawością przypatrując się szkieletom dinozaurów, kiedy wyczułem, że ktoś mnie śledzi. Nie widziałem go, chociaż wiedziałem, że jest w pobliżu. Rozglądałem się za nim, patrząc na odbicia w szklanych gablotach. Szukałem wśród grup uczniów i turystów. I nie mogłem znaleźć.

Nic mi się nie wydawało. Jak wspomniałem, byłem wtedy niedoświadczony, ale już nastroiłem się na swój siódmy i ósmy zmysł. Dziewiąty i dziesiąty pojawiły się później.

Ruszyłem do muzealnego sklepiku, gdzie zamarudziłem, robiąc drobne zakupy. Nic cennego: kryształek pirytu przylepiony do magnesu, skamieniała ryba z Arizony, kilka pocztówek i nylonowa amerykańska flaga z maleńką metką „Made in Taiwan".

Kupowanie czegokolwiek, choćby hot doga na ulicznym straganie, daje dobrą przykrywkę do obserwacji. Śledzący myśli, że cel jest zajęty płaceniem albo rozmową ze sprzedawcą. Ci z pewnym doświadczeniem potrafią przeplatać kupowanie i obserwację w taki sposób, że każde zerknięcie w bok pozostaje niezauważone.

On tam był. Gdzieś. Nadal go nie widziałem. Może to ten mężczyzna z koszulą rozpiętą pod szyją i torbą Daksa z aparatem fotograficznym, zwisającą z ramienia. Albo młody mąż, któremu towarzyszy pulchna żona. Nauczyciel ze swoją klasą albo starzec wlokący się z grupą emerytów z Oklahomy. Mógł być tamtym tęgawym facetem, co na granatowej wiatrówce przypiął do góry nogami plakietkę agencji turystycznej – niewykluczone, że w ten sposób dawał sygnał drugiemu śledzącemu. Mógł być przewodnikiem. Japońskim turystą. Po prostu nie umiałem tego określić.

Wyszedłem z muzeum i skręciłem w prawo. Na Madison Square zatrzymałem się obok furgonetki – stoiska z gorącymi ciasteczkami. Nie potrafiłem dostrzec go wśród przechodniów albo ludzi wychodzących z muzeum, chociaż bezustannie czułem jego obecność. Wziąłem dwa ciastka zapakowane w pergaminową torbę, minąłem Narodowe Muzeum Historii Ameryki i ruszyłem wzdłuż Czternastej.

W tę samą stronę chodnikiem i trawiastym skrajem parku szło sporo ludzi. Uznałem, że pod gołym niebem, na szerokiej przestrzeni Mall, będę miał lepszą sposobność zidentyfikować człowieka z cienia.

Skierowałem się ku pomnikowi Waszyngtona. Kilku dziesięcioletnich chłopców, którzy na chwilę wyrwali się ze sztywnych ograniczeń szkolnej wycieczki, bawiło się na trawniku. Rzucali sobie dużą piłkę i łapali ją w rękawicę z cielęcej skóry. Słyszałem łomot dobiegający z oddali.

Zbliżając się do pomnika, nagle zatrzymałem się i odwróciłem. Podobnie robili inni, by podziwiać wspaniały widok rozciągający się przez środek Mall w stronę Kapitolu.

Nie dostrzegłem, aby ktokolwiek się wzdrygnął, nawet gdzieś w oddali. Teraz jednak już wiedziałem, kto mnie śledzi. Mężczyzna z żoną i dzieckiem, po trzydziestce, mniej więcej siedemdziesiąt kilogramów, szczupła budowa ciała. Miał kasztanowe włosy, nosił płową marynarkę i brązowe spodnie, cienką niebieską koszulę i poluzowany krawat. Ciemnowłosa żona wyglądała całkiem ładnie w kwiecistej sukience i ze skórzaną torebką na ramieniu. Dziecko – mniej więcej ośmioletnia dziewczynka – jakoś nie pasowało do nich dwojga. Mała była blondynką. Trzymała kobietę za rękę – to właśnie ich zdradziło. Nie potrafiłem dokładnie określić, co się nie zgadzało, jakie szczegóły mi podpowiadały, że w rzeczywistości te osoby wcale nie są rodziną. Po prostu nie łączyła ich charakterystyczna poufałość.

Uświadomiłem sobie, że już ich widziałem, gdy robiłem zakupy w muzealnym sklepiku. Tam, w ścisku, wśród odwiedzającego muzeum tłumu, nienaturalność tej relacji matki i dziecka umknęła mojej uwagi. Teraz, w świetle dnia, wszystko stało się oczywiste. Musiałem unikać tych ludzi.

Doszedłem do wniosku, że w razie gdybym szybko się oddalił, mężczyzna ma ruszać za mną. Wyglądał na wysportowanego. Raczej bym mu nie uciekł. Kobieta z dzieckiem zostałaby na miejscu i skontaktowała się z innymi operatorami, aby odcięli mi drogę. Dziewczynka stanowiłaby tylko drobną niedogodność.

Udawałem, że ich nie zauważyłem, i dalej szedłem w stronę monumentu. Zaraz na skraju rzucanego przez niego cienia usiadłem na trawie, aby zjeść ciasteczka, teraz już zimne. Pseudorodzina podążała w moim kierunku. Nie zorientowali się, że ich rozszyfrowałem.

Gdy znaleźli się całkiem blisko, kobieta sięgnęła do torebki, jakby po chusteczki higieniczne. Byłem pewien, że usłyszałem ciche kliknięcie migawki, ale to nic. Przygotowałem się – twarz przesłoniłem dłonią i dużym kawałkiem ciastka.

Mężczyzna wskazał szczyt obelisku.

– A to, Charlene, kochanie, zbudował naród amerykański, aby uczcić wielkiego Jerzego Waszyngtona – powiedział, jak zauważyłem, odrobinę za głośno. – To pierwszy prezydent naszego kraju.

Dziewczynka zadarła głowę; jej płowe loki powiewały na wietrze.

– Szyja mnie boli – poskarżyła się. – Dlaczego to zrobili takie wysokie?

Po jakimś czasie oddalili się, opowiadając dziecku o Waszyngtonie i jego pomniku. Zwykle turyści okrążali obelisk, żeby zobaczyć, jak posąg odbija się w podłużnej sadzawce. Ale moja rodzinka tego nie zrobiła. Zyskałem ostateczne potwierdzenie.

Ostrożnie zszedłem ze swojej trasy i ruszyłem pod prąd tłumu pieszych. Większość z nich, jak się domyśliłem, wędrowała zgodnie z ustalonym planem zwiedzania miasta, który nakazywał, po przystanku obok waszyngtońskiej iglicy, przechadzkę przy Lincolnie. Tropiciele od razu udali się w moje ślady. Minąłem Biały Dom i plac Lafayette'a, potem skręciłem w Connecticut Avenue. Mieszkałem w hotelu za Dupont Circle i uznałem, że o tym wiedzą. Mieli więc sądzić, że właśnie tam zmierzam.

Stanąłem na przejściu dla pieszych, czekając na zielone. Zatrzymali się trochę z tyłu. Mężczyzna udawał, że zawiązuje dziewczynce sznurówkę – już zauważyłem, że białe sandałki są zapinane na sprzączki. Matka gmerała w torbie. Przypuszczałem, że trzyma w niej walkie-talkie i właśnie podaje moją pozycję.

Zmieniły się światła. Ulicą jechała taksówka. Zatrzymałem ją, szybko wsiadłem.

– Patterson Street – poleciłem.

Kierowca zawrócił, łamiąc przepisy, pomknął na wschód, po K Street.

Obejrzałem się. Walkie-talkie już zostało wyciągnięto z torebki. Mężczyzna gorączkowo rozglądał się za inną taksówką, prawą rękę trzymał za połą marynarki. Dziewczynka opierała się o szkarłatny hydrant, wyglądała na zakłopotaną.

Przy Mount Vernon Square, ku niezadowoleniu taksówkarza, zmieniłem adres docelowy. Ruszył Dziewiątą ulicą, przez Kanał Waszyngtoński i Potomac, na lotnisko. Po dwudziestu minutach odlatywałem z miasta pierwszym samolotem. Nieważne dokąd.

Zawsze ktoś czai się w cieniu. Wiem, bo sam jestem jednym z nich. Jesteśmy masońskimi braćmi z loży tajemnicy.

Wczoraj odwiedził mnie gość. Nie podam nazwiska. To byłaby głupota, szczyt zawodowej niedyskrecji. Nazwę go Boyd, bo tak podpisano list.

Osoba średniego wzrostu, dosyć szczupła, ale mocnej budowy, o mysiobrązowych włosach, chyba farbowanych. Mocny uścisk dłoni. Lubię ludzi, którzy tak podają ręce, można im ufać, w pewnych granicach. Co więcej mogę powiedzieć o swoim gościu? Małomówny, konserwatywnie ubrany w dobrze skrojony strój.

Nie spotkaliśmy się w moim mieszkaniu, ale niedaleko fontanny na piazza del Duomo. Tak jak się umówiliśmy, stał przy straganie z serem, miał ciemne okulary i czytał poranne wydanie „Il Messaggero" z pierwszą i ostatnią stroną zgiętą na pół.

Tak właśnie wyglądał ustalony sygnał. Przyszła więc pora na mój odzew. Podszedłem do stoiska z serem.

– *Un po' di formaggio* – poprosiłem.

– *Quale?* – zapytała starsza kobieta. – *Pecorino, parmigiano?*

– *Questo*. – Wskazałem. – *Gorgonzola. E un po' di pecorino*.

Gorgonzola, potem pecorino: kolejny znak w grze w rozpoznawanie się.

Cały czas byłem obserwowany. Zapłaciłem pięcioeurowym banknotem. Stronica gazety ześlizgnęła się i upadła. Podniosłem ją.

– *Grazie*.

Po tych słowach zobaczyłem głowę przechyloną na bok. Pojawił się delikatny uśmiech. Dostrzegłem drobne zmarszczki w kącikach oczu młodej osoby.

– *Prego*. – I dodałem jeszcze: – Proszę uprzejmie.

Złożył gazetę, a ja odebrałem resztę i przeszedłem kilka kroków obok straganów, do *gelateria*, lodziarni, przy której na chodniku wystawiono kilka stolików i krzeseł. Mój gość siedział pod parasolką z logo Martini. Zająłem miejsce z drugiej strony, obok metalowej tablicy kołyszącej się nad chodnikiem.

– Gorąco.

Zdjął i odłożył ciemne okulary. Tęczówki miał ciemnopiwne, ale zgadywałem, że pokolorował je szkłami kontaktowymi.

Podszedł kelner, przesunął szmatą po stole i opróżnił blaszaną popielniczkę do kratki odpływu na ulicy.

– *Buon giorno. Desidera?** – spytał zmęczonym głosem.

Dochodziło południe, a słońce mocno prażyło.

---

* *Buon giorno. Desidera?* (wł.) – Dzień dobry. Co podać?

Niczego nie zamówiłem. To ostatni element zabezpieczeń, ostateczny sprawdzian. Odezwał się mój gość:

– *Due spremute di limone. E due gelati alla fragola, per favore**.

Jeszcze raz się uśmiechnął i znów zobaczyłem kurze łapki przy oczach. Kelner skinął głową. Zauważyłem, że uśmiech mojego gościa jest przebiegły: ma w sobie coś przenikliwego, finezyjnego, ale dobrze widocznego. Przypominał fałszywie służalcze spojrzenie sprytnego psa, który właśnie coś podwędził ze sklepu rzeźnika.

Zaczęliśmy rozmawiać, dopiero gdy na stoliku pojawiły się napoje i lody.

– Ale upał. Mój samochód jest bez klimatyzacji. Przydałaby się, ale...

Słowa zawisły w powietrzu. Palce szczupłe jak u muzyka prędko wyciągnęły plastikową słomkę z napoju. Gość pociągnął łyk.

– A jaka marka? – zapytałem, ale nie dostałem odpowiedzi.

Piwne oczy szybko przesunęły się po tłumie na rynku, od jednego przechodnia do drugiego.

– Mieszka pan daleko stąd?

Jego cichy głos bardziej pasował do intymnego tête-à-tête w bocznym pomieszczeniu zacisznej restauracji niż do rozmowy przy chybotliwym stoliku ulicznej kawiarenki.

– Nie, najwyżej pięć minut spacerem.

– Dobrze! Na dziś mam już dosyć słońca.

---

* *Due spremute di limone. E due gelati alla fragola, per favore* (wł.) – Poproszę dwa razy sok z cytryny i dwa razy lody truskawkowe.

Zjedliśmy lody i wypiliśmy sok. Nie odzywaliśmy się, dopóki nie nadszedł czas, aby wstać od stołu. Kelner przyniósł rachunek.

– Zapłacę – zaproponowałem, sięgając po banknot.

– Nie. Ja uregulują.

Cóż za angielskie wyrażenie, pomyślałem. No, w każdym razie brytyjskie.

– Na pewno?

– Tak.

To wyglądało jak przyjacielska sprzeczka starych znajomych w londyńskiej restauracji. Takich kolegów z pracy. Po części to nawet by się zgadzało, bo właśnie załatwialiśmy interesy.

– Proszę już iść. Ja wezmę resztę i pójdę drugi.

Ruszyliśmy w stronę *vialetto*. Mój gość cały czas trzymał się co najmniej trzydzieści metrów ode mnie.

– Bardzo tu przyjemnie – skomentował, kiedy zaprowadziłem go do chłodnego kanionu podwórza, tam gdzie cicho kapała fontanna. – Znalazł pan niezwykle miłe miejsce. Lubię fontanny. One dają taki... spokój.

– Rzeczywiście – potwierdziłem.

Właśnie wtedy chyba po raz pierwszy poczułem niewyraźną sympatię do miasteczka, doliny i gór, wyczułem ich głęboki spokój. Zastanowiłem się, czy już po wszystkim nie powinienem tutaj zostać, osiąść na emeryturze, a nie wędrować do kolejnego tymczasowego mieszkania.

Weszliśmy po schodach do mojego apartamentu. Gość usiadł na jednym z płóciennych krzeseł.

– Mogę prosić o szklankę wody? Jest tak straszliwie gorąco.

„Straszliwie" – kolejne typowo angielskie określenie.

– Mam zimne piwo. Albo wino. Capezzana bianco. Półsłodkie.

– Chętnie napiję się wina.

Poszedłem do kuchni i otworzyłem lodówkę. Butelki piwa zadźwięczały na półce. Usłyszałem jakieś poruszenie na krześle, zaskrzypiała drewniana rama. Wiedziałem, co się dzieje – gość właśnie oglądał mój pokój, szukał tego, czego człowiek takiego pokroju mógłby szukać w obcym miejscu. Czegoś, co daje pewność, bezpieczeństwo.

Wino nalałem do kieliszka na wysokiej nóżce, a sobie szklankę piwa. Potem zaniosłem alkohol na tacy z drewna oliwnego. Wręczyłem kieliszek i patrzyłem, jak gość upija łyk.

– Teraz mi znacznie lepiej. – Zjawił się półuśmiech. – Powinniśmy w barze zamówić wino, a nie sok cytrynowy.

Usiadłem na drugim krześle, odłożyłem tacę na podłogę i uniosłem szklankę.

– Na zdrowie!

– Nie mam dużo czasu.

– Rozumiem. – Napiłem się piwa i odstawiłem szkło na tacę. – Czego dokładnie potrzeba?

Spojrzenie przesunęło się po oknach.

– Piękny stąd widok.

Przytaknąłem.

– Nie można tutaj pana podejrzeć. To najważniejsze.

– Owszem – odparłem niepotrzebnie.

107

– Odległość będzie wynosiła około siedemdziesięciu pięciu metrów. Na pewno nie więcej niż dziewięćdziesiąt. Przypuszczalnie znacznie mniej. I pięć sekund. Góra siedem.

– Ile... – urwałem. Nigdy nie wiadomo, jak to powiedzieć. Przez ostatnie trzy dekady już tyle razy prowadziłem podobne rozmowy i wciąż nie doszedłem w tym do doskonałości – ... celów?

– Tylko jeden.

– Coś jeszcze?

– Szybkostrzelność. Odpowiednio duża pojemność magazynka. Preferowane pociski kaliber 9 milimetrów, typ parabellum.

Kieliszek obrócił się w dłoni pianisty. Patrzyłem, jak odbicie konturów okien wiruje po aksamitnej żółci wina.

– Musi być lekki. Dosyć mały. I taki, aby się dało rozłożyć go na części.

– Jak mały? Kieszonkowy?

– Może być większy. Nieduża walizka. Powiedzmy aktówka. Lub walizeczka na kosmetyki.

– Rentgen? Jaki kamuflaż? Radio tranzystorowe, kaseta magnetofonowa, kamera? Albo wśród puszek, aerozoli, tego typu rzeczy?

– Niekoniecznie.

– Hałas?

– Musi być tłumik, na wszelki wypadek.

Kieliszek zadźwięczał, gdy podstawka dotknęła kamiennej posadzki, a mój gość wstał, zbierając się do wyjścia.

– Da pan radę to zrobić?

Znowu przytaknąłem.

– Najprawdopodobniej.

– Ile czasu?

– Miesiąc. Do wypróbowania. Potem jeszcze z tydzień na poprawki.

– Dzisiaj szósty. Chcę go wypróbować trzydziestego. Potem cztery dni na dostawę.

– Ja nie dostarczam, już nie – zaznaczyłem. Pisałem o tym w liście.

– W takim razie do odbioru. Ile?

– Sto tysięcy. Teraz trzydzieści, dwadzieścia przy próbie, pięćdziesiąt po zakończeniu pracy.

– Dolarów?

– Tak.

Uśmiech przestał już być taki ostrożny. Pojawiła się odrobina ulgi, ślad satysfakcji, jaką widzi się na twarzy kogoś, kto dostaje to, czego chce.

– Potrzebuję lunety. I walizki.

– Oczywiście. – Uśmiechnąłem się. – Przygotuję też...

Pozostawiłem niedopowiedzenie. Pióra nie sposób użyć bez atramentu, talerz bezużyteczny jest bez jedzenia, książka bez słów, a broń palna bez amunicji.

– Doskonale, panie... Motylu.

Na krzesło ciężko opadła szara koperta.

– Pierwsza rata.

Sądząc po grubości, to musiały być setki.

– Czyli do końca miesiąca.

Wstałem.

– Proszę się nie fatygować. Trafię do wyjścia.

Niedobrze mieć nawyki. Gardzę ludźmi działającymi według harmonogramów, którzy swoje życie prowadzą z punktualnością niemieckiej kolei. To żałosne, kiedy człowiek potrafi bez wahania stwierdzić, że o trzynastej piętnaście w środę będzie siedział przy stoliku na prawo od wejścia, w pizzerii przy via takiej a takiej, z kieliszkiem scansano obok talerza pizza ai funghi.

Taki osobnik wydaje się infantylny, niezdolny wydostać się z ram rozpiski narzuconej mu przez rodziców, stanowczej, lecz bezpiecznej sekwencji szkolnego planu lekcji. Przed wieloma laty była matematyka i geografia, teraz jest pizzeria albo wizyta u fryzjera, biurowa przerwa na kawę czy poranne spotkanie w interesach.

Nie wiem, jak można tak ustalać sobie życie. Ja bym tak nie umiał. Uciekałem od rutyny, dlatego zająłem się sprzedażą łupów z drobnych kradzieży i wkroczyłem na swoją dzisiejszą ścieżkę.

Kiedy mieszkałem w tamtej angielskiej wsi, dzień miałem uporządkowany jak nauczyciel. Napastowała mnie wtedy pani Ruffords z drugiej strony ulicy. Po cichu nazywałem ją Wieściami Codziennymi, bo była zatwardziałą plotkarą i wytrwale wścibiała nos w cudze sprawy. To ona podważała kamyk mojej samotności najdłuższym patykiem. Wstawałem o szóstej, robiłem kawę, opróżniałem koksownik z nagromadzonego przez noc popiołu, robiłem grzankę i przyglądałem się, jak mleczarz rozwozi mleko. O siódmej trzydzieści wchodziłem do warsztatu, gdzie brałem się do rzeczy zaplanowanych na ten dzień – wieczór wcześniej kartkę ze spisem przypinałem nad blatem. Włączałem cicho radio. Nie słuchałem niczego konkretnego. To był tylko hałas przerywający nudę.

Dokładnie w południe, kiedy sygnał czasu oznajmiał koniec poranka, odkładałem narzędzia. Szykowałem sobie kubek zupy i wypijałem ją przy stole w klatkowatym salonie swojego domu, spoglądając na maleńki, ponury ogród. Pory roku najwyraźniej robiły na nim niewielkie wrażenie.

O pierwszej po południu wracałem do warsztatu. Nie zabierałem się od razu do pracy. Pół godziny układałem narzędzia rozrzucone po porannych działaniach. Piły wieszałem na hakach nad blatem, dłuta wzdłuż parapetu, młotki w stojaku przy stole. To, że w ciągu następnych trzydziestu minut znów robił się bałagan, nie miało znaczenia. Cała czynność stanowiła rutynę, której się trzymałem – a nie wynikała z logiki pracy.

O szóstej kończyłem. Przygotowując sobie wieczorny posiłek, słuchałem wiadomości z telewizji. Nawet to stanowiło rutynę. Zazwyczaj jadłem stek albo dla odmiany kotlet jagnięcy. Wystarczyło tylko przysmażyć mięso na ruszcie. Zmuszałem się, by każdego wieczoru gotować inne warzywo – to także moje ustępstwo na rzecz oryginalności.

W sobotnie poranki chodziłem do supermarketu. W środę po południu ruszałem na targ staroci i obchodziłem handlarzy, kupując, sprzedając i przyjmując zamówienia na naprawy.

Teraz celowo zwalczam rutynę. Nie tylko żeby bronić się przed nudą, ale także, przyznaję, dla własnego bezpieczeństwa. Nie chodzi jedynie o ochronę przed zagrożeniami, jakich człowiek mojej profesji ciągle jest świadomy: ktoś obcy może kryć się w kącie, czytać gazetę pod uliczną latarnią, przysiąść się na tej samej stacji. Dbam również o swój umysł. Oszalałbym, gdybym trzymał się rozkładu dnia z religijną dokładnością.

Właśnie dlatego nigdy nie zaglądam do baru co poniedziałek czy też tylko w porze lunchu. Odwiedzam kilka lokali. Nikt nie zdoła określić, że jest czwartek, bo siedzę przy stoliku nieopodal kontuaru w Conca d'Oro na piazza Conca d'Oro.

Pozwól, że ci trochę opowiem o tym barze. Mieści się na rogu *piazza* wyłożonej kwadratowymi płytami z kamienia – włoscy brukarze je kochają i układają z nich przeróżne desenie. Na tym placu, co całkiem oczywiste, są to wzory muszli. *Piazza* ma dwie wysepki: jedna z fontanną, druga z trzema drzewami. Fontanna nie działa i wyschła. Studenci z uniwersytetu stawiają w niej rowery. Tam, gdzie powinna rozbrzmiewać muzyka wody, jest plątanina ram, kierownic i pedałów. Pod drzewami właściciele barów rozstawili stoliki, zagarniając przestrzeń publiczną dla dobra własnych interesów i – jak twierdzą – dobra mieszkańców. Ich zdaniem, gdyby nie te stoliki, wszystko zajęłyby parkujące fiaty i skutery, ociekałyby olejem i truły powietrze spalinami. Ale tak naprawdę na placyku zjawia się niewiele pojazdów, bo leży na peryferiach miasta.

W środku bar wygląda identycznie jak każdy inny we Włoszech. Brytyjskie puby zawsze się od siebie różnią. Może i w każdym stoi szafa grająca albo jednoręki bandyta, jednak na tym podobieństwa się kończą. Tam nie ma takich barów jak tutaj: kurtyna w wejściu, witryna wpuszczająca światło, plastikowe albo drewniane krzesła wokół chybotliwych stolików, kontuar i syczący automat do cappuccino, półki z zapaskudzonymi przez muchy butelkami podejrzanych trunków, szklaneczki wyszczerbione tysiącami zmywań. Jest jeszcze zakurzone radio, skryte na wysokiej półce, pomrukujące muzykę pop. A na kontuarze jeden z automatów do gry, do których wrzuca się monetę, po czym dostaje kolorowy drewniany koralik z otworem w środku, a w nim skrawkiem papieru z wydrukowaną flagą jakiegoś państwa. Trafisz na właściwą flagę, wygrywasz zegarek elektroniczny, wart tyle co nic.

W barze Conco d'Oro znają mnie jako niestałego–stałego bywalca. Siadam przy stolikach na *piazza*, czasem przy barze. Zamawiam filiżankę cappuccino albo espresso. W chłodne dni gorącą czekoladę. Jeżeli jest wcześnie, mogę też zamówić *brioche*, aby przekąsić coś na śniadanie.

Pozostali klienci są niewolnikami harmonogramu, stałymi–stałymi bywalcami. Znam ich po imieniu. Zapamiętuję imiona. To ważny element mojego systemu zabezpieczeń.

Są wesołą gromadką. Visconti jest fotografem, pracuje w maleńkim studio przy via S. Lucio. Armando – szewcem. Emilio – wszyscy nazywają go Milo, bo mieszkał w Chicago i tak tam na niego mówiono – ma stoisko przy piazza de

Duomo, gdzie naprawia zegarki. Giuseppe zamiata ulice. Gerardo jeździ taksówką. To ludzie o nieciekawych widokach na przyszłość, za to z wielką wizją przepełnioną radością.

Kiedy wchodzę, unoszą wzrok. Mogę przecież być kimś obcym, a z takim warto pogadać lub go obgadać.

– *Ciao! Come stai? Signor Farfalla* – rozbrzmiewa cały chór.

– *Ciao!* – odpowiadam. – *Bene!*

Słabo mówię po włosku. Rozmawiamy w łamanym esperanto własnego wynalazku, języku zmieniającym się tak, jak zmienia się nastrój, zależnie czy pijemy grappę, czy otwieramy wino.

Wypytują o moje łowy na motyle. Nie widzieliśmy się od tygodnia czy dwóch, może nawet dłużej. Od święta San Bernardino di Siena. Gerardo przypomina to sobie, bo właśnie wtedy uszkodził w swojej taksówce tylny zderzak, gdy jechał do matki.

Odpowiadam, że złapałem kilka ładnych sztuk, a obrazy pojawią się wkrótce. Mówię, że niedługo będę miał wystawę w galerii w Monachium. Niemieccy kolekcjonerzy zaczynają się interesować europejską fauną. Sugeruję, że Milo powinien wziąć się do malowania dzików, a nie nielegalnie odstrzeliwać je w górach i robić z nich salami. Proponuję, by wstąpił do partii zielonych. Twierdzę, że cała Europa robi się zielona.

Śmieją się, żartują, że Milo już jest zielony. To *greenhorn**. Tak brzmi jeden z jego ulubio-

---

* Gra słów. *Greenhorn* to po angielsku ktoś „zielony w tym, co robi", żółtodziób (przyp. tłum.).

nych amerykanizmów, którym miota jako obelgą w każdego, kto tylko zakwestionuje jego wiedzę. *Un pivello*, żółtodziób. Za plecami i bez złośliwości nazywają go *il nuovo immigranto*, chociaż wrócił do domu ponad dwadzieścia lat temu i już prawie zapomniał angielskiego.

Zawsze to jakaś rozrywka. Wkrótce zaczynają dyskutować o zielonej rewolucji. Próbują ocalić świat: pięciu robotników w barze w samym środku Włoch w połowie XVII wieku.

Na piazza Conca d'Oro nie ma żadnego gmachu wzniesionego po 1650 roku. Żelazne balustrady i okiennice wiedzą o historii więcej niż niejeden profesor. Podobno fontannę postawił ktoś spokrewniony z rodem Borgiów. A w piwnicy domu naprzeciwko w XIII wieku mieściła się loża templariuszy. Teraz to sklepione pomieszczenie, gdzie sprzedaje się wino, wynajmowane przez właściciela baru. W małej, ślepej uliczce dei Silvestrini stoi kapliczka wbudowana w parter kamienicy. Mówią, że kiedyś modlił się tam sam święty Sylwester. Na balkonie nad sklepem rzeźnika dawno temu powieszono słynnego zbója. Został schwytany *in flagrante delicto*, na gorącym uczynku, przez jakiegoś szlachcica, którego żona ujeżdżała bandytę w mężowskim łóżku. Nikt nie wie dokładnie, kim był występny kochanek albo kiedy go zlinczowano. To jedna z tych historyjek odgrywanych wieczorami przez lalkarza.

Mężczyźni podejmują jednogłośną decyzję. Aby ocalał świat, wszystko musi być napędzane wodą. Visconti twierdzi, że istnieje taki proces rozbijania wody na części składowe, wodór i tlen. Robi się to za pomocą prądu pozyskanego z energii słonecznej. W głowicy cylindra powstaje mieszanka obu gazów, zapalana iskrą elektryczną, podobnie jak w świecy zapłonowej silnika benzynowego. Wodór jest wybuchowy; przecież każdy słyszał o bombie wodorowej. Visconti kreśli nad stołem kontury niszczycielskiego grzyba. Eksplozja porusza tłokami. No, a co się dzieje – uśmiecha się ironicznie, wskazując na prostotę chemii – kiedy eksploduje wodór zmieszany z tlenem? Powstaje woda! Nie trzeba więc dolewać paliwa. Rura wydechowa zbiera spaliny, które są wodą, a ta wraca do baku. Silnik chodzi bez przerwy. Trzeba tylko słońca, aby zasiliło baterie.

Gerardo cieszy się najbardziej. Jego taksówka będzie jeździć wiecznie. Giuseppe ma pewne wątpliwości. Dostrzega lukę w tym rozumowaniu. Jak sam zaznacza, zamiatanie ulic to idealne zajęcie dla myśliciela. Nie musi martwić się niczym innym niż tym, aby od tyłu nie potrącił go jakiś rzymski kierowca.

– *Cosi!* Problem, co? – pyta Visconti naszym łamanym językiem. Macha dłońmi w powietrzu.

Giuseppe zauważa, że skoro to taki dobry pomysł, dlaczego jeszcze nie wprowadzono go w życie? Dziura ozonowa się powiększa, a w Rzymie spaliny potrafią zadusić.

Visconti przesuwa po nas spojrzenie, od jednego do drugiego, szukając poparcia dla swojego zażenowania niewiedzą Giuseppego. Wszyscy wyglądamy na przybitych. Tak to już jest na tym świecie.

116

Visconti oznajmia, że gdyby powszechnie wprowadzono napęd wodny, kompanie naftowe by zbankrutowały. Lata temu wykupiły prawa autorskie do tego projektu i siedzą na nim, aby bronić dochodów.

Pozostali wzruszają ramionami. W to wierzą. We Włoszech panuje straszna korupcja. Rozmowa schodzi na losy AC Milano.

Dopijam cappuccino i wychodzę. Machają mi na pożegnanie. Do zobaczenia, mówią. Powodzenia w łowach na motyle.

Na południowym końcu via Lampedusa, będącym ślepą uliczką, mieści się dom publiczny. To nie jest eleganckie miejsce. Nie ma tu bordowych aksamitnych zasłon, pluszowych siedzisk ani czerwonych latarni. Na dole jest salon fryzjerski, a na piętrze trzypokojowy burdel.

Chadzam tam od czasu do czasu: nie wstydzę się tego. Tak właśnie żyję. W moim świecie nie można sobie pozwolić na luksus posiadania żony czy stałej partnerki. To za duże obciążenie. Niewykluczone, że któregoś dnia żona obróciłaby się przeciwko tobie. Kochanki rzadko tak robią.

Na via Lampedusa pracują cztery pełnoetatowe dziwki.

Najstarsza, Maria, ma około czterdziestki. Prowadzi cały interes. Ale właścicielem jest Amerykanin włoskiego pochodzenia. Mieszka na Sardynii. Albo na Sycylii. Albo Korsyce. Jego miejsce pobytu stanowi tajemnicę i temat plotek. Niektórzy opowiadają, że to członek rządu, co nie zdziwiłoby nikogo. Prowizję dostaje bezpośrednim przelewem do madryckiego banku. Maria wysyła ją co dwa tygodnie. Nie pracuje dużo. Ogranicza się do trzech wybranych klientów, mniej więcej w jej wieku, którzy pewnie odwiedzają ją od lat.

Elena ma około dwudziestu ośmiu lat, bezwstydnie czerwone włosy i cerę prerafaelickiej modelki. Nigdy nie wychodzi na ostre słońce. Na zakupy lub do lekarza przy via Adriano wychodzi tylko wtedy, gdy słońce znajdzie się już na tyle nisko, by cień padał na co najmniej połowę ulicy. Jest najwyższa z tutejszych dziwek, mierzy z metr osiemdziesiąt.

Marine i Rachele skończyły po dwadzieścia pięć lat. Pierwsza jest brunetką, druga – ciemną blondynką. Obie uciekają się do wszelkich możliwych sztuczek, rywalizując ze sobą o każdego klienta. Sądzę, że są lesbijskimi kochankami. Zamierzają zarobić pół miliona euro i założyć w Mediolanie butik. Obie marzą o tym, o czym każda dziwka na świecie: że pewnego dnia spokojnie prześpią całą noc w swoim łóżku i zostaną szanowanymi członkiniami społeczeństwa. O nich też się plotkuje, podobnie jak o ich chlebodawcy. Podobno pracowały w Mediolanie jako modelki i wyrzucono je z topowej agencji za okaleczenie pilnikiem do paznokci piersi jakiejś koleżanki. Inni twierdzą, że są nieślubnymi córkami watykańskiego kardynała albo nauczycielkami wydalonymi z pracy za uwiedzenie nastolatki lub nastolatka, zależnie od źródła plotki. Prawdę mówiąc, podejrzewam, że to wiejskie dziewczyny. Po prostu wyruszyły w świat zarabiać pieniądze najlepiej jak potrafią.

Poza tą stałą czwórką jest też sporo młodych kobiet na pół etatu. Zjawiają się studentki z uniwersytetu albo szkoły językowej, które potrzebują dodatkowych funduszy; panienki uzależnione od heroiny – z nimi pieprzą się tylko najbardziej prymitywni robotnicy albo głupi turyści. I jeszcze nastolatki ze wsi, o świeżych buziach, co przyjeżdżają do miasta sobotnim popołudniem, aby zrobić zakupy w butikach przy Corso i posiedzieć w barach z przyjaciółmi. A za to wszystko płacą, zdejmując te swoje nowe ciuchy dla chłopców z miasta.

Dwie moje ulubienice są studentkami. Clara ma dwadzieścia jeden lat. Dindina dziewiętnaście.

Rodzina Clary mieszka w Brescii. Ojciec jest księgowym, matka urzędniczką w banku. Ma dwóch braci, obaj chodzą jeszcze do szkoły. Ona sama uczy się angielskiego i lubi te nasze spotkania – korzysta z okazji, aby wypróbować swoje lingwistyczne umiejętności. W rzeczy samej, od naszego pierwszego spotkania poziom jej angielskiego znacznie wzrósł. Jest ładna: metr siedemdziesiąt wzrostu, kasztanowe włosy, ciemnobrązowe oczy i długie, opalone nogi. Plecy i ramiona szczupłe, pośladki małe, lecz krągłe. Piersi całkiem w porządku, choć nie idealne, często nie nosi stanika. Pochodzi z północy, więc wokół niej unosi się aura swoistego wyrafinowania.

Dindina jest trochę niższa od Clary; arogancka, czarnowłosa i czarnooka jak Arabka. Ma sprężyste piersi i twardy, płaski brzuch. Nogi wydają się dłuższe od reszty ciała. Gerardo mawia, że tej dziewczynie uda zaczynają się pod pachami. Urodą i mądrością nie dorównuje Clarze. Studiuje socjologię. Twierdzi, że Clara to snobka z północy. Clara nazywa koleżankę wieśniaczką z południa. Rodzina Dindiny posiada małą farmę i kilka hektarów oliwek między Bari i Materą.

Nie pracują każdej nocy. Podobnie jak ja nie trzymają się harmonogramu.

Jeśli w burdelu siedzi choć jedna z nich, zostaję. Jeśli nie, wypijam piwo z Marią i wychodzę. Nie interesują mnie inne dziewczyny.

Czasem zastaję i jedną, i drugą, wtedy biorę obie.

Nie jestem już młody, to jasne. Nie podam ci swojego dokładnego wieku: przyjmij, że ogień jeszcze nie zgasł, ale żeby zagrzała się na nim woda, trzeba trochę do niego dorzucić. Jak w tym cholernym koksowniku w domu, w Anglii.

W trójkę bywa zabawnie. Zamawiam największy pokój w całym lokalu, na ostatnim piętrze, z widokiem na wąską uliczkę. Stoi tam szerokie na dwa metry łóżko z parawanem, toaletka, wielkie lustro i kilka krzeseł w stylu windsorskim. Powoli zdejmujemy sobie ubrania. Clara nie pozwoli Dindinie, aby ją rozbierała, więc ja to robię. Dindina aż tak bardzo nie grymasi. Może Clara jest snobką, a może zazdrości drugiej dziewczynie pełniejszych piersi. Obie rozbierają mnie.

– Tyjesz – zauważa za każdym razem Clara. Zaprzeczam.

Nie wstydzę się swojego ciała. Od lat z konieczności utrzymuję się w dobrej formie. Kiedy podróżuję, zawsze zatrzymuję się hotelach z sauną i siłownią. W Miami wziąłem pokój z własną salką gimnastyczną. Kiedy nie mam takich udogodnień, biegam. W górach dobrym ćwiczeniem są łowy na motyle.

– Jesz za dużo makaronu. Powinieneś się ożenić i mieć kobietę, która weźmie cię na dietę. Albo... – wyczuwam w głosie tęsknotę – jakąś dziewczynę, żeby się tobą opiekowała. Może Włochy są dla ciebie złe. Wyprowadź się tam, gdzie nie jada się makaronu, a wino drogo kosztuje.

Dindina milczy, woli od razu przechodzić do rzeczy. Leżymy w łóżku, okno jest otwarte, światło ulicznych latarni przeciska się przez zamknięte okiennice. Gdy Clara mówi, Dindina już masuje mi brzuch albo zaplata sobie na palce włosy na mojej piersi. Całuje mi sutki, ssie je i podgryza jak myszka wafelek.

Clara całuje mnie w usta, bardzo delikatnie, nawet u szczytu namiętności. Nie wciska mi na siłę języka jak Dindina, ale nakłania, bym sam go wpuścił.

Dindina pierwsza sadowi się na górze. Leży na mnie i swoje podgryzanie przenosi z piersi na płatki uszu. Clara muska jej pośladki i przesuwa palce w dół, między uda. Głaszcze zarówno moje nogi, jak i towarzyszki. Dziwne, że nie pozwala Dindinie się rozebrać, a dotyka jej i pozwala odwzajemniać ten dotyk.

Nie ulegam emocjom. Prowadząc takie życie, muszę uważać. Jeśli w to wszystko wplączą się uczucia, wzrośnie ryzyko. Emocje skłaniają do refleksji, a myśli wywołują obawy, wątpliwości i podejrzenia. Wiele godzin uczyłem się kontrolować uczucia i teraz to daje efekty. Nigdy nie pozwalam sobie szczytować z Dindiną. Ona o tym wie, nie czuje się oszukana. Osiągnęła już orgazm, zsuwa się więc ze mnie, a jej miejsce zajmuje koleżanka.

Z Clarą jest inaczej. Z nią idę na całość.

To, jak chętnie przyznam, jest sposobem folgowania sobie, jednym z bardzo wielu.

Potem leżymy, odzyskując oddech. Baraszkujemy jeszcze trochę, lecz już nie z takim pośpiechem. O dziesiątej wieczór mniej więcej, nie mam zegarka w głowie, ubieramy się i zabieram dziewczęta do pizzerii, na skraj via Roviano. Tam zamawiamy dwie butelki wina: Clara pija chiaretto di cellatica z Lombardii, ponieważ pochodzi z północy, a Dindina woli colatamburo, bo ono jest z Bari. Ja wypijam po kieliszku każdego trunku. Dindina jada pizzę napolitana i kocha się tak, jakby załatwiała interesy, nie tracąc czasu na zbędne słowa. To dziewczyna czynu. Clara bierze pizzę margherita i dużo mówi. Po angielsku. O niczym ważnym, ale wtedy, po seksie, nikomu się nie chce dyskutować o istotnych wydarzeniach dnia.

Po kolacji płacę obu dziewczynom. Przyjmują pieniądze bez żadnych oporów, jeszcze zanim wyjdziemy z pizzerii. Przy rozstaniu Dindina daje mi całusa, takiego jakby całowała wujka.

– *Buona sera* – szepcze cicho do ucha.

Clara też mnie całuje, lecz jak kochanka. Obejmuje ramionami za szyję i tuli, dotyka wargami moich warg. Smakują oregano, czosnkiem i słodkim, czerwonym winem. Kiedy się całujemy na via Roviano, niezmiennie przychodzi mi na myśl butelkowana krew od Duilio.

Clara, w tych ostatnich chwilach wspólnego wieczoru, zawsze porusza dwie kwestie. Pierwsza to wyjaśnienie, co zrobi z zarobionymi pieniędzmi, tak jakby musiała uzasadniać nasze figle względami materialnymi.

– Chcę kupić książkę, *Skromną różę* Iris Murdoch – mówi.

Albo:

– Kupię sobie nowe wieczne pióro. Par-ker.

Dzieli słowa na sylaby, kiedy są obce albo nie jest pewna, czy prawidłowo je wymawia. Czasem też przyznaje, niemal ze wstydem:

– Teraz mam na czynsz.

Drugą sprawą jest próba odkrycia, gdzie dokładnie mieszkam.

– Zabierz mnie do siebie. Możemy znów to robić. Bez Dindiny. Za darmo! Tylko z miłości.

Inny wabik:

– Nie powinieneś mieszkać sam. Potrzebujesz ciepłego łóżka i ciała.

To rozwinięcie sztuczki z dobrą kobietą i ograniczeniem jedzenia makaronu.

Jak zwykle odmawiam uprzejmie, ale stanowczo. Czasem oskarża mnie, że już mam żonę, jakąś zołzę, która śpi ze skrzyżowanymi nogami. Zaprzeczam, a ona wie, że nie kłamię. Chociaż nie jest zawodową dziwką, wiele rzeczy wyczuwa instynktownie. Zresztą jak zapewne wszystkie kobiety. Nie ja jeden mogę tak powiedzieć.

Chociaż mój apartament jest na wschodzie miasta, ledwie kilka ulic od burdelu, to na wszelki wypadek kieruję się na północ. Clara rusza na zachód, do swojego mieszkania nieopodal koszar. Zawracam, dopiero kiedy wiem na pewno, że za mną nie idzie. Tylko raz próbowała mnie śledzić, ale wymknąłem się bez najmniejszego trudu.

Zaglądam do notatek: dziewięćdziesiąt metrów. Dla niektórych to duża odległość, ale pocisk pokonuje ją błyskawicznie i zmienia historię. Jakże duży wpływ miała na dzieje taka właśnie ulotna chwila. Ile czasu zajęła pociskowi kaliber 6,5 milimetra droga ze szczytu Teksaskiej Składnicy Książek do szyi Johna F. Kennedy'ego? Jak długo leciał drugi pocisk, który przeszył mu czaszkę? To były zaledwie sekundy, ale po nich zatrząsł się cały świat, nad ludzką egzystencją zawisła groźba, a świątynia polityki uległa zmianie już na zawsze.

Często kiedy siedzę w loggii, a światło spływa niczym ostatnie promienie życia, rozmyślam o tym drugim człowieku, tym spod drzewa na trawiastym pagórku na Dealey Plaza, widmie śmierci towarzyszącym Oswaldowi i jego duchowi skrytobójstwa. To on na pewno wystrzelił. Wszystkie raporty na to wskazują. Zdaje się,

124

że chybił. A może trafił, tylko Oswald okazał się frajerem i nędznym strzelcem? Kto to wie? Ktoś na pewno.

Zamówiona broń ma być lekka, dosyć mała, łatwa do złożenia i rozłożenia. Z dalekim zasięgiem, co da się zrobić, i szybkostrzelna. Pięć sekund wskazuje na szybko poruszający się cel. I trzeba też wyciszyć strzał.

Rozmyślam o tym problemie cały dzień, wysiadując na taborecie przed pulpitem kreślarskim, a potem w loggii podczas zachodu słońca. Zadanie jest niełatwe. Zwłaszcza jeśli trzeba zdążyć w trzy tygodnie.

Ostatecznie decyduję się na zmodyfikowane socimi 821. Jest wyposażone w tłumik, ale ja z niego zrezygnuję. Trzeba zrobić inny. Mój klient nie wyznaje zasady „walnij serią i zobacz, czy trafiłeś". On, tak jak ja, żyje dzięki dbałości o szczegóły. Dlatego trzeba zainstalować teleskopową lunetę.

Socimi produkuje włoska firma Società Construzioni Industriali Milano. To nowy typ, powstał w 1983 roku, oparty na izraelskim pistolecie maszynowym Uzi, ulubieńcu porywaczy, grup szturmowych, zabójców z tylnego siedzenia motocykla. Ma ten sam kształt, identyczny teleskopowy zamek, mechanizm bezpiecznika i magazynek w chwycie. Prostokątny szkielet, obsada lufy i chwyt pistoletowy wykonane są z lekkiego stopu, a nie z brązu czy stali. Można tam zainstalować celownik laserowy. Krótka lufa – tak naprawdę wcale nieprzeznaczona do dokładnego celowania, daleka od ideału przy strzelaniu do odległych celów. Długość broni –

zaledwie czterysta milimetrów ze złożoną kolbą, waga – tylko dwa kilo czterdzieści pięć gramów. Lufa ma sześć gwintów prawoskrętnych, o długości dwustu milimetrów. Magazynek pudełkowy mieści trzydzieści pocisków kaliber 9 milimetrów typu parabellum. Szybkostrzelność wynosi sześćset pocisków na minutę, a szybkość wylotowa kuli to trzysta osiemdziesiąt metrów na sekundę. Tłumik jednak znacząco ją zmniejsza. Z tym problemem muszę się teraz uporać.

Widzę tylko jeden sposób ominięcia przeszkody. Lufę należy przedłużyć, ale zamiast wstawiać tłumik, który zmniejsza prędkość, dopasuję wyciszacz, taki, jakiego Amerykanie używają w ingramie model 10. Głuszy dźwięk wystrzału, ale nie odgłos lecącego pocisku. W taki sposób prędkość wylotowa się nie zmniejsza. Słychać trzask kuli, ale trudno wyśledzić, skąd padł strzał.

Powinienem dać swojemu klientowi czas tak bardzo zbliżony do pełnych pięciu sekund ognia, jak tylko zdołam – czyli trzeba zapewnić powiększony magazynek. Dziesięć pocisków na sekundę przez pięć sekund daje magazynek pudełkowy o pojemności pięćdziesięciu pocisków. Powinno wystarczyć. Przy sześćdziesięciu broń stałaby się zbyt ciężka, gorzej wyważona.

Dłuższa lufa będzie wymagać sporo *Toccaty* i fugi d-moll Bacha. Reszta powinna okazać się w miarę łatwa.

Swego czasu musiałem zbudować calutką broń, od samego początku. Kupić metal, odlać go i ukształtować, wydrążyć, osadzić lufę, opracować mechanizm. Właśnie przy tej pracy pociłem się i cuchnąłem w norze za lotniskiem Kai Tak. Moje zadanie polegało nie tylko na tym, żeby zrobić broń, ale jeszcze zamaskować ją jako aktówkę.

To był prawdziwy majstersztyk, przynajmniej ja tak twierdzę. Kolba stanowiła rączkę teczki, górna rama – lufę. Magazynek mieścił się w grzbiecie i zawiasach. Mechanizm umieściłem w fałszywym zamku szyfrowym pośrodku frontu aktówki. Bezpiecznie przeszedłem przez kilka kontroli. Sam zawiozłem broń do Manili. Używano jej trzykrotnie, za każdym razem z powodzeniem. Zawsze w innym kraju. Teraz pewnie znajduje się w muzeum FBI. Oczywiście w tamtych czasach na lotniskach jeszcze tak dokładnie wszystkiego nie prześwietlano. Terroryści znacznie utrudnili mi życie.

Jestem więc zaskoczony, że mój klient nie liczy się z takim ryzykiem. Najwyraźniej zamierza użyć broni w Europie albo gdzieś, gdzie da się dotrzeć lądem.

Kiedy przy warsztacie ostrożnie gnę arkusz blachy, aby zrobić z niego bardzo długi magazynek, zastanawiam się, kto jest celem. Takie myśli wypełniają te długie chwile, kiedy ręce są zajęte, a nie ma czym zająć głowy.

Najprawdopodobniej chodzi o Arafata albo Sharona. A zatem mój klient na pewno pracuje dla rządu. Przygotowywałem już broń wolnym strzelcom wynajętym przez Amerykanów, Francuzów i Brytyjczyków. Staram się nie wykonywać zleceń dla ludzi na rządowej pensji.

Jeśli kontrakt nie wiąże się z Kadafim, to może być każdy przedstawiciel europejskiego państwa, nawet przybywający z wizytą. Prawdopodobnym kandydatem byłaby brytyjska premier. Nienawidzi jej wystarczająco dużo osób. Na wielu ulicach cieszono by się po cichu z takiego rozwiązania. Inna możliwość: kanclerz Niemiec. Podobnie jak jego cały gabinet. Andreas Baader umarł, ale jego ideały żyją.

Tylko raz spotkałem Baadera – przedstawił mi go Brytyjczyk, Iain MacLeod, w Stuttgarcie zimą 1971 roku. Opanowany, bardzo przystojny – typ popularnego rewolucjonisty. Miał gęste, krzaczaste brwi i przystrzyżony wąsik. Włosy ścięte krótko. Wyglądał jak niemiecki Che Guevara. Oczy jaśniały mu ogniem wiary, jaki widuje się tylko u mnichów i najemników, płonęły blaskiem ideologicznego przekonania, wewnętrznego żaru pewności, że obrał słuszną drogę.

Jakże wielu, dla których pracuję, ma ten płomień w duszy. On ich trawi. To ich narkotyk, seks, powietrze. Można tych ludzi otruć, zastrzelić, wysadzić, utopić albo strącić w przepaść, lecz nawet gdy zwłoki pochłonie ziemia albo wiatr rozwieje popiół z ich ciał, to pożar lasu wzniecony ich wiarą przetrwa. Człowiek może umrzeć, lecz nie jego ideały. Nie zdołasz zniszczyć idei.

Jestem dobrym twórcą broni. Jednym z najlepszych na świecie. Na pewno w moim świecie.

Nie nazywam siebie rusznikarzem, bo moja praca to nie rzemiosło. To sztuka. Modeluję broń z taką samą dbałością o formę i szczegóły jak stolarz artystyczny, gdy robi piękny mebel. Żaden artysta nie daje z siebie więcej niż ja, tworząc broń.

Okazję do rozwinięcia swoich zdolności dostałem czystym przypadkiem. Nigdy nie szukałem pracy przy produkcji broni ani też nie przewidywałem, że zrobię karierę jako jej wytwórca. Zaczęło się od przysługi dla innego drobnego przestępcy. Mieszkał w tej samej wsi co ja, w tym centrum wszystkiego, co na tym świecie banalne. Jako jeden z niewielu rozmawiał ze mną o czymś innym niż o minionym dniu czy pogodzie. Może wiedział albo jakoś wyczuwał, że pisane mi coś więcej, a nie tylko naprawianie imbryków. W moim świecie pokrewną duszę poznaje się niemal instynktownie.

Nazywał się Fer i miał około sześćdziesiątki. Nigdy się nie dowiedziałem, skąd wzięło się jego imię. Od Fergus, Ferguson? Mógł też nazywać się Farquarsason, przyjść na świat jako nieślubne dziecko i być skazanym na żywot wieśniaka. Mieszkał w zniszczonej furgonetce Bedford, stojącej w sadzie, ze dwa kilometry od wioski. Jej opony zniknęły, trawa i szczaw pozarastały panele. Brakowało też chłodnicy, pokrywy bagażnika i połowy silnika. W miejscu skrzyni biegów wyrastał mocny pień młodego jesionu. Dziś pewnie rozsadził przerdzewiały kadłub.

Fer był miejscowym kłusownikiem. W kabinie furgonetki hodował fretki, a mieszkał z tyłu, razem z suką Molly, czarnym mieszańcem charta.

Zimą zawsze przychodziło się do niego po bażanty, króliki, a od czasu do czasu po zające albo dziczyznę. Latem dostarczał gołębi chińskim restauracjom w pobliskich miasteczkach. Przynosił również pstrągi, a jeśli woda dobrze płynęła, to i łososie. Gdy pora roku nie sprzyjała broni, pracował jako drwal. W ramach zapłaty brał drewno, po czym sprzedawał je workami w zatoczce nieopodal głównej drogi. Jego ostrą siekierą dałoby się chyba ogolić. Potrafił sam używać dwuosobowej piły. Miał typowe dla mieszkańców wsi bystre oko – dostrzegał wszelkie okazje i celnie strzelał z wiatrówki.

Jego bronią była dwururka. Nie purdey albo churchill, nic wyszukanego, bez tekowej walizeczki z mosiężnymi okuciami, zdobionym zamkiem i wyłożonej aksamitem. Zwykła użytkowa strzelba. Fer utrzymywał ją w doskonałym stanie, naoliwioną, wyczyszczoną i wypolerowaną z wręcz nabożną czcią. Poświęcał jej więcej uwagi niż Molly, fretkom, furgonetce czy sobie samemu. Ale nawet ci, których kochamy, czasem chorują. Pewnej jesieni pękła płytka łącznika – no i przyszedł do mnie.

Wyjaśnił, że broń jest stara i nie da się do niej kupić części zamiennych, a jego nie stać na nową. W rzeczywistości chodziło jednak o to, że nie była nigdzie zarejestrowana i przypuszczalnie miała niejasną przeszłość. Fer nie ryzykował więc naprawy w warsztacie rusznikarskim.

Zgodziłem się ją zreperować w największej tajemnicy. Bez trudu skopiowałem uszkodzoną część. Zaoferował mi pieniądze, ale ja wolałem jednego, dwa bażanty. Czułem się jak malec,

któremu dano do rozebrania nakręcany silni-
czek. Zazębianie się części, schludny porządek
metalu opierającego się o metal, reakcja łań-
cuchowa, która zaczyna się od mięśnia palca,
a kończy na eksplozji materiału wybuchowego,
zafascynowała mnie i urzekła. Wykonałem zadanie w jedną noc. W zamian za to Fer przez
trzy miesiące dostarczał mi ryby i dziczyznę.
Zawsze zjawiał się po zmroku i mówił do mnie
„sir".

Rok później jeden ze znajomych poprosił
o to samo. Jego broń przypominała tę od Fera,
tyle że zepsuła się iglica lewej lufy, a obie lufy
oberżnięto ze trzydzieści centymetrów od obsady.

W moim fachu nie ma wieczorowych kur-
sów dla dorosłych, prowadzonych w miejscowej
szkole średniej. To nie lepienie garnków ani tka-
nie. To choreografia ciętej stali. Czegoś takiego
uczy się samemu.

Zastanówmy się nad bronią palną. Większość ludzi sądzi, że ona jest tylko do robienia
wybuchu. Rozlega się „bum" i coś albo ktoś
pada martwy. Wiedzą, że pocisk przecina powietrze. Wiedzą o istnieniu łuski wykonanej z mo-
siądzu – i że zostaje opróżniona i dymi. Wiedzą
również, że to wszystko dzieje się za sprawą
spustu. Innymi słowy, postrzegają broń podobnie jak łowca głów z dżungli – jako ognisty kij
przemawiający głosem bogów, laskę miotającą
pioruny, tubę z błyskawicami. Myślą, że wystarczy jedynie nacisnąć spust. Kliknij, a trafisz
w cel. Naoglądali się w telewizji za dużo filmów,
gdzie żaden policjant ani gangster nie chybia,

pociski lecą pewnie i prosto, zgodnie z tym, jak zapisano w scenariuszu.

Życie i śmierć nie są zapisane w scenariuszu.

Broń palna to piękna rzecz. Nie chodzi po prostu o to, że spust klika, przesuwa się do tyłu, a ładunek w łusce eksploduje. Język spustu uruchamia bowiem serię dźwigni, sprężyn, zapadek, które poruszają się z dokładnością szwajcarskiego zegarka. Każda musi być wykonana jak najstaranniej, wycięta i ukształtowana z precyzją równą neurochirurgicznym cięciom w mózgu. Poszczególne elementy trzeba starannie dopasować. Wystarczy najmniejsze odchylenie, ledwie o tysięczną część milimetra, a mechanizm nie dostosuje się do porządku narzucanego przez inne części i się zatnie.

Moja broń zacięła się tylko raz. Jakiś czas temu. Minęło chyba ze dwadzieścia lat. To był karabin, nie jakiś oparty na cudzym wzorze, ale moje autorskie dzieło. Wykonałem go w całości, łącznie z wierceniem i gwintowaniem lufy. Własna głupota i arogancja kazały mi sądzić, że zdołam ulepszyć konstrukcję wypróbowaną przez pół wieku wojen, zabójstw na zlecenie, morderstw, zamieszek i społecznych niepokojów.

Karabin miał być użyty przeciwko kilku celom niezwiązanym z polityką. Jeden z nich znałem.

W zasadzie cel był powiązany z polityką – tyle że nie motyw zamachu. Chodziło o amerykańskiego multimilionera, właściciela kilku międzynarodowych koncernów – farmaceutycznego, prasowego, sieci telewizyjnej, międzynarodowej sieci hoteli, jednej czy dwóch linii lotniczych. Słynął też jako ważny filantrop. Sponsorował ośrodki leczenia narkomanów w niedofinansowanych miastach Ameryki. Nie podam jego nazwiska. Wciąż żyje. Zawdzięcza to mojemu błędowi – chociaż o tym nie wie.

Przebywałem wtedy na Long Island. Poproszono mnie, bym zatelefonował pod pewien numer w New Jersey. Wiadomość przekazał mi amerykański prawnik z Manhattanu. Pracował dla mafii. Kiedyś wykonałem dla niego zlecenie. Wysłał krótki list. Pamiętam, że zaczął od słów „Drogi Joe". Zawsze zwracał się do mnie Joe – dla niego nazywałem się Joe Doe. Tak było najlepiej. „Zadzwoń do tego młokosa. Ma tylko osiemnaście lat, ale to nie frajer. Nie osądzaj go, dopóki nie wysłuchasz całej gadki. Wiem, że taka praca może ci się nie spodobać, ale wyświadcz mi przysługę, dobrze? Pieniądze są pewne. Liczę na ciebie. Larry".

Oczywiście on wcale nie miał na imię Lawrence, Larry ani nawet podobnie. Tak też było najlepiej.

Prośba Larry'ego równała się bezpośredniemu rozkazowi od królowej Anglii. Facetowi z taką siłą przebicia po prostu nie potrafiłem się oprzeć. Zadzwoniłem więc do chłopaka z uprzejmości wobec mojego przyjaciela prawnika i ze złymi przeczuciami co do zlecenia.

Zamierzał zabić ojca. To był nie tylko jego pomysł, ale również jasno wyrażone życzenie matki. Poinformował mnie, że milionerowi równie dobrze jak prowadzenie międzynarodowych korporacji wychodzi romansowanie na boku. Dzieciak wyjaśnił, że w towarzystwie kumpli ojciec swoje liczne seksualne podboje nazywa „wydupem majątku". I tak wydupczając majątek, złapał syfilis, którym zaraził żonę.

Rozumiałem motyw, ale wciąż nie uśmiechało mi się podejmować zlecenia, nawet na prośbę przyjaciela. Nie chciałem, aby znano mnie tylko jako pomocnika mordercy. Z tego nic nie dałoby się uzyskać.

Chłopiec, który niewątpliwie odziedziczył po ojcu spryt, wyczuł moją niechęć.

– Pan nie chce tego zrobić – stwierdził.

Mówił z bardzo wyrafinowanym bostońskim akcentem. Zastanawiałem się, czy w przyszłości ukończy Harvard Business School. Głos już do tego pasował.

– Owszem, zwykle nie podejmuję się takiej pracy.

– Larry uprzedzał mnie, że właśnie tak pan powie. Jest jednak coś jeszcze. Prześlę to panu i wtedy proszę do mnie oddzwonić.

W ciągu godziny kurier dostarczył mi kopertę, a w niej kilka dokumentów, fotokopii notatek służbowych amerykańskiej administracji rządowej, a wszystko tajne i związane z Ameryką Łacińską. Dołączono też trzy fotografie. Na jednej uwieczniono cel z przywódcą rebeliantów znanym ze swojej ludobójczej ideologii. Na drugiej – z dobrze znanym kokainowym baronem. Trzecia – chyba najbardziej kompromitująca – przedstawiała faceta, jak posuwa bardzo ładną dziewczynę na brzegu basenu. Zadzwoniłem ponownie.

– Kliniki są fundowane przez narkotyki – poinformował mnie bez ogródek chłopiec. – A dziewczyna to jedna z tych, co mojej matce...

Umilkł, w słuchawce buczało. Patrzyłem na zdjęcia rozłożone na biurku obok telefonu. Chyba wyłowiłem z eteru ciche łkanie i zrobiło mi się strasznie żal szczeniaka.

– Ma pan już kogoś...? – odezwałem się.

– Larry ma – odparł.

– Rozumiem. A czego dokładnie pan ode mnie oczekuje?

– Spluwy.

Dziwnie słuchać właściciela bostońskiego głosu, który wyraża się jak filmowy bandzior.

– Mogę się tym zająć. Ale przedtem muszę się spotkać z... wykonawcą. Żeby poznać jego wymagania.

– Karabin, długa lufa, dopasowana luneta, automat.

– Dobremu strzelcowi wystarczy jeden pocisk – zaznaczyłem.

– Chcemy, żeby załatwiono też dziewczynę.

Jasne. Taka już jest ludzka natura.

– Dobrze – zgodziłem się. – Zadzwonię do Larry'ego i powiem, że przyjmuję zlecenie. Potem on się ze mną skontaktuje w sprawie odbioru i płatności. Ale nie robię tego dla pana. Nie kieruję się tak zwyczajnymi motywami jak zemsta albo małostkowy odwet. Moim zdaniem pańska matka już na samym początku powinna sobie mądrzej wybrać męża.

– Oczywiście, Larry uprzedzał, że właśnie takie będzie pańskie nastawienie.

– Z pewnością powiedział też panu, że jeśli prześle mi pan tę kopertę, to jej zawartość doprowadzi do zawarcia umowy.

– Tak – przyznał i odłożył słuchawkę.

Zrobiłem tę broń. Była nie do wyśledzenia. Żadnych numerów seryjnych, masowo produkowanych bądź specjalnie zamawianych części, żadnego wzoru. Sprawdziłem ją. Działała dobrze. Wystrzeliłem dwanaście razy w ciągu sześciu sekund, tyle, ile wynosiła pożądana szybkostrzelność.

A jednak się zacięła. Nie mogłem przewidzieć tej usterki, ale jako profesjonalista biorę za nią całkowitą odpowiedzialność.

Facet nie został zabity. Chybiono. Jednym pociskiem dostał w ramię, drugim w wątrobę. Zabójca powinien dwukrotnie strzelić w głowę. Cały problem wyniknął z tego, że cel znajdował się blisko basenu i po pierwszym trafieniu sturlał się do wody. Ciecz zmieniła tor drugiej kuli. Trzecia i ostatnia trafiła w betonową krawędź basenu, po czym odbiła się rykoszetem. Dziewczyna zginęła od razu. Zabójcę zastrzeliła ochrona. Nie wziął zapasowej broni – to głupie.

Larry się wściekł, ale dostałem zapłatę. Nie wierzył, żeby broń zacięła się z mojej winy. Uznał, że strzelec coś zrobił z karabinem, upuścił go, próbował wyregulować. Ale ja wiedziałem lepiej. Zajmowałem się tym zleceniem w pośpiechu, nie miałem do niego serca i nie przyłożyłem się wystarczająco starannie. Bez wątpienia popełniłem błąd. Zawsze tego żałowałem.

Antykwariat prowadzony przez Galeazza cuchnie kurzem i starymi herbatnikami. Jest małym, zagraconym pomieszczeniem. Książki leżą stosami na podłodze i na stołach, stoją na półkach, a na nich piętrzą się kolejne tomy. Drewniana podłoga skrzypi pod stopami. Gdyby podpory piwniczki pod spodem nie były z grubych bloków górskiego kasztana, szerokich na czterdzieści centymetrów, sklepik już dawno by się zapadł. Pierwsze piętro też zawalone jest książkami, to magazyn. Nad tym wszystkim znajduje się dwukondygnacyjne mieszkanie Galeazza.

Facet jest mniej więcej w moim wieku, siwy i przygarbiony – typowy sprzedawca książek. To wdowiec. Żartuje, że jego żonę przygniotła półka z książkami. Ale Giuseppe powiedział mi, jak było, przeczytał o tym w gazecie miotanej wiatrem po ulicy. Prawda okazała się mniej zabawna, ale równie dziwaczna. Żona antykwariusza odwiedzała krewnych w Sulmonie, kiedy zatrzęsła się tam ziemia. Na trzecim piętrze urwał się balkon, a stojący na nim motocykl spadł na kobietę, gdy dla bezpieczeństwa szła środkiem ulicy. Zginęła na miejscu. To była czysta, prawidłowa śmierć, właśnie taka, jaka powinna być.

Co ciekawe, książki w sklepiku to nie tylko tytuły opublikowane po włosku. Na półkach Galeazza swoich reprezentantów ma prawie każdy europejski język i to w sporej ilości. Równie interesujący jest w ogóle sam fakt istnienia antykwariatu – Włosi nie cenią używanych dóbr. Jeśli kiedyś będziesz na włoskiej prowincji, przyjrzyj się zrujnowanym budynkom. Odnowione mogłyby się stać solidnymi, wręcz wspaniałymi domostwami. Obok widać zwykle betonowy szkielet wznoszącego się monstrum. Skoro Włosi wolą nowoczesne domy od zabytkowych, to wykluczone, aby kupowali stare książki.

Jednak Galeazzowi całkiem nieźle się powodzi. Co kwartał wysyła katalogi profesorom ze swojej listy korespondencyjnej, pocztą dostaje też zamówienia. Opowiada mi, że ma nawet klientów w Wielkiej Brytanii, Niemczech, Holandii i USA. Amerykanie chcą tylko książek o Starym Kraju. Rzecz jasna szukają swoich włoskich korzeni. Brytyjczycy potrzebują informatorów o Włoszech po angielsku. Profesorowie wyszukują dzieła o folklorze, średniowieczne księgi religijne i pozycje dotyczące miejscowej architektury.

Dzięki temu, że Galeazzo dobrze włada angielskim, jesteśmy całkiem bliskimi znajomymi. Czasem zasiadamy w barze Conca d'Oro i gawędzimy o książkach. Odnajduje dla mnie różne tomy o motylach. Sprzedawał mi już liczne cenne wydania, ilustrowane przez artystów znacznie lepszych niż ja. Kilka to dziewiętnastowieczne publikacje zdobione przepięknymi, ręcznie kolorowanymi stalorytami.

– Dlaczego mieszkasz we Włoszech?

Często zadaje to pytanie. Zazwyczaj nic nie mówię, tylko – jak Włosi – wzruszam ramionami i się krzywię.

– Powinieneś mieszkać w... – Za każdym razem urywa, aby zastanowić się nad jakimś krajem, którego jeszcze nie wymieniał. – ...w Indonezji. Mają tam mnóstwo lasów, dziwnych

138

jaszczurek. Motyli. Dlaczego malujesz włoskie motyle? Wszyscy je znają.

– Nieprawda – zaprzeczam. – Na przykład taki gatunek *Charaxes jasius*. Słabo znany gdziekolwiek indziej w Europie, w przeszłości często widywany na wybrzeżach Morza Śródziemnego i we Włoszech. Tam, gdzie rośnie drzewo truskawkowe. Nawet *Danaidae* odkryto właśnie we Włoszech. Owszem, ze sto lat temu, ale może znajdę jeszcze jednego. Monarchę, rzadką odmianę *Danaus chrysippus*.

– To liche stworzenia. Jedź na Jawę. – Nazwę wyspy wymawia „Yarvah", jak jakiegoś żydowskiego święta – Tam są motyle wielkie jak ptaki.

– Wybrałem Włochy – tłumaczę – bo wino tutaj tanie, kobiety piękne, a czynsze niskie. W moim wieku takie rzeczy są ważne. Nie mam emerytury.

Nalewa jeszcze wina Lacrima di Gallipoli. Mój kieliszek chyboce na wydanym przez Everymana egzemplarzu *Podróży na okręcie „Beagle"* Darwina, który Galeazzo ciągle czyta i zna niemal na pamięć. Naczynie antykwariusza kołysze się na dzienniku „Ciano", także po angielsku. Twierdzi, że swoje imię dostał właśnie po hrabim Ciano, ale sądzę, że to tylko romantyczna bajeczka. Wino kupił podczas krótkiej wizyty w Apulii, związanej ze sprzedażą książek. Zna pewien księgozbiór mieszczący się w obcasie apenińskiego buta i zagląda tam od czasu do czasu. Staram się rozpracować, skąd bierze międzynarodowe edycje. To okazja, aby zmienić temat rozmowy. Moja wiedza o motylach wystarczy jedynie, by zwieść przypadkowego słuchacza. Zostawcie mnie jednak sam na sam z choćby entomologiem amatorem, a on w kilka chwil przejrzy cały kamuflaż.

– Skąd masz te książki? – pytam po raz enty. – Twój asortyment ciągle mnie zadziwia.

Uśmiecha się tajemniczo, z wyższością, po czym stuka w czoło plastikowym długopisem. Dźwięk przypomina ten, jaki wydaje arbuz testowany przez Roberta.

– Chciałbyś wiedzieć! Ale czy posiadacz kopalni diamentów zdradza przyjaciołom jej położenie? Oczywiście, że nie. – Pociąga łyk wina. Podstawka kieliszka zostawia kolisty ślad na zakurzonej okładce dziennika. – Z południa. Z dalekiego południa. Z gór. Żyje tam pewna pani, tak stara, że mogłaby być teściową Matuzalema. I równie brzydka. Na kilku hektarach rosną u niej brzoskwinie i oliwki. Akurat tyle, by sobie tłoczyć oliwę. Ta jej oliwa jest mętna i zgrzyta w zębach. Kiedyś mi trochę podarowała. Nie nadaje się do sałaty. Tylko do konserwowania. Brzoskwinie są objadane przez meszki. Och, gdybyś interesował się molami! Starowina nie ma żadnych plonów, posiada za to książki.

– Ile hektarów?

– Nie bądź głupi, pij wino!

Posłusznie wykonuję polecenie.

– Jej książkowych zbiorów nie mierzy się w hektarach, ale w kilometrach.

– Więc, ile ich ma?

– Nikt nie wie. Muszę kiedyś obejść te jej wszystkie półki.

Kilka tygodni temu, częściowo po to, aby zaprzeczyć wszelkim plotkom i wzmocnić swój wizerunek artysty, ofiarowałem Galeazzowi swoje malowidło *P. machaon*. Tak jak sądziłem, oprawił je i powiesił na honorowym miejscu nad kasą, żeby każdy widział. To dobrze mi się przysłuży. Jestem przecież signor Farfalla.

Signora Prasca bardzo się martwiła. Zapowiadałem, że wyjeżdżam na dwa dni, a wróciłem po czterech. Byłoby jej niezmiernie przykro, gdyby jej signor Farfalla miał wypadek na autostradzie, został napadnięty w Rzymie – bo wspominałem, że tam się wybieram – albo gdyby wędrując po górach, nie zdążył uciec przed straszliwą burzą. Kiedy wchodzę na podwórze i zaczynam wspinać się po schodach, niosąc drewnianą skrzynkę, signora Prasca robi dużo zamieszania. W rękach trzyma nagromadzoną przez cztery dni pocztę. W tym kartkę od Pet, którą trzy dni wcześniej wysłałem z Florencji.

Uspokajam i zapewniam kobietę, że Rzym jest piękny. Burze nie dotarły w tamte rejony. Autostrady nie zalało. Bandyci napadają tylko turystów. Nie mówię jej, że nie znalazłem się bliżej Rzymu niż te tutaj schody.

Nie staraj się odgadnąć, gdzie dokładnie przebywałem. Nie dostarczę ci żadnych tropów. Powiem tylko, że teraz mam socimi 821, dobrą niemiecką lunetę ze szkłami Zeissa i zestaw różnych części i innych rzeczy wartych do ośmiu tysięcy dolarów. Luneta przystosowana jest do używania przez krótkowidzów. Na wszelki wypadek. Marża przy tym zleceniu będzie całkiem niezła.

Problem z osadzeniem okazał się nie tak duży, jak początkowo sądziłem. Wystarczyło trochę prawdziwego majsterkowania, a mniej Bacha. Dopisało mi niesamowite szczęście, że zdołałem zdobyć lufę. Nie musisz znać szczegółów. Żaden wynalazca ani rzemieślnik nie zdradza swoich sekretów.

Gdy już wykonam to zlecenie, sprzedam ci takie informacje, jeśli zdecydujesz się wejść w ten biznes. Kiedy odejdę, zostanie niewielu podtrzymujących tradycje tej sztuki. Znam zaledwie dwóch niezależnych... jak ich nazwać? – dostawców specjalistycznej broni. Jeden z nich może już nie żyć. Nie słyszałem o nim od kilku lat.

Może przeszedł na emeryturę. Tak jak ja zrobię po tej robocie.

Naprawdę szkoda. Miałem nadzieję, że mój ostatni projekt okaże się znacznie trudniejszy. Karabin w walizce, a broń pneumatyczna w maszynie do pisania? Dzisiaj na fali jest miniaturyzacja: laptopy, palmtopy, zegarki elektroniczne, rozruszniki serca, telefony komórkowe wielkości paczki papierosów. Ewolucja powinna zacząć nam zmniejszać palce.

Wyzwaniem byłby pistolet w parasolce. Oczywiście, coś takiego już kiedyś zrobiono. Bułgarzy wykorzystali go przeciwko dysydentowi Georgiemu Markowowi w Londynie w 1978 roku. Sprężony gaz wystrzelił kulkę kaliber 1,52 milimetra prosto w udo celu. Pocisk stanowił arcydzieło miniaturyzacji, stworzone na długo przed tym, jak laserem wycięto superczip ze skrawka silikonu o grubości ludzkiego włosa. Miał kształt sferyczny, odlano go ze stopu platyny i irydu. Wywiercono w nim dwa otwory średnicy 0,35 milimetra, prowadzące do centralnego pojemnika wypełnionego rycyną – trucizną otrzymywaną z krzewu rycynowego, nie do pokonania przez twórców antidotów. Dwa tygodnie wcześniej, w Paryżu, Bułgarzy bez powodzenia użyli tej broni wobec innej, tak zwanej „niepożądanej osoby", Wladimira Kostowa. On akurat przeżył.

Koncepcja działania tej broni była błyskotliwa. Doskonały kamuflaż, zdumiewający pocisk, całkowita prostota. Dwie sekundy i po wszystkim. Zaledwie tyle, aby zmienić świat, zgładzić tego, kto stał się celem. Niestety trucizna działa powoli. Markow umierał trzy dni. To nie była piękna śmierć, lecz taka, jaką zadają łowcy lisów.

Zwykły pocisk wydaje się lepszy.

Do socimi należało wprowadzić kilka modyfikacji. Musiałem dopasować dłuższą lufę. Nic trudnego. To tylko kwestia obróbki i pracy z tokarką. Lufa jest przymocowana zwyczajnie, nakrętką, co pozwala szybko ją odłączyć i wymienić. Postanowiłem jeszcze udoskonalić łącznik, aby spust chodził lżej. Jak podejrzewam, mój klient, mimo pewnego chwytu, ma lekki palec.

Kolbę trzeba całkowicie przerobić. Ta, dosyć krótka, idealnie nadaje się do zasypywania gradem kul, ale nie do precyzyjnego strzelania przez lunetę. Wykonam inną. Muszę przewlec muszkę przez tłumik, co też zajmie jakiś czas. Niby wystarczy przekręcić kombinerki, ale niezwykle ostrożnie, bardzo powoli.

Lufę już nagwintowałem: ma sześć żłobień. Jeszcze z niej nie strzelałem, więc będę musiał, jak to się mówi, ją rozdziewiczyć. To czysto techniczna robota. Nie zamierzam cię zanudzać rusznikarskim żargonem. Ale wszystko na pewno zostanie wykonane zgodnie ze ścisłymi normami, przy zachowaniu najdokładniejszych parametrów, tak aby uzyskać najlepszą jakość na świecie.

Jestem wykwalifikowanym rzemieślnikiem. Szkoda, że moje dzieło zostanie użyte tylko raz jak styropianowe pudełko na kanapkę z MacDonalda, ale taki dziś los fachowców. Szybko zanikamy w tym świecie nawykłym do jednorazowości. Może dlatego my, eksperci, poszukujemy się nawzajem – i właśnie dlatego odwiedzam Alfonsa.

Jego warsztat mieści się przy piazza della Vagna. To ogromna przestrzeń pod siedemnastowiecznym domem kupieckim. Naprawia alfy romeo, fiaty i lancie w pomieszczeniu, gdzie kiedyś przechowywano jedwabie z Chin, goździki z Zanzibaru, suszone daktyle z Egiptu, diamenty z Indii i złoto z takich miejsc, z których tylko dało się je ukraść, wymienić coś na nie albo dla niego zabić. Teraz, w dawnym handlowym składzie, cuchnie olejem, a półki zastawione są narzędziami, pudłami pełnymi nakrętek, śrub i części zapasowych. Wiele od-

144

zyskano po kraksach. Alfonso jeździł tam z ciężarówką pomocy drogowej. Warsztat oświetlają jaskrawe neonówki. W kącie niczym domowa kapliczka mruga komputerowa maszyna do regulacji auta. Światełko na oscyloskopowym ekranie wędruje zygzakiem, jak gdyby rejestrowało ostatnie tchnienia umierającego silnika. To kojarzy mi się z chorobami.

Alfonso nazywa swoją firmę szpitalem. Samochody przyjeżdżają chore, a wyjeżdżają zdrowe. Nie powie o mercedesie: „uszkodzony". Dla niego został „ranny" w starciu z regatą. To brzmi wzniośle. Regata jest natomiast tylko „pokaleczona". Facet gardzi fiatami. Twierdzi, że są jeżdżącymi kupami złomu. Kilka tygodni temu opowiadał mi, że na autostradzie na południe od Florencji widział „martwe" lamborghini. Obok stała „lekko ranna" ciężarówka marki Scania. Alfonso to Christiaan Barnard BMW, Fleming Fiata. Klucz maszynowy traktuje jako skalpel, kombinerki i klucz nastawny jak delikatne, chirurgiczne narzędzia.

– *Ciao* – pozdrawiam Alfonsa.

Spogląda na mnie spod maski lancii.

– Co za leń. – Wali dłonią we wnętrze nadkola. – Ta stara rzymska baba... – wskazuje głową tablicę rejestracyjną – ... nie potrafi już wspinać się na wzgórza. Czas dać jej zastrzyk świeżej krwi.

Dla Alfonsa olej jest krwią, paliwo pokarmem, płyny hydrauliczne osoczem, a lakier suknią i eleganckim garniturem. Szpachla albo podkład zawsze są majtkami lub stanikiem w zależności o tego, gdzie dokonuje się naprawy.

Potrzebuję kilku kawałków żelaza. Najlepiej stali. Alfonso wszędzie trzyma rozmaity złom. Nic nie może się zmarnować. Kiedyś, jak słyszałem, do podłogi przerdzewiałego małego fiata przyspawał kółka od jakiegoś starego sprzętu domowego. Właściciel nie widział różnicy, samochód toczył się po dolinie jeszcze wiele lat – aż wreszcie na jakimś zakręcie zawiodły hamulce. Mówią, że choć auto nadawało się do kasacji, to na kółkach nie było nawet ryski.

Macha dłonią, mniej więcej w stronę półek. Jego gest oznacza „bierz, co chcesz; mój warsztat to twój warsztat, bo co to jest, kilka kawałków stali dla przyjaciela".

Za miską olejową z poszarpaną dziurą znalazłem parę okrawków metalu: potem jeszcze trzy koła zębate z pourywanymi zębami. Podnoszę największe.

– *Bene?* – pytam.

– *Si! Si! Va bene!*

– *Quant'e?*

Mruczy i uśmiecha się szeroko.

– *Niente!*

Nic nie kosztuje. W końcu jesteśmy przyjaciółmi. Popsute koło zębate nie przyda mu się do niczego. Pyta, co chcę z tego zrobić. Odpowiadam, że blokadę do drzwi. Mówi, że kółko jest ciężkie i powinno się nadać.

Zawijam je w przetłuszczoną gazetę i zabieram do domu. Signora Prasca gada przez telefon. Trajkocze jak nakręcona.

Już w swoim mieszkaniu głośno puszczam Bacha. Potem go wyłączam i wkładam do odtwarzacza swój najnowszy zakup, uwerturę *1812*

Czajkowskiego. Kiedy francuska artyleria odpiera rosyjską, dwukilogramowym młotem rozbijam koło na pięć części.

Jestem gońcem śmierci. Doręczam ostatni telegram, jej pocałunek. To czyste piękno. Wszystko, co robię, płynie prosto ku tej drobnej chwili, ostatecznemu przeznaczeniu doskonałości. Ilu artystów może powiedzieć to samo?

Malarz kończy obraz i odstępuje na krok. Gotowe – zamówienie zostało wykonane. Obraz wędruje do oprawienia, a stamtąd do właściciela. Dużo później artysta widzi dzieło w domu swojego patrona i dostrzega maleńki błąd. Pszczole na kwiatku brakuje jednego czułka. A może liść dębu ma zły kształt? Doskonałość okazuje się niedoskonała.

Weźmy pisarza: całe miesiące trudzi się nad powieścią, kończy ją, wysyła do wydawcy. Tam się ją redaguje, poprawia, adiustuje, składa, czyta próbne wydruki, robi korektę, drukuje. Rok później książka stoi na sklepowych półkach. Recenzenci ją chwalą, czytelnicy kupują. Pisarz przegląda egzemplarz autorski. Żwirowy podjazd do domku na plaży w Malibu z rozdziału drugiego w rozdziale trzydziestym siódmym jest już brukowany. Na całej powieści pojawia się skaza.

U mnie nic takiego się nie zdarza. Z wyjątkiem tego jednego razu. Nadejdzie chwila, kiedy moje wysiłki zakończą się sukcesem. Łańcuch wydarzeń zaczynający się od rozbicia stalowej przekładni osiągnie kulminację w dwóch sekundach działania. Palec się zegnie, spust drgnie, łącznik podźwignie, uniesie się zaczep spustowy, poruszy zaczep zamka, podniesie rygiel, kurek uderzy w iglicę, ta puknie w spłonkę, nastąpi eksplozja i pocisk poleci do serca albo głowy, a doskonałość się wypełni. Cały proces przebiegnie zgodnie z logicznym, uprzednio zaplanowanym i bezbłędnym projektem. To choreografia, a ja występuję w roli baletmistrza tego tańca ku wieczności. Jestem realizatorem, przyczyną, pierwszym i ostatnim krokiem, producentem i reżyserem.

Współpracując ze swoim klientem, staję się największym impresario świata, Barnumem kul. Andrew Lloydem Weberem zabójstw, D'Oyly Carte śmierci. Wspólnie wybieramy scenariusz i czynimy ją możliwą. Piszę libretto i nuty. Klient wybiera teatr, ale to ja dekoruję scenę, pełnię funkcję reflektora i kurtyny. Zleceniodawca to połowa obsady. Domyślasz się pewnie, kto jest drugim aktorem tego dramatu.

Klient jest też moją marionetką. Pod tym względem nie różnię się od lalkarza pod kościołem San Silvestro. Zabawiam. Może tworzę największe widowisko świata. Ale moja marionetka nie ma sterczącego penisa. Dysponuje za to zaadaptowanym socimi 821 i magazynkiem kul kaliber 9 milimetrów.

W tej sztuce, tragikomedii losu, najbardziej lubię możliwość ustalenia metody, miejsca, chwili. Ilu ludzi potrafiłoby bez wahania stwierdzić, kiedy umrze, gdzie albo w jaki sposób? Tylko samobójstwo daje taką sposobność, ale i tak nie całkiem, nie w stu procentach, bo zawsze może ktoś przyjść, odciąć stryczek albo wyciągnąć z wody, wypłukać pigułki z żołądka, wyłączyć gaz i szeroko otworzyć okna. Sprowadzić do życia. Ile osób wie, kiedy i gdzie ktoś umrze, wysunie się ze śmiertelnej powłoki? A tę wiedzę posiada właśnie zamachowiec. I to czyni go Bogiem.

Ze zwykłym mordercą jest inaczej. Zabójca amator działa pod wpływem impulsu albo paniki. Nie rozmyśla nad swoimi uczynkami, nie dostrzega władzy, jaką dzierży, niemal boskiego prawa. Popełnia błąd, a potem się dziwi, gdy kajdanki zatrzaskują mu się na nadgarstkach lub ktoś przez megafon domaga się, aby wyszedł z podniesionymi rękoma.

Ale zamachowiec wie.

Podobnie jak ja.

To stanowi pełny, fenomenalny cud.

Kiosk z gazetami znajduje się nieopodal stoiska Mila, przy piazza de Duomo. Czasem latem, gdy przybywają turyści, można kupić tam zagraniczne żurnale i magazyny. Dzisiaj mają „Time'a", „Newsweeka" i angielski „Daily Telegraph". Do tego jeszcze „International Tribune" i ostatnie, niedzielne wydanie „New York Timesa". Na okładce „Time'a" przedstawiono jakiegoś rewolucjonistę nieokreślonej narodowości, ubranego w międzynarodowy uniform terrorysty, czyli kurtkę „flek", kominiarkę i arafatkę. Stoi na tle stosu płonących opon i trzyma coś, co dla mojego wyćwiczonego oka wygląda na chiński karabin automatyczny wzór 68.

Przyglądam się temu zdjęciu w cieniu płóciennej markizy kiosku. Ciekawy karabin. Nie zajmowałem się nim już od wielu lat. Przypomina rosyjskiego sks simonowa, ale ma dłuższą lufę i inną rurę gazową. Zamek ma podobną do ak 47 budowę, ale magazynek jest inny. Jeśli chce się używać do niego magazynków od ak 47, trzeba spiłować zatrzask: kiedyś musiałem tak zrobić. Przypominam sobie konkretne dane. Broń jest ciężka, załadowana waży prawie cztery kilogramy, magazynek mieści piętnaście pocisków. Trzydzieści, jeśli podepnie się magazynek od ak 47. Sybkostrzelność wynosi siedemset pięćdziesiąt pocisków na minutę, prędkość kuli to siedemset trzydzieści metrów na sekundę. Amunicja kaliber 7,62 milimetra, radziecki pocisk wzór 43 o kształcie kulistym, masa ładunku dwadzieścia pięć gramów, masa pocisku sto dwadzieścia dwa gramy. Nad fotografią przedstawiającą sylwetkę do pasa widnieje tytuł: *Ludzie przemocy – wrogowie pośród nas*.

Wertuję strony. Myśl przewodnia artykułu brzmi: musimy wykorzenić siły przemocy, tych, co rozdają szybką śmierć i dostarczają bomby w radiu tranzystorowym. Na świecie nie ma miejsca dla kapłanów broni palnej, misjonarzy bólu.

Odkładam magazyn. Szkoda czasu na kazania. Życie jest za krótkie, by czytać przesłania od prezydenckich doradców zamkniętych w politycznych bunkrach, głoszących pokój zza luf legalnej broni.

Ludzie przemocy. Taka kategoria nie istnieje, wszyscy jesteśmy terrorystami, nosimy w sercu pistolet. Większość z nas nie strzela po prostu dlatego, że nie przyświeca nam żadna wielka idea. Jeśli znajdzie się powód albo odwaga, każdy potrafi stać się zabójcą.

Nasza ludzka skłonność do szerzenia grozy nie zna granic. Brytyjczycy – a nawet Włosi, tutaj, w sercu cywilizacji – polują na lisy, rzucają psom żywe młode dla samej przyjemności oglądania krwi, słuchania skowytu bólu, odczuwania dreszczy agonii we własnych żyłach. Szwedzi podcinają wilkom ścięgna. Amerykanie patroszą żywe grzechotniki. Przemoc to nieodłączna cecha gatunku *Homo*. Wiem o tym. Sam jestem człowiekiem.

Nie ma różnicy między simonowem w rękach bojownika, moim przerobionym socimi w walizce jakiejś młodej osoby a karabinem m16 w dłoniach marine.

Ludzie akceptują przemoc. W telewizji są zabijani strzałami z broni palnej, powalani pięścią sprawiedliwości, tak jakby każdy producent filmowy był palcem na spuście Boga. Śmierć zadawana przemocą to powszechne zjawisko. Nikt nie gromadzi się, aby zobaczyć zwłoki pijaka w rynsztoku albo starca zmarłego na raka w hospicjum. Kilku krewnych wkłada żałobę, gdacze jak wdzięczne kwoki, że zmarły nie cierpiał długo.

Godna śmierć – oto, czego dla niego chcą, czego pragną dla siebie samych. Spójrz jednak na kierowców, którzy odwracają głowy w stronę karambolu na autostradzie, na hordy gapiów gromadzące się na poboczu torów, kiedy dojdzie do katastrofy kolejowej, czy tłoczące się, aby zobaczyć, gdzie runął samolot.

Do tego dochodzi jeszcze gwałt zadawany w imieniu prawa: ludzie akceptują przemoc, jeśli legitymują ją władze, uznają brutalność za metodę wymierzania sprawiedliwości. Wobec niektórych grup ludzi – czarnuchów, latynosów, arabusów, żółtków i innego śmiecia – wolno używać przemocy, nieważne kto ją stosuje. Zawsze tak było. I tak będzie.

Ja też należę do tego grona, które wolno rozstrzelać w imię pokoju. Jestem łupem. Ja i mój gość, którego znów spotkam już za kilka dni.

Przemoc to monopol państwowy, podobnie jak poczta i kontrola dochodów. Kupujemy ją za nasze podatki, żyjemy pod jej ochroną.

Przynajmniej większość z nas. Bo ja nie. Nikt mnie nie zna. Nie mam długiego, smukłego jachtu zacumowanego przy najlepszej marinie.

Żyję według reguły Malcolma X – jestem spokojny, uprzejmy, przestrzegam prawa, szanuję cały świat. Ale jeśli ktoś podniesie na mnie rękę, posyłam go na cmentarz.

Powinienem trochę inaczej się wyrazić, bo w przeciwnym wypadku nazwiesz mnie kłamcą. Ja przestrzegam prawa naturalnego. Spokój, jaki zachowuję, to spokój ducha.

Siedzę w drugiej sypialni. Z odtwarzacza płyt kompaktowych cicho leci muzyka, powiedzmy Pachelbela. Pracuję nad łącznikiem, modeluję go z rozbitego stalowego kółka i dumam o zabójstwie i truciźnie, tchórzliwym sposobie uśmiercania. Rozmyślam też o Włoszech, ojczyźnie trucicielstwa.

Rzymianie doszli do biegłości w tej metodzie, a Kościół rzymski opanował ją do perfekcji. Jednym z ekspertów była Liwia, żona cesarza Augusta: wytruła połowę rodziny. W starożytnym Rzymie istniała nawet gildia trucicieli – ale prawdziwymi fachowcami okazali się papieże i kardynałowie.

Zabicie bronią palną jest szlachetne. Podanie trucizny już nie. To oznacza zepsucie. Rodzi się z machinacji nikczemnej i bezwzględnej duszy. Zabójstwo na zlecenie pozostaje bezosobowe, chociaż egzekutor bierze w całym procesie aktywny udział. Otrucie zawiera w sobie nienawiść i zawiść, dlatego jest osobiste, ale ten, kto tylko podaje truciznę i ucieka, nie przyłącza się do spotkania ze śmiercią.

Co za ironia losu, że właśnie Watykan uczynił tak wielki użytek z toksyn i jadów.

Pierwszy zamordowany papież, Jan VIII, zginął od trucizny w 882 roku. Zrobili to jego słudzy, jednak okazali się ledwie czeladnikami tej sztuki i w końcu musieli zatłuc go pałkami. Nie zostali więc w pełni trucicielami.

Dziesięć lat później otruto papieża Formozusa. Potem, w ramach najgorszego aktu przemocy, jaki kiedykolwiek popełniono, jego następca Stefan VII kazał ekshumować ciało, ekskomunikować, okaleczyć i przeciągnąć ulicami Rzymu, a następnie wrzucić do Tybru niczym worek ze śmieciami. Sam wyciągnij z tego wnioski: trucicielami kieruje nienawiść, płatnymi zabójcami sprawiedliwość i ich idea, przypływ historii.

Na tym się nie skończyło. Jana X otruła córka jego kochanki. Podobnie zmarli Jan XIV, Benedykt VI, Klement II i Sylwester II. Benedykt XI zjadł figi w cukrze, tyle że cukier zaprawiono pokruszonym szkłem. Paweł II spożył zatrute arbuzy. Aleksander VI wypił wino z białym arszenikiem przeznaczone dla jego wroga. Jakże słodka jest sprawiedliwość! Ciało papieża poczerniało, język stał się ciemny jak u szatana i spuchł, wypełniając usta. Z każdego otworu ulatywały gazy. Podobno trzeba było skakać po brzuchu, aby zwłoki zmieściły się do sarkofagu.

Odrażające czyny. A wszystkie popełniono z nienawiści i chciwości. Żaden prawdziwy zamachowiec tak by się nie zachował. Trucicielstwo ukazuje najgorsze strony ludzkiej natury. To nie mój biznes.

Przygotowując się do górskiej wyprawy, spakowałem się jak na piknik. Zabrałem butelkę frascati. Schowałem ją do lodówki samochodowej, tak jak sprzedawcy wina, gdy wysyłają towar pocztą. Do tego bochenek pełnoziarnistego chleba, pięćdziesiąt gramów pecorino, sto gramów *prosciutto*, mały słoik z czarnymi oliwkami, dwie pomarańcze i termos czarnej, słodkiej kawy. Wszystko upchnięte w dużym plecaku, razem z kieszonkową lornetką, blokiem rysunkowym, kredkami, szkłem powiększającym. W drugim plecaku reszta ekwipunku.

Kiedy wychodziłem, signora Prasca zapytała, czy zamierzam namalować jeszcze więcej motyli. Odpowiedziałem, że nie. To ekspedycja w wyższe partie gór, aby rysować kwiaty, którymi żywią się motyle. Same owady już znam. Roślin jeszcze nie.

– *Sta' attento!* – tak brzmiały jej ostatnie słowa, wykrzyknięte, gdy zamykałem drzwi na podwórze.

Och, droga signora Prasca. Jak najbardziej zamierzam uważać na siebie cały czas. Bardzo uważać. Zawsze miałem się na baczności. Dlatego wciąż tu jestem.

Pewnie wyobraża mnie sobie, jak czołgam się wzdłuż krawędzi urwiska, ryzykownie wychylam, aby wziąć pod lupę jakieś zwykłe zielsko przyrośnięte do skały, albo skaczę z kamienia na kamień niczym kozica, u stóp tego, co zimą staje się lodowcem białej śmierci, zaczątkiem lawin, których grzmiące echa słychać czasem w lutowe noce. Zimą bałaby się, że zaginę na śnieżnych polach, pożrą mnie wilki albo watahy zdziczałych psów, polujące na zbłąkane konie i stada owiec.

Droga wiedzie po zboczu doliny, przecina strome, wąskie wąwozy i meandruje poprzez pobliskie pionowe ściany wzgórz. Przecina ubogie osady, domy ogłuszone ogromem gór, kościoły powoli i z godnością upadające z braku wiernych. W wyższych partiach od czasu do czasu widać drzewa – kilka skarłowaciałych orzechów, a w osłoniętych miejscach – zagajniki dębu i jadalnego kasztana.

Po półgodzinie ciągłej wspinaczki citroën – jak *il camoscio* – dociera na szczyt przełęczy, gdzie droga wyrównuje się aż do Piano di Campi Staffi. Na tym płaskowyżu rośnie sporo lucerny, jest mnóstwo pól żyta i jęczmienia. Pasą się tam też krowy. Zapewniają miastu codzienną dostawę mozzarelli, wiezioną po górskich drogach przez flotyllę rozklekotanych furgonetek i półciężarówek. Niektóre pojazdy są tak stare, że spokojnie mogły jeździć jeszcze za czasów Mussoliniego.

Kilka kilometrów od przełęczy leży wioska Terranera, Czarna Ziemia. Postanawiam się zatrzymać w barze i napić kawy. Dzień nie jest słoneczny, a ja znajduję się wysoko w górach, ale panuje upał. Potrzebuję odświeżenia.

– *Si?*

Dziewczyna za kontuarem ma najwyżej dwadzieścia lat. Pełne wargi i duże piersi. Jej oczy są ciemne i ponure za sprawą nudy wiejskiego życia. Przez głowę przemyka mi myśl, że już niedługo dołączy do pracownic Marii na skraju via Lampedusa.

– *Un caffè lungo**.

Nie chcę mocnej kawy. Dziewczyna odwraca się, aby wlać napar do małej filiżanki o gru-

---

* *Un caffe lungo* (wł.) – espresso z większą ilością wody.

bych ściankach, którą grzechocze na spodku. Słodzę cukrem z cukiernicy przy kasie.

– *Fare caldo** – mówię i płacę.

Kiwa głową na pożegnanie.

Z tyłu baru stoi pojemnik z lodami. Wypijam kawę i patrzę w tamtą stronę. Lody są jedną z rozkoszy Italii.

– *E un gelato, per favore.*

Przesuwa się ospale za dużą lodówkę i unosi plastikową pokrywę.

– *Abbiamo cioccolata, caffè, fragola, limone, pistacchio...*

– *Limone e cioccolata.*

Nabiera lodów do rożka. Płacę. Ceny wypisano kredą na dziecięcej tablicy, zawieszonej pod dachem na hakach i pomarańczowej lince.

Stoję w drzwiach i liżę lody. Czuję kwaskowatość cytryny i mdły smak czekolady. Przyglądam się polom uprawnym za budynkami. Tam, gdzie pług rozgarnął ziemię, rzeczywiście jest czarna. Niektórzy nazywają to miejsce Płaskowyżem Pól Inkwizycji. Sugerują, że czarna ziemia powstała po rozpuszczeniu ludzkich ciał. Spalaj ciało powoli, a zwęgli się i potem roztopi jak guma. Widziałem to.

Znów jadę drogą. Po dziesięciu minutach skręcam w ścieżkę z lewej. Sto metrów dalej zatrzymuję citroëna i wysiadam. Drzwiczki zostawiam otwarte. Wysikuję się w krzaki. Wcale nie musiałem sobie ulżyć, bo kawa jeszcze przeze mnie nie przepłynęła. Nie jestem aż tak stary.

---

* *Fare caldo* (wł.) – być gorąco, bohater zrobił błąd, powinien powiedzieć *fa caldo* – jest gorąco.

Po prostu sprawdzam, czy nikt nie zauważył, że skręciłem. Sięgam wzrokiem nad czarnoziemem i falującą brązową trawą. Nikogo nie widać.

Ścieżką od dawna nie jechał żaden pojazd. Znów przystaję, gdy jestem wśród drzew, i przyglądam się źdźbłom trawy na garbku pośrodku szosy: nie ma śladów oleju, bruzdy od samochodowego podwozia. Dostrzegam kilka owczych bobków, ale i one są stare. Krowie placki się zeschły. Teraz to połacie pyłu przeżartego przez robactwo.

Zeruję licznik i ruszam, citroën podskakuje na miękkich resorach. Nie zatrzymuję się, dopóki nie wskaże dziesięciu kilometrów. Przez ostatnie dwa, trzy ścieżka jest już tylko wydłużoną leśną polaną. Biegnie z dwieście metrów w dół. Citroën zostawia ślady w trawie, tutaj, pod drzewami, wciąż jeszcze zielonej – ale w ciągu kilku godzin wyprostuje się i ukryje ślad mojej obecności.

Mijam ruiny pasterskiej chatki, skręcam obok stosu kamieni, zjeżdżam po zboczu przez ostatnie lasy. Docieram do miejsca, które spodziewałem się odnaleźć. To alpejska łąka długości mniej więcej kilometra, a w środkowym miejscu szeroka na około czterysta. Na drugim krańcu jest małe jezioro z brzegami zarośniętymi sitowiem. Z prawej mam gęsto zalesiony grzbiet. Za nim piętrzą się strome, szare klify, wysokie na siedemset metrów. Po lewej widać jeszcze jeden grzbiet. Stoi tam zrujnowana *pagliara*. To też przewidziałem.

Paglia to po włosku trawa. Wiele górskich wiosek miało swoją *pagliara*, drugą osadę umiejscowioną wyżej w górach, gdzie ludzie przenosili się na czas letnich wypasów. Dzisiaj takie miejsca są opuszczone, ścieżki zarosły, budynki nie mają dachów, okna framug, a kominy dymu. Od czasu do czasu trafiają tam narciarze, lecz rzadko się zatrzymują.

Zamknąłem plecaki w bagażniku i ruszyłem przez łąkę do samotnej osady. Słońce wyszło zza chmur, ale teraz to bez znaczenia. Tutaj nikt nie zauważy odbicia światła od przedniej szyby.

Trawa jest zielona, drzewa rzucają głęboki cień. Wokół rośnie mnóstwo polnych kwiatów. Jeszcze nigdy nie widziałem czegoś równie pięknego, tak niezniszczonego: delikatne żółcie i jasne fiolety, jaskrawa biel, szorstkie i błyszczące karmazyny, wyszukane błękity. Łąka wygląda, jakby Bóg artysta ochlapał ją kolorami, machając ociekającym pędzlem nad bujnym szmaragdem doliny. Ziemia jest twarda, ale wszędzie płynie woda, więc roślinność wspaniale się rozwija. W powietrzu buczą owady, pszczoły harcują przy górskiej koniczynie na długich łodyżkach. Spod moich stóp czmychają małe motyle nieznanych mi gatunków.

Wysokie buty chronią przed żmijami. Zaczynam gramolić się w stronę domów. Nie mogę zająć się swoimi sprawami, dopóki całkowicie się nie upewnię, że nie przyszedł tutaj nikt inny. Do tej doliny przypuszczalnie prowadzi jeszcze jedna, łatwiejsza droga, z południowego zachodu, a domy często odwiedzają kochankowie, którzy poszukują odległego, romantycznego miejsca spotkań.

Szybko przechodzę od jednych ruin do drugich. Żadnych śladów czyjeś obecności. Nie ma sadzy na kamieniach, wypalonych kręgów ognisk, porzuconych puszek ani butelek, kondomów wiszących po krzakach. Zza rogu budynku obserwuję dolinę przez lornetkę. Pusto.

Kiedy się upewniłem, że dzielę tę przestrzeń tylko z owadami, ptakami i dzikami – bo przy błotnistym potoku płynącym do jeziora widać odciski raciczek – wracam do citroëna i jadę w dół doliny, podskakując na kamieniach ukrytych wśród trawy. Skręcam autem, aby ustawić się przodem do drogi, którą przybyłem. Parkuję w cieniu przysadzistego, pokaźnego orzecha, obwieszonego na wpół dojrzałymi owocami, nieopodal miejsca, gdzie wyjechałem spośród drzew. Wyciągam plecaki.

Złożenie przerobionego socimi zajmuje około stu pięćdziesięciu sekund. Siadam w fotelu kierowcy i odwijam z flaneli czterdzieści sztuk amunicji. Wciskam dziesięć do magazynka, wsuwam go w podstawę chwytu. Opieram kolbę o ramię, przykładam oko do gumowego kubka lunety. Ostrożnie obserwuję staw.

Nie mam już tak pewnej ręki jak kiedyś. Starzeję się. Moje mięśnie są zbyt nawykłe do ruchu, a jeśli ich nie używam, relaksują się. Już nie potrafię być spokojny i naprężony zarazem.

W cieniu orzecha opieram broń o dach samochodu i celuję w kępkę zielska po drugiej stronie stawu. Bardzo łagodnie wstrzymuję oddech i przyciskam spust, jakby był małą, lecz prężną piersią Clary.

Rozlega się krótkie tu-tu-tu. Przez lunetę widzę, jak na godzinie czwartej od kępki i może ze cztery metry od niej wzdyma się woda.

Wyciągam z torby zegarmistrzowski śrubokręt ze stalową rączką, reguluję lunetę. Ładuję do magazynka kolejnych dziesięć nabojów. Tu-tu-tu! Kępa zielska idzie w drzazgi. W powietrzu fruwają pióra. Musiało tam być gniazdo wodnego ptaka, teraz opuszczone, bo mamy późne lato i skończył się sezon lęgowy, młode już odleciały.

Rozmontowuję socimi, wkładam z powrotem do plecaka i zamykam w bagażniku. Trzeba wprowadzić jeszcze kilka modyfikacji, zastanowić się nad paroma ulepszeniami.

Tłumik musi być trochę skuteczniejszy, a łącznik mocniej spiłowany. Spust wciąż wymaga za dużego nacisku. Chociaż ogólnie jestem zadowolony.

Rozkładam koc na trawie i urządzam sobie piknik. Otwieram frascati, jem i piję. Po posiłku zbieram zużyte łuski, chowam do kieszeni, schodzę na łąkę, szkicuję i koloruję rysunki ponad dwudziestu rozmaitych kwiatów. Signora Prasca będzie chciała obejrzeć dowody mojej wyprawy.

Nieopodal jeziora chyłkiem, jedna po drugiej, wrzucam łuski do wody. Kiedy ostatnia uderza o powierzchnię, pojawia się duża ryba zwabiona mosiężnym błyskiem.

Clara dała mi prezent. Nic wielkiego – spinkę do krawata, z metalu pokrytego imitacją złota. Ma około czterech centymetrów długości, a z tyłu sprężynowy zatrzask z maleńkimi ząbkami. Pośrodku listewki w kolorze złota umieszczono emaliowany herb. To godło miasta, z elementami herbu Viscontich. Zgodnie z ulotką z pudełka, kiepsko wydrukowaną po angielsku, niemiecku i włosku, miasto i okolica należały kiedyś właśnie do tego rodu. Prezent jest bardzo odpowiedni właśnie dla mnie, chociaż Clara nie może o tym wiedzieć. Visconti byli mistrzami sztuki skrytobójstwa, wielkimi wizjonerami gry w zabijanie. Dla nich stanowiła sposób życia. A raczej śmierci.

Dała mi ten upominek, delikatnie mówiąc, ukradkowo. Nie potrafię stwierdzić, czy z nieśmiałości, czy z obawy przed drwinami Dindiny. Wsunęła spinkę do kieszeni marynarki, gdy ta wisiała na krześle w pokoju przy via Lampedusa albo kiedy siedzieliśmy w pizzerii. Znalazłem prezent, dopiero gdy odeszła już Dindina – najpierw cmoknęła mnie w policzek, jak to zwykle robiła w obecności innych ludzi.

– Zajrzyj do kieszeni – poleciła Clara.

Pomacałem wewnętrzną kieszeń marynarki. Odruchowo. Nigdy nie chowam niczego do zewnętrznych kieszeni z obawy przez złodziejami. Dziewczyna zaśmiała się z politowaniem.

– Nie w tej.

Poklepałem niżej i wyczułem pudełko.

– Co to jest? – spytałem szczerze zdziwiony.

Nawet w normalnych okolicznościach nie otworzyłbym opakowania. Bardzo łatwo wsunąć do marynarki kilka gramów semteksu i miniaturowy zapalnik. Znam ze dwie osoby, które w ten sposób zostały wysłane na spotkanie ze Stwórcą: to jeszcze jedna umiejętność przypisywana Bułgarom. A może Rumunom? Albo Albańczykom. Jak przychodzi co do czego, ci wszyscy Bałkańczycy są tacy sami. Podstępne skurczybyki oszukują wręcz instynktownie. Wieki inwazji, wsobnego chowu i walki o przetrwanie nauczyły ich korzystać ze sprytu.

Wyjąłem paczuszkę. Gdyby Clara nie była moją kochanką i nie stała blisko, jeśli spięłaby się do ucieczki, cisnąłbym pudełkiem tak daleko, jak tylko bym zdołał, i rzucił się na bruk. A może do jej stóp? Chyba tak właśnie bym postąpił. Chęć przetrwania i zemsty nie cechują wyłącznie mieszkańców Bałkanów.

– *Dono. Regalo*. Pre-zent. Dla ciebie.

Uśmiecha się, blask ulicznej latarni tworzy ładne cienie na jej twarzy i oświetla dekolt. Widzę, że się zarumieniła.

– Nie trzeba.

– Oczywiście. Nie trzeba, ale to ode mnie. Dla ciebie. Dlaczego nie otwierasz?

Uniosłem wieczko trzymane małą sprężyną. Na ziemię z łopotem sfrunęły objaśnienia historyczne. Serce zamarło mi na chwilę, napiął się każdy nerw. Clara podniosła karteczki.

Spinka do krawata zamigotała w świetle latarni.

– To tylko błyskotka.

Musiała ćwiczyć te słowa, aby wypowiedzieć je perfekcyjne, nie dzieląc rzeczowników na sylaby.

– To niezwykle miłe z twojej strony. – Uśmiechnąłem się. – Ale nie powinnaś na mnie wydawać pieniędzy. Potrzebujesz ich.

– Jasne, ale też...

Pochyliłem się i pocałowałem ją tak, jak wcześniej pocałowała mnie Dindina. Clara położyła mi dłoń z tyłu szyi i ustami przycisnęła moje wargi. Trzymała mnie tak dłuższą chwilę, jej usta się nie poruszały, nie otworzyły, aby wypuścić język.

– Ogromnie ci dziękuję – powiedziałem, gdy mnie puściła.

– Za co?

– Za tę spinkę i za mocny pocałunek.

– I jedno, i drugie dałam ci dlatego, że cię kocham, bardzo.

Milczałem. Nic nie mogłem powiedzieć. Przez kilka sekund patrzyła mi w oczy, a ja nie wiedziałem, czy w duchu błaga mnie teraz, żebym odwzajemnił miłość, wyznał, że to uczucie jest obopólne, wiążące, cudowne. Nie potrafiłem. To byłoby nie w porządku.

Odwróciła się bez wzburzenia, ale trochę ze smutkiem.

– Claro – zawołałem za nią cicho.

Zatrzymała się, obejrzała przez ramię. Podniosłem pudełko.

– To będzie dla mnie skarb. – Nie kłamałem.

Uśmiechnęła się.

– Zobaczę się z tobą. Niedługo. Jutro?

– Pojutrze. Jutro muszę pracować.

– *Bene!* Pojutrze – zawołała i odeszła lekkim krokiem.

Clara mnie kocha. To nie złudzenie, ale szczera prawda. Nie kocha tak jak Dindina, przez żądzę, chęć zdobycia doświadczeń i kieszonkowego, ale za to, kim jestem, albo myśli, że jestem. I tutaj właśnie zaczyna się złudzenie.

Jej miłość stanowi komplikację. Naprawdę nie mogę sobie na to pozwolić, zaryzykować. Nie zamierzam ściągnąć na nią nieszczęścia ani doprowadzić do własnej zguby. Chociaż przyznaję, że coś do niej czuję; jeśli nie miłość, to przynajmniej przywiązanie. Tania spinka od niej wzmocniła moje uczucie, tę niebezpieczną słabość, która wnika we mnie i mnie martwi.

Patrzyłem, jak dziewczyna odchodzi, potem pełen niepokoju ruszyłem do domu.

Każdy potrzebuje schronienia, czy to przed małżonkiem, czy monotonną pracą, trudną sytuacją albo niebezpiecznym wrogiem. Kryjówka wcale nie musi znajdować się gdzieś daleko. Tak naprawdę najlepiej, kiedy jest pod bokiem. Przestraszony królik, zanim zanurkuje w norze, zazwyczaj zastyga bez ruchu. To może przynieść zgubę albo... ocalenie. Kępa trawy w dobrym miejscu miewa równie dużo zalet jak dobrze wykopany tunel. Myśliwy spodziewa się, że zwierzę wejdzie pod ziemię. Jeśli więc pozostaje na powierzchni, może stać się niezauważone, bo to nie zostało przewidziane. Polacy mają grę karcianą, która nazywa się – o ile dobrze pamiętam – "dureń". Dureń to ten, kto patrzy, a nie widzi. Królik doskonale zrozumiał reguły tej gry.

Właśnie szukając kępy traw, odkryłem wczoraj kościół niedaleko miasta, a w nim jedno z najwspanialszych dzieł sztuki, jakie kiedykolwiek oglądałem.

Żadna siła na świecie nie zmusiłaby mnie, bym zdradził, gdzie to dokładnie jest. Jeśli w końcu stanę się królikiem, muszę przecież mieć jakieś asy w rękawie. Może powinienem zachowywać się jak *Charaxes jasius*: przycupnąć i złożyć skrzydła, siedzieć spokojnie, udając liść. Powinienem chociaż żyć zgodnie ze swoim imieniem.

Kościół jest nie większy od osiemnastowiecznej angielskiej stajni. Stoi zaraz obok stodoły, od której dzieli go uliczka nie szersza niż mój citroën, zdecydowanie za wąska dla alfa romeo, jakimi jeżdżą *carabinieri*. Nawet w citroënie, żeby się przecisnąć, musiałem złożyć boczne lusterka.

Przyjechałem tutaj, bo wiejski dom niedaleko kościoła był na sprzedaż. Do muru przybito wypaczoną słońcem deskę, na której niezgrabnie różową farbą klejową wypisano *Vendesi*. Na sprzedaż. Farba spłynęła jak krew ze stygmatów i zaschła w ostrym żarze, zanim dotarła do skraju deski.

Zapukałem do drzwi. Nie doczekałem się odpowiedzi. Okna zamknięto na głucho, jakby budynek zacisnął powieki przed jaśniejącym słońcem. Był skwarny letni dzień. Pod murem rosły trawa i chwasty. Poszedłem na tyły domu, na zasypane słomą podwórze z kwadratowymi brukowcami, gdzie stała prawie całkowicie zrujnowana stodoła. Sądząc po zapachu, trzymano w niej bydło. Wynędzniałe kury grzebały w rozwalonej beli siana, z której wystawało kilka trójzębnych wideł. Gdy się zbliżałem, kury gwałtownie zagdakały, zaniepokojone moim wtargnięciem. Niezgrabnie wleciały pod krokwie.

Zapukałem w uchylone tylne drzwi. Żadnej odpowiedzi. Otworzyłem je ostrożnie i powoli.

Nie o to chodzi, że się czegoś bałem albo coś podejrzewałem. Nie mówiłem nikomu, dokąd się wybieram. Równie dobrze mógłbym teraz być na piazza del Duomo i kupować ser. Nigdy jednak nie wiadomo, kiedy nadejdzie koniec, kiedy ktoś inny, kto trzyma w rękach przeznaczenie albo berettę 84, postanowi, że nadszedł już czas.

Dosyć często, wstając o świcie, by się ubrać i wziąć do pracy, rozważam różne możliwości. Nie te, jak przetrwać dzień, tydzień, miesiąc – to zbyt długie okresy, aby cokolwiek oszacować. Myślę o tym, jak umrę. Wybuch bomby – ale tylko wtedy, jeżeli jakiś klient uzna, że trzeba mnie sprzątnąć, bo mógłbym go zidentyfikować, powiedzieć coś pod wpływem tortur albo pentonalu sodu. Co prawda w moim świecie istnieje kodeks honorowy, ale nie każdy w niego wierzy. Prawdopodobieństwo podłożenia mi bomby określam, powiedzmy, dwadzieścia do jednego. Śmierć od kuli – trzy do jednego. Można też powymyślać dodatkowe, poboczne zakłady, aby zwiększyć korzyści z gry. Na przykład, czy będzie to nabój karabinowy, czy do pistoletu maszynowego. Istnieją duże szanse na kaliber 5,46 milimetra. Mój anioł stróż, jak w duchu nazywam swojego zabójcę, może okazać się Bułgarem, ale jak już zaznaczyłem, oni wolą parasolki. Mniejsze szanse są na kaliber 5,56 x 45 milimetra: wtedy chodziłoby o Amerykanów, m16 i karabin Armalite. Postawiłbym sześć do jednego. Tyle samo na NATO-wski nabój kaliber 7,62 milimetra. Jeśli chodzi o pistolety, właściwie nie ma się o co zakładać. Jeśli kula, to najprawdopodobniej parabellum 9 milimetrów. Prawdopodobieństwo, że umrę wskutek choroby lub wypadku samochodowego jest minimalne. Zakładając, że przy wozie nikt by wcześniej nie majstrował. To samo w przypadku przedawkowania jakiegoś narkotyku. Zawsze możliwa jest śmierć z nudów, ale tego się nie da określić, dlatego nie sposób obstawić.

Wiejski dom okazał się niezamieszkany, w każdym razie przez ludzi. W salonie łączącym się z kuchnią zobaczyłem palenisko z kutego żelaza, drzwi okryte rdzą, krzesła bez siedzeń i pleciony stół, którego najwyraźniej używano ostatnio jako katowskiego pieńka do ścinania kuzynów wynędzniałych kur z podwórza. W dwóch pozostałych pomieszczeniach tylko kurz i odpadły tynk. Schody były przegniłe. Stąpałem ostrożnie, blisko ściany. Każdy stopień jęczał złowrogo, wręcz boleśnie. Na piętrze mieściły się trzy pokoje. W jednym stała rama od łóżka z poplątanymi sprężynami. W drugim niedawno okociła się kotka. Ślepe kocięta miauczały żałośnie, jak gdyby wyczuwały moją obecność. Z trzeciego rozciągał się widok na dolinę, citroëna i jakiegoś starca – studiował naklejkę z numerem polisy ubezpieczeniowej i prawa jazdy umieszczoną na przedniej szybie.

Trzymałem się blisko ściany i starałem się na żadnym z jęczących stopni nie opierać swojego ciężaru dłużej niż przez ułamek sekundy. Tak dotarłem wreszcie na dół. Wyszedłem na podwórze. Starzec wciąż tam stał. Nie okazywał wobec mnie wrogości. Uznał, że ktoś, kto jeździ siedmiomiesięcznym citroënem 2CV, niczego nie ukradnie.

– *Buon giorno* – powiedziałem.

Pokręcił głową, coś wymamrotał. Może dla niego dzień wcale nie był dobry.

Najpierw wskazałem dom, potem siebie.

– *Vendesi!*

Skrzywił się i znów pokręcił głową. Jego uwagę przyciągnął odgłos samochodu przejeżdżającego akurat drogą na dole i rzężącego pod górę na drugim biegu. Powoli odszedł bez słowa. Był głuchy albo nie lubił obcych, nie ufał cudzoziemcom czy też stwierdził, że ktokolwiek chce kupić ten budynek, zwariował i dlatego niewart jest ani wzgardy, ani rozmowy.

Nie wiem, co przyciągnęło mnie do kościoła. Niewykluczone, że kurczaki dziobiące ziemię. Skomunikowaliśmy się jakoś na zwierzęcym poziomie telepatii, rozpoznaliśmy w sposób, który już zaginął wśród cywilizowanych ludzi. Położyłem dłoń na starodawnej klamce i wszedłem.

Kiedyś, jak wspominałem, byłem katolikiem. Dawno temu. Teraz nie mam pożytku z religii. Starsi ludzie mają, bo albo stają się pobożniejsi, albo bardziej cyniczni. Moi rodzice poświęcili się Kościołowi ponad miarę. Matka otarła sobie kolana do krwi, szorując posadzkę, gdy świątynię zalała woda z pękniętej rury. Ojciec zapłacił za woskowanie i lakierowanie podłogi, żeby zapobiec dalszym szkodom od wilgoci, a nie żeby oszczędzić żonie godzin udręki. Bardzo się wściekł, gdy jakiś człowiek od ubezpieczeń uznał pękniecie rury za dopust boży.

Do ósmego roku życia uczyłem się w przyklasztornej szkółce. Razem z sześcioma innymi chłopcami. Zakonnice starannie indoktrynowały nas w wyższym, bardziej krzywdzącym stopniu niż ten, do jakiego mogliby kiedykolwiek aspirować rodzice albo ojciec McConnell. Moi koledzy płaszczyli się przed tymi władczymi dziewicami o zwiędłych duszach i mlecznobiałym ciele – a ja nie. Myślałem o nich jako o nietoperzach z białymi twarzami. Matka przełożona, przysadzista Irlandka o porywczym, pobożnym usposobieniu, wyglądała niczym trup w całunie, tyle że się ruszała. Czarownice z moich snów nosiły welony, a nie spiczaste kapelusze.

Gdy skończyłem osiem lat, posłano mnie do prywatnej katolickiej podstawówki. Tam uczyli nas braciszkowie z pobliskiego zgromadzenia. Nie byli tak duchowo uschnięci jak ich siostry w Bogu. Zamiast tego, nauczeni brutalności przez modlitwę i samotność, bili nas za najbłahsze przewinienia. Trzcinką uderzali po dłoni, zawsze lewej, nawet leworęcznych, a także po gołych pośladkach i miękkim ciele z tyłu ud. Ciągnęli za uszy, tłukli po głowach. Robili to aż z nieprzyzwoitym zapałem.

Jednak to dzięki nim nauczyłem się wielu rzeczy, po dziś dzień dla mnie cennych: geometrii, aby oszacować trajektorię i zasięg pocisku; angielskiego; geografii, żeby poznać świat i jego kryjówki; historii, abym ją kształtował i wiedział, jak zająć swoje miejsce na tyłach w jej orszaku. Poznałem obróbkę metalu. Nienawiść.

Kiedy miałem trzynaście lat, posłano mnie do katolickiego gimnazjum w hrabstwie. Nie powiem do którego. Mógłbyś mnie wytropić. Byłem zdolnym uczniem, szczególnie jeśli chodziło o matematykę i nauki ścisłe. Nie szło mi dobrze z językami. Ale nigdy nie bito mnie tak jak pozostałych, bo siedziałem jak mysz pod miotłą. Nie płaszczyłem się przed przełożonymi – tylko starannie trzymałem głowę nisko za barykadą.

Gimnazjum uczy, jak kryć się w tłumie. Dawałem sobie radę z lekcjami, uczestniczyłem w wymaganych zajęciach sportowych, okazując wystarczające zaangażowanie, by wszystko zaliczyć, a nie trafić do reprezentacji. Nie strzelałem goli, zawsze byłem tym użytecznym chłopakiem grającym na prawym skrzydle, co w odpowiednim momencie podawał piłkę środkowemu napastnikowi. Na przysposobieniu wojskowym w Połączonej Szkole Kadetów strzelałem jednak najlepiej ze wszystkich. Kiedy skończyłem czternaście lat, pokazano mi, jak złożyć brena. Nauczono też modlić się bez myślenia. Obie umiejętności bardzo mi się przydały.

Katolicyzm – jak wszystkie wypaczenia chrześcijaństwa – nie jest religią miłości. To religia strachu. Bądź posłuszny, dobry, żyj zgodnie z wytycznymi, a pójdziesz do nieba, dostaniesz pierwszą nagrodę na loterii wieczności. Stań się nieposłuszny, krnąbrny, przetnij linię życia, a za karę czeka cię niekończące się potępienie. Dogmat mówi: kochaj jednego Boga, a nic ci się nie stanie. Zawiedź go jednak w tej miłości, a on cię nie ocali, dopóki nie zaczniesz się czołgać przed ołtarzem, błagając o przebaczenie. Jaka religia wymaga takiego poniżenia się? Jak zapewne wnioskujesz, z wiekiem nabieram do tego coraz większej pogardy.

W kościółku nie było chłodno, tylko zimno. Zamiast okien – kilka wąskich szczelin pełnych słońca, przypominających otwory strzelnicze. Chwilę zajęło, zanim oczy przyzwyczaiły się do ciemności. Zostawiłem drzwi otwarte, aby cokolwiek widzieć. Gdy przywykłem już do południowego półmroku, oszołomiły mnie otaczające widoki.

Każdy centymetr kwadratowy zdobiły malowidła. Freski zaczynały się od kamiennej posadzki i szły w górę aż po wsporniki dachu. Nad skromnym ołtarzem – stołem okrytym białym zakurzonym suknem – strop zaokrąglał się w kopulę, udekorowany kobaltowym błękitem, złotymi gwiazdami i bladym, przejrzystym księżycem.

Malowidła pochodziły z czasów przed Brunelleschim. Cechował je brak perspektywy. Chociaż dwuwymiarowe, miały też trzeci wymiar – magii. Na jednej ze ścian widniał pięciometrowy wizerunek Ostatniej Wieczerzy. Wszyscy uczestnicy z aureolami, ale ta u Chrystusa była koloru żółtawej prymuli, ze złocistymi promieniami, u innych tylko zakreślono kręgi zwykłą czerwoną linią i wypełniono kolorem czarnym, jasnobrązowym lub niebieskim. Na stole leżał bochen chleba, który przypominał wielką kajzerkę. Obok – kilka przedmiotów wyraźnie podobnych do porów. Poza tym nic innego. Biesiadnicy albo

172

właśnie czekali na posiłek, albo go skończyli i szykowali się do wyjścia. Namalowano też naczynia stołowe, dwa dzbanki wina, miski i kielich. Jedynym sztućcem okazał się nóż – wyglądał jak rzeźnicki tasak.

Mężczyźni byli podobni. Brodaci, z aureolami, o bystrych oczach i długich włosach. Jeden rudy, bez aureoli. No jasne. Przy stole leżał pies. Spał z pyskiem opartym na łapach. Chyba jednak już zjedli, bo czworonóg wydawał się syty i zadowolony.

Na tej samej ścianie umieszczono też kilka portretów templariuszy, na srokatych wierzchowcach, z białymi tarczami i czerwonymi krzyżami; jednym z nich był święty Jerzy albo jego archetyp. Zabijał smoka o niemal orientalnej aparycji. Malarz dosyć dobrze znał się na postaciach ludzkich i koniach, ale drzewa przypominały wielołodygowe grzyby z gatunku *Amanita*. Zresztą całkiem możliwe, że miały przedstawiać te magiczne muchomory niosące sen bogów.

Pod drugiej stronie małej nawy Adam i Ewa obrywali za igraszki w Edenie. Nieopodal Trzej Królowie klęczeli przed Dziewicą i Dzieciątkiem, a ono sięgało po złoto. Jakże to stosowne, myślę – katolicy zawsze byli łasi na pieniądze.

Nie oglądałem reszty scen z żywota Chrystusa i świętych. Denerwowały mnie. Tyle czasu i wysiłku poświęcono, by udekorować nimi nieznaną kapliczkę w samym środku gór, zapisać historię, z której większość to zwykłe banialuki.

Odwróciłem się, żeby wyjść. I wtedy ogarnęła mnie zgroza, przerażenie historią religii, polityki, manipulacji ludźmi, naginania życia tak, aby wszystko przyjmowano bezdyskusyjne, by kłaniano się status quo.

Ścianę, gdzie mieściły się drzwi, w całości pokryto wizerunkiem piekła. Z otwartych trumien, z rozkosznego zepsucia, podnosili się gnijący zmarli. Ladacznice o obnażonych piersiach i różowawej płci, ukazanej w pełnej okazałości, leżały na plecach rozkraczone przed falangą czerwonych demonów, gotowych, by je posiąść. Z ust jednej z nich wychodził dymek, a na nim zapisano słowa jak w komiksie.

Nie umiem odczytywać stylizowanych łacińskich wyrazów, ale domyślam się, że gdyby przetłumaczył je współczesny naukowiec, brzmiałyby: „Tak oto nadchodzi diabelski syfilis".

Inni szatani, z trójzębnymi widłami – dokładnie takimi jak te ze zniszczonej stodoły – wpychali grzeszników do jeziora ognia. Jaśminowe i szkarłatne płomienie lizały pośladki nieszczęśników. Wylewano na nich kocioł siarki uwarzonej przez samego diabła. Jakiś ogromny demon, mistrz Belzebub, stał blisko sklepienia, niedaleko niebios. Był szaroczarny z czerwonymi oczami, które przypominały światła przeciwmgielne drogiego auta. Stopy miał Feniksa, głowę gryfa, ręce człowieka. Jakaś naga kobieta balansowała mu na ogonie, z jego końcem w cipce. Krzyczała z bólu. Albo rozkoszy. Trudno stwierdzić.

Szybko wyszedłem na światło dnia. Drzwi zatrzasnęły się z mną. Uniosłem wzrok, przypaliło mnie słońce.

Zdawało się, że przenosząc się z baśni małego kościółka do rzeczywistości, przeszedłem przez piekło. Jednak gdy uruchomiłem citroëna, a silnik zaczął pracować na jałowych obrotach, odniosłem wrażenie, że wcale nie przeszedłem przez piekło, lecz dopiero się w nim znalazłem. Bo czymże jest piekło jak nie współczesnym światem, rozpadającym się, skażonym grzechami przeciwko ludzkości i matce Ziemi, zmienianym według zachcianek polityków, psutym inkantacjami hipokrytów.

Odjechałem w pośpiechu. Po plecach chodziły mi ciarki, jakby gonił mnie diabeł – albo ten, kto mnie tropił.

Na drodze minąłem starca. Stał obok niebieskiego sedana z krzywym bocznym lusterkiem, w którym odbijało się słońce. Ku mojemu zaskoczeniu pomachał do mnie – a może po prostu wskazywał koledze głupiego cudzoziemca, co chciał kupić stare gospodarstwo.

Później, już w samotni swojego mieszkania, przypomniałem sobie słowa Dantego.

Lasciate ogni speranza voi ch'entrate*.

Po długim, starannym namyśle postanowiłem zdjąć mocowanie lunety, przesuwając je nieznacznie do przodu. Gumowy okular znajdował

---

* *Lasciate ogni speranza voi ch'entrate* (wł.) – „Porzućcie wszelką nadzieję, wy, którzy wchodzicie". Napis na bramie piekielnej w *Boskiej komedii* Dantego.

się za blisko. Mógłbym wydłużyć kolbę, ale to zaburzyłoby wyważenie broni.

A ono jest niezwykle istotne. Tej broni nikt nie oprze na solidnej podstawie. Strzały zostaną oddane z dachu, z okna piwnicy, otwartego zaledwie na kilka centymetrów, spod krzaka, z drzewa, z tyłu zaparkowanej furgonetki, z jakiegoś miejsca. Strzelec musi mieć całkowite zaufanie do pistoletu, aby skupić się tylko na celu i własnym bezpieczeństwie.

Przestawianie mocowań lunety wymaga precyzji. Trzeba unikać nawet najmniejszych odchyleń.

Pracuję nad tym do późna w nocy. Ciągle ważę broń, kładę na linijce w miejscu oznaczonym ołówkiem, które ustaliłem jako środek ciężkości. Wreszcie kończę, około dwudziestej drugiej. Oczy bolą mnie od światła lampki z mojego blatu. Palce mi zesztywniały. Głowę drąży tępy ból.

Odkładam broń, wyłączam światło, biorę piwo z lodówki i idę do loggii.

Miasto wciąż jeszcze szumi, ale tylko trochę. Starówka wokół mnie jest cicha, spokój zakłócają jedynie odgłosy jakiegoś samochodu dobiegające z kanionów wąskich ulic albo nawoływania z via Ceresio.

Siadam przy stole, sączę piwo. Mimo późnej pory kamienie wciąż są ciepłe. Na niebie nie ma księżyca, na satynie nocy widać gwiezdne punkciki. Góry to woalki odzianych w czerń wdów, wpatrzonych w otwartą trumnę, a światła wiosek są blaskiem pogrzebowych świec odbijającym się w ich oczach.

Skoro stare wdowy wpatrują się w trumnę, to ja jestem nieżywy. Wszyscy są martwi. Skończyliśmy z życiem, a ono skończyło z nami. Wreszcie nastał kres długiej gry. Dostaliśmy zapłatę.

Ja na pewno wkrótce odbiorę należność. Mój gość wróci, socimi zostanie przekazane. Zadanie wykonane.

A potem co?

To ostatnie zlecenie. Po tym socimi już niczego innego nie będzie. Robię się za stary.

Nocą dolina jest piękna. Jak śmierć.

Efisio prowadzi swoją Cantina R. przy piazza di S. Rufina. Ma z siedemdziesiątkę, a miejscowi mówią na niego „Boss". Nie il Boss. W ulicznym żargonie kantynę nazywa się więc lokalem U Bossa. Za młodu opuścił miasto, zawędrował do Ameryki wraz z potokiem emigrantów uciekających przed biedą i ruiną. Podobno w Nowym Jorku z dwoma wspólnikami obrabował bank, a potem otworzył knajpę w Little Italy. Lokal zmienił się w bar, później w melinę, gdzie nielegalnie sprzedawano alkohol. Interes Efisia się rozwijał. Facet przyłączył się do Rodziny. Rozkwitali razem. Potem, już jako starzec, sprzedał cały przybytek, opuścił Rodzinę i wrócił w swoje strony, aby robić to, na czym znał się najlepiej. Prowadzić knajpę.

Cantina R. istniała, jeszcze zanim ją kupił. Kiedyś nie przynosiła dużych zysków, bo leży za daleko od piazza de Duomo, rynku i Porta Roma, gdzie dawniej zbierali się woźnice, a dzisiaj koczują tirowcy. A jednak sława lokalu powoli rosła. Kontuar wykonano z solidnego kawałka dębu o długości siedmiu metrów i szerokiego prawie na metr, o grubości trzydziestu centymetrów. Wino jest tu najlepsze w mieście, oferta piw szeroka. Stoliki wyjątkowo czyste, zrobione z drewna, nie z cienkiej blachy czy plastiku. Podłogi błyszczą niczym posadzki średniowiecznego klasztoru. Światła są przygaszone, a okna matowe. Z zewnątrz nikt nie zobaczy, kto pije w środku. U Bossa to miejsce bardziej niż doskonałe dla mężów, którzy kryją się przed żonami, urzędników unikających szefów i subiektów, co chcą zejść z oczu pryncypałom. Kobietom wolno przychodzić – to nie Wielka Brytania, gdzie istnieją lokale wyłącznie dla mężczyzn – ale rzadko zjawiają się w pojedynkę. Nie ma szafy grającej, taniego automatu z tandetnymi zegarkami jako nagrodą, jednorękich bandytów. Brak też stołów bilardowych, tarcz do rzutek i pola do przesuwaka. To poważny lokal, tam się pije i rozmawia.

Nigdy nie pokazuję się sam. Nie znam stałych bywalców. Czasem Galeazzo zabiera mnie na lunch. Przynosimy własne plastry szynki parmeńskiej i chleb. Rozkładamy je na pergaminowym papierze na jednym ze stolików. Potem zamawiamy butelkę barolo. Jak na środek dnia to mocny trunek i musimy go później odespać, ale pasuje do miejsca, gdzie jedynie się dyskutuje.

Klientela kantyny chadza niemal każdą ze ścieżek życia. Niekiedy wpada Giuseppe, jeśli akurat w rynsztoku znajdzie trochę pieniędzy. U Bossa nie jest tanio. Przychodzi również Maria, jedna z niewielu kobiet odwiedzających to miejsce samotnie. Wkrótce wchłania ją grupa rozmówców. Pamiętaj, że przechodnie nie są w stanie zajrzeć do środka, mężowie mogą więc czuć się całkiem bezpiecznie.

Zawsze ktoś mi towarzyszy, bo Efisio jest sprytny. To typ człowieka, jaki Amerykanie określają mianem „miejskiego cwaniaka". Cechuje go przebiegłość – to ona sprawia, że wszędzie barmani są otwarci na różne ludzkie sprawy. Oni widzą wszystko. Bankrutów, drobnych grzeszników, pozbawionych wiary i niewiernych, zmartwionych i rozochoconych whisky. Takie typy wchodzą przez ich drzwi, opierają się o ich bary, przyciskają usta do ich szklanek. Klient, który pojawia się z przyjacielem, nie jest poddawany aż tak dokładnej analizie. Nie zagaduje się do niego, nie sposób go wysondować.

W kontaktach z osobnikami pokroju Efisia muszę zachowywać szczególną ostrożność. Podobnie jak ksiądz siedzący w konfesjonale – a czymże jest bar jak nie świeckim konfesjonałem, bez zakratowanego okienka, zasłonek i ściszonego głosu. Jednak kapłan z zasady nie rozpowiada o tym, co usłyszy, barmana natomiast nie obowiązują śluby milczenia. Ksiądz sprzedaje informacje za zdrowaśki. Bóg je kupuje. Barman sprzedaje informacje za pieniądze. A kupuje policja.

Szkoda. Przydałoby się porozmawiać z Efisiem. On egzystował na krawędziach mojego świata. Myślę, że zabijał; a na pewno aranżował cudzą śmierć. Nie mógłby znaleźć się tutaj, tyle osiągnąć, bez takiej przeszłości. Warto byłoby pogawędzić o jego doświadczeniach, porównać je z moimi. Zawodowcy lubią od czasu do czasu zamienić ze sobą kilka słów. Jednak gdyby się o mnie dowiedział, nawet tylko dostał wskazówkę co do mojej przeszłości, już by dzwonił po *carabinieri*, po *polizia*. Gdyby okazał się naprawdę przebiegły, w ogóle ominąłby miejscowe władze i zwrócił się prosto do Rzymu, do Interpolu, ambasady amerykańskiej i FBI – gdzie niewątpliwie wciąż jeszcze ma kontakty. Przez pewien czas fetowałaby go kolorowa prasa, RAI Uno robiłoby z nim wywiady, stałby się kimś więcej niż tylko imigrantem i właścicielem lokalu, na wygnaniu z Nowego Jorku.

Zostawiłby swój ślad w historii.

Ale podobnie jak plama krwi na gorącym piachu, ten ślad wkrótce by zbladł i zniknął, trafił do krainy legend, co nie byłoby za dobre, ale pozwoliło dalej prowadzić interes.

Klientela by się powiększyła o ciekawskich. Dopytywaliby się, z której strony baru stałem, z jakiego kieliszka piłem, jakie zamawiałem wino. Pożądliwie przyglądaliby się szkłu, opierali o tę samą część kontuaru, zamawiali identyczny trunek. Lokal U Bossa stałby się świątynią, mauzoleum antybohatera.

Nie chcę przynieść Efisiowi takiego szczęścia – i nie własnym kosztem.

Nie zdziwiłbym się, że gdyby wydarzenia tak właśnie się potoczyły i wystawiłbym swoją pierś na kule z beretty 84 (kaliber 9 x 17 milimetrów, model produkowany dla *polizia* i *carabi-*

nieri; a szanse są spore, bo nie jestem byle kim),
to za jakieś dwa stulecia powstałaby legenda: Co
roku, w rocznicę mojej śmierci, tam gdzie padłem, spomiędzy kamieni sączy się krew. Włosi
uwielbiają stawiać kapliczki.

Przechadzam się tędy co środę.

Ojciec Benedetto mówi z dużym przekona-
niem. Jako człowiek swojego Boga nie ma żadnych wątpliwości co do własnego losu. Będzie
spacerował po parco della Resistenza dell'8 Settembre, w każdą środę, aż wieczność się zatrzyma. Gdyby jednak do tego nie doszło, będzie
tędy wędrował, póki jego Bóg nie wezwie go do
życia pozagrobowego. Nie martwi się, co nastąpi
pierwsze.

Sosny i topole milczą. Od świtu minęło tylko półtorej godziny, słońce jeszcze nie dotarło
wysoko, ale dzień jest jasny. Powietrze pozostaje
oziębione ciemnościami, niebo się nie nagrzewa,
by stworzyć w dolinie choćby najlżejszy zefirek.
Wróble zaczęły już skakać. Prowadzą swoje nie-
ustanne poszukiwania partnerów i okruchów.

Przez jakiś czas śledziłem księdza – rozpoznałem jego sutannę. Łopotała, kiedy szedł.
Przez to zdawał się wciąż odziany w fałdy nocy.
Nie musiałem się więc chować, by ustalić, kim
jest ten poranny spacerowicz.

Kiedy tylko mnie zobaczył, podniósł dłoń,
na pół w powitaniu, na pół w błogosławieństwie,

jakby chciał być przygotowany na obie sytuacje. Mogłem przecież okazać się demonem ciemności, który snuł się wśród drzew i rozglądał za jamą wiodącą do podziemnego świata.

– *Buon giorno!* – zawołał z odległości dwudziestu metrów. – Czyli ty też spacerujesz przed wschodem słońca.

Pozdrawiam go i dalej idziemy razem, wolnym krokiem. On trzyma ręce z tyłu. Ja wolę chować swoje do kieszeni. Już taki nawyk.

– Wtedy jest spokojnie – wyjaśniam. – A ja rozkoszuję się tym spokojem. Na ulicach prawie nie ma ruchu, ludzie wciąż leżą w łóżkach, powietrza nie zatruwają spaliny, a ptaki śpiewają.

Jakby na podświadomie wysłany sygnał, wśród konarów topoli zaczął łagodnie świergotać niewidoczny ptak.

– Przychodzę tutaj medytować – oznajmia ojciec Benedetto. – Tylko w środę. Wtedy tydzień najbardziej się oddala od Dnia Pańskiego. Zawsze idę tą samą ścieżką. Drzewa są jak stacje drogi krzyżowej; przy niektórych dziękuję Bogu za łaski, jakie mi zesłał, albo za dary przekazane mnie i wszystkim ludziom. Na przykład tutaj, obok tej sosny, zatrzymuję się i dziękuję za wschód słońca. Ale nie tym razem. Podczas następnego okrążenia. Popatrz. – Wskazuje na wschód, gdzie na horyzoncie widać rumieniec. – Słońce jeszcze nie wstało.

– Mówisz, że możesz się modlić tylko wtedy, gdy wzejdzie słońce – drażnię się z nim. – To sugeruje, że w twoim umyśle istnieje zwątpienie. A może on nie da ci dzisiaj słońca.

– Mnie? – Ksiądz udaje zdumienie. – On daje nam. I nie zawiedzie.

– Z pewnością – zgadzam się i szczerzę w uśmiechu.

Na krótką chwilę Benedetto przystaje i pochyla głowę.

– A co z tym okrążeniem? – pytam. Żwir chrzęści nam pod stopami.

– Teraz dziękuję mu za wielu przyjaciół i proszę, aby opiekował się tymi, których dręczą troski.

– Ja odwiedzam park tylko ze względu na tutejszy spokój – zaznaczam. – Przepracowałem w nocy długie godziny, a spacer mnie odpręża. Tak bardzo trzeba się skupiać na drobnych szczegółach.

– Skrzydełka motyli. Rzeczywiście, wymagają wielkiej koncentracji. – Kiwa głową, ale jednocześnie zerka na mnie z ukosa, czego już nie potrafię zinterpretować.

Idziemy dalej. Przy cyprysie znów schyla głowę, lecz nie dopytuję się o jego modlitwy, a on nie oferuje mi informacji.

– Wszyscy ludzie szukają spokoju – mówi, kiedy skręcamy za róg ścieżki i zaczynamy wchodzić po łagodnym stoku, wśród kwitnących krzaków. – Ty przechadzasz się wczesnym rankiem. Niektórzy wędrują tutaj w chłodzie wieczoru, żeby zrzucić z siebie zmartwienia, inni przybywają nocą i mocno się obściskują. – Machnął dłonią w stronę zarośli, gdzie figlowała jakaś para. – Ciekawe, ile bękartów spłodzono w tym parku. – W jego głosie pojawia się przeraźliwy smutek.

– Ja znalazłem spokój w tych górach – odpowiadam, kiedy wynurzamy się z krzaków.

– Czyżby? – pyta ksiądz. – To może tu osiądziesz i się ustatkujesz?

– Skąd ojcu przyszło do głowy, że ja w ogóle myślę o wyjeździe?

– Ci, którzy szukają spokoju, rzadko go znajdują. Zawsze coś ich gna, spoglądają gdzie indziej. I zwykle są grzesznikami – dodaje błyskotliwie.

– Wszyscy ludzie są grzesznikami.

– Tak, ale niektórzy większymi od innych. A ci, co szukają spokoju, w przeszłości sporo nagrzeszyli.

– Ja go znalazłem – powtarzam.

To oczywiście kłamstwo. Tak naprawdę, nigdy nie szukałem. Aż do teraz.

Zawsze czułem podekscytowanie i to również pchało mnie ku podróżom, a nie tylko sztuka, jaką się parałem, albo tropiciele kryjący się w ciemnościach. Życie to długa wędrówka, a ja nie należę do tych, co wysiadają w połowie drogi. Zawsze chciałem dotrzeć dalej, zajrzeć za następny róg, zobaczyć kolejny widok i ku niemu wyruszyć.

Chociaż może powinienem osiąść gdzieś na stałe. Ta dolina z zamkami i wioskami, lasami pełnymi dzików i górskimi pastwiskami, rojącymi się od trzepoczących motyli. Tutaj jest taki spokój, którego nigdzie indziej się nie znajdzie.

Może już pora się odprężyć, wyciszyć. Lat mi przybywa, coraz mniej czasu zostało mi na ziemi.

Ciągle myślę o sobie jako o kimś młodym. Akceptuję fakt, że moje ciało się starzeje, komórki się kurczą i mózg coraz szybciej obumiera, ale mam duszę młodzieńca i takie też ideały. Cały czas chcę współuczestniczyć w kształtowaniu świata.

– Ja bym powiedział, że ty nie znalazłeś jeszcze spokoju. – Ojciec Benedetto włamuje się między moje myśli. – Ciągle go poszukujesz. Pragniesz tego z całych sił, bardzo mocno. Ale jeszcze nie skończyłeś i... – urywa.

Okrążamy kolejny przystanek jego modlitewnego spaceru. Benedetto pochyla głowę i szybko mamrocze coś do siebie, do swojego Boga.

– I? – pytam, kiedy rusza.

– Wybacz. Odezwał się we mnie ksiądz. I przyjaciel. Ale ty kiedyś nagrzeszyłeś, signor Farfalla. Może nadal grzeszysz...

– Mam kochankę – przyznaję. – Tak młodą, że mogłaby być moją córką, i na tyle ładną, żeby być moją synową. Teoretycznie. Kochamy się dwa razy w tygodniu, często w obecności jeszcze jednej dziewczyny. W trójkącie, *ménage à trois*...

Ojciec Benedetto aż dyszy z oburzenia. Znowu francuska nazwa czegoś niemoralnego.

– ...ale ja nie uważam tego za grzech – kontynuuję.

– W naszym świecie niektórzy księża dzielą twój punkt widzenia – odpowiada grzecznie. – Jednak... – jego ton łagodnieje jeszcze bardziej, do melodii znanej z konfesjonału – ja nie odnoszę się teraz do przewinień cielesnych. Mówię o cięższych grzechach...

– A czy grzechy nie są sobie równe? – Staram się sterować rozmową, ale on mi nie pozwala.

– Przyjacielu, nie dyskutujemy o teologii, ale o tobie.

Ścieżka dociera do dużej połaci trawy. Na środku kilka kruków posprzeczało się o jakiś kąsek. Gdy się zbliżamy, z trzepotem skrzydeł unoszą się w powietrze, jeden niesie w dziobie resztki martwego szczura.

– Lubisz to miasto, tę dolinę. Chciałbyś tutaj zostać, odnaleźć w końcu spokój. Ale nie możesz. Coś ci nie pozwala. Jakaś zewnętrzna siła, wróg.

Benedetto okazał się znacznie przebieglejszy, niżbym się spodziewał. Powinienem zapamiętać lekcję, jaką otrzymałem w katolickiej szkole. Księża mają nie tylko Boga po swojej stronie, ale też dar wściubiania nosa do skrzynki duszy bez dotykania jej pokrywy.

– Zatem, czym się zajmujesz, przyjacielu? – pyta wprost. – Owszem, malujesz motyle. I zdolny z ciebie artysta. Ale to nie zapewniłoby ci tylu pieniędzy. Prawda, że tutaj, w górach, da się żyć jak książę zaledwie za dwadzieścia tysięcy dolarów rocznie, ale ty masz więcej. Nie popisujesz się pieniędzmi, jeździsz tanim samochodem i nie płacisz wysokiego czynszu, ale wyczuwam, że jesteś bogaty. A więc?

Milczę. Nie wiem, jak dużo mogę wyznać temu księdzu. Znam go dobrze, lecz niewystarczająco, by dzielić się z nim swoim życiem. Z nikim nie jestem aż na tyle blisko.

– Uciekasz przed czymś?

Nie obawiam się go jak innych. Nie potrafię tego wyjaśnić. To po prostu fakt. On jest godny zaufania – chociaż nadal zachowuję niezwykłą ostrożność.

Wyczuwam, że teraz trzeba mu o czymś powiedzieć, tak by chociaż na krótko zaspokoić jego ciekawość, przerwać grzebanie w moim życiu. Mogę przekazać mu całą serię nieprawdziwych informacji – nie kłamstw, bo te zbyt łatwo by zdemaskował. Muszę wydzielać wiadomości cierpliwie, wbudować jakieś prawdopodobieństwo w swoje oszustwo, aby je przyjął, pomimo księżego wglądu w głąb duszy i doświadczeń z oszukańczymi wyznawcami.

– Każdy przed czymś ucieka.

Benedetto śmieje się cicho.

– Racja. Każdy obserwuje przynajmniej niektóre cienie, ty jednak zwracasz uwagę na wszystkie.

Wpraw go w zakłopotanie, nakazuję sobie. On cię bada.

– A zatem wielce grzeszyłem – przyznaję trochę głośniej, niżbym chciał. Ściszam więc głos. – I może nadal bardzo grzeszę. Na całym świecie nie ma człowieka, który by codziennie nie grzeszył, nawet na dużą skalę. Ale swoje grzechy, jeśli tym są moje uczynki, popełniam dla dobra ludzkości, nie dla...

Nie wolno mi już niczego więcej dodać. Jeśli nawet choć trochę uchylę zasłony, Benedetto nie tylko zajrzy przez okno, ale przestawi nogę za parapet i wskoczy do środka, po czym urządzi mi gruntowną rewizję.

– Dopóki nie poniechasz swoich grzechów, nie wyznasz ich i nie odpokutujesz, to jakże możesz przestać uciekać?

To prawda. Nie zgadzam się co do pokuty za grzechy, ale wiem, że muszę zejść z dotychczasowej drogi życia, aby znaleźć ten nieuchwytny spokój, czymkolwiek się okaże.

– Chcesz mi o tym opowiedzieć?

– Po co?

– Dla własnego dobra. Znasz powody. Może ja zdołam się za ciebie pomodlić?

– Nie. Niech się ksiądz za mnie nie modli. Nie chcę, aby ojciec składał fałszywą przysięgę przed swoim Bogiem. On może zesłać za to karę. Zniszczyć światowe zapasy armaniaku.

Staram się wprowadzić lekki ton, ale Benedetto wciąż nie daje mi kierować rozmowę. Jest natrętny jak głodny komar, co brzęczy w powietrzu, zbliża się, unika packi, potem zatacza koło, by zaatakować ponownie. Właśnie tak zachowuje się rzymskokatolicki ksiądz, kiedy widzi najprawdziwszego, stuprocentowego, podanego na tacy grzesznika, którego trzeba by ocalić.

– A zatem? – naciska.

– Niewiele mam do powiedzenia, do opowiedzenia. Żyję w sekretnym świecie i to mi się podoba. Zgadłeś, ojcze. Nie jestem biednym artystą, chociaż artystą. Wykonuję pewne rzeczy. – Zatrzymuję się i myślę przez chwilę. – Artefakty.

– Fałszujesz pieniądze?

– Skąd to przypuszczenie?

– Pracujesz w metalu. Wziąłeś go trochę od Alfonsa, tego lekarza od samochodów.

– Wygląda na to, że ksiądz wiele o mnie wie.

– Nie. Orientuję się tylko, co robisz w mieście. Niełatwo ukryć przed innymi swoje codzienne sprawy. Ale oni nikomu o nich nie rozpowiadają. Oprócz mnie, bo jestem ich księdzem i mi ufają.

– A ja też powinienem?

– Oczywiście.

Raz jeszcze przystaje, pochyla głowę, mamrocze modlitwę i rusza znowu. Słońce już wzeszło, a powietrze się ogrzewa. Na drogach rozlega się cichy szum samochodów. Wróble ćwierkają wśród traw już z mniejszą energią. Nadchodzi upał.

– Obejdziemy wszystko jeszcze raz, bez przystanków – oznajmia ojciec Benedetto. – Teraz dla kondycji, nie dla Pana Naszego.

– Mam nadzieję, że ta ostatnia modlitwa księdza nie była za mnie.

– A gdyby była, co mógłbyś zrobić, żeby na nią wpłynąć? – Uśmiecha się szeroko.

– Nic.

Postanawiam coś dać, aby stłumić ciekawość Benedetta, by na jakiś czas uodpornić się na jego wścibstwo i poszturchiwania. To wbrew mojej naturze, przestrzeganej całe życie zasadzie niemówienia o niczym, przeciwko niemal zakonnym ślubom milczenia, ale uważam, że koniecznie trzeba powstrzymać domysły, powstrzymać ciągłe zainteresowanie księdza tym, co ze mną związane.

To może się okazać błędem i będę żałował swojego czynu, ale trudno. Poprzednie błędy jakoś przetrwałem. Instynkt, który dał znać o obecności człowieka z cienia, teraz mówi, że

189

ojciec Benedetto dotrzymuje słowa, jemu wolno zaufać, pod warunkiem poczynienia odpowiednich przygotowań.

Nie odzywamy się aż do zarośli.

– No dobrze – zaczynam. – Jestem kimś, kogo niektórzy uznaliby za przestępcę. Nawet na międzynarodową skalę. Figuruję w policyjnych i rządowych kartotekach ponad trzydziestu krajów. Nie okradam banków, nie drukuję fałszywych banknotów, nie włamuję się do komputerów ani nie sprzedaję materiałów wybuchowych terrorystom, by potem wysadzali samoloty pasażerskie. Nie jestem szpiegiem, jakimś Jamesem Bondem: mam tylko jedną piękną dziewczynę. – Uśmiecham się do niego, ale marszczy brwi – Nie kradnę dzieł sztuki ani nie handluję heroiną czy kokainą. Nie jestem...

– *Basta!*

Unosi dłoń i przez chwilę myślę, że zamierza mnie przeżegnać, uczynić nade mną znak krzyża, jakbym był demonem, którego chce egzorcyzmować. Milknę.

– Już nic więcej nie mów. Teraz wiem, czym się zajmujesz.

– Niejeden stwierdziłby, że to praca Boga.

Kiwa głową.

– Tak, ale...

Docieramy do wrót parco della Resistenza dell'8 Settembre. Ruch gęstnieje, cienie pojazdów zatrzymują się przy światłach na skrzyżowaniu gwałtownie i na długo.

– Co teraz ksiądz zrobi? – pytam.

Spogląda na tani stalowy zegarek.

– Pójdę do kościoła. A ty?

– Do pracy. Malować motyle.

Podajemy sobie dłonie jak duszpasterz i parafianin, kiedy spotykają się lub rozstają w publicznym miejscu. On idzie pod górę w stronę kościoła San Silvestro, ja ruszam wąskimi uliczkami do domu.

Martwię się, czy nie powiedziałem mu zbyt wiele. Wątpię, by rzeczywiście domyślił się, czym naprawdę się zajmuję. Jeśli jednak, muszę bardzo na niego uważać. I na tych, którzy mogą się do niego zbliżyć.

Wspominałem ci już o Convento di Vallingegno, upiornych ruinach, gdzie błąkają się duchy, czarownice plądrują klasztorne groby i gdzie podobno pochowano gestapowskiego nekromantę. To tajemnicze, złowrogie miejsce, chociaż całkiem ładne. Ma w sobie spokój utracony przez wiele świętych przybytków. Żaden turysta nie wędruje tam po zapadniętych krużgankach, kochankowie nie obściskują się na dziedzińcu.

Ta część Włoch, pomimo anten telewizyjnych, linii telefonicznych, wyciągów narciarskich, autostrad, mnóstwa *supermercati* na obrzeżach każdego miasta, ciągle tkwi w średniowieczu. W książce telefonicznej jest część – chociaż przyznaję, niewielka – poświęcona wiedźmom, czarodziejom i magikom. Potrafią oni usuwać brodawki, spędzać niechciane ciąże, nie uciekając się do chirurgii, dżinu czy narkotyków, leczyć złamania bez zakładania usztywnień, przywracać płodność i dziewictwo, wypędzać złe duchy, rzucać pomysłowe klątwy na niewiernych mężów, krnąbrne żony, kochanków albo zbyt swawolne córki.

Nie interesują mnie czary-mary. W moim wyrazistym życiu rzeczywistość nie miesza się z mitem. Nie jestem już katolikiem.

Ale coś mnie ciągnie do Convento di Vallingegno. Lubię samotność w jego wnętrzu, bez-czasowość ruin, bliskość grobowców. Podoba mi się też niedostępność klasztoru. Ktokolwiek mnie dostrzeże, na pewno zachowa to dla siebie, bojąc się, że mogę być przedstawicielem władz. Albo czarownikiem. Tutaj przychodzą tylko tacy z tajemnicami.

W podniszczonym murze kaplicy znajduje się pewien specjał. Zawsze na niego poluję, gdy tylko nadarza się ku temu sposobność. To miód dzikich pszczół.

Po raz pierwszy spróbowałem go w Afryce. Na przełomie lat sześćdziesiątych i siedemdziesiątych Czarnym Lądem wstrząsały niepokoje: gdy nastała epoka postkolonialna, zaczęły się konflikty, drobni politycy bili się o władzę. To był również czas dobrych zarobków i psów wojny. Wtedy właśnie zapłacono mi najwięk-sze pieniądze, jakie kiedykolwiek dostałem. Dał mi je... niech to pozostanie tajemnicą, on wciąż żyje, a i ja chciałbym, aby tak zostało. Wystarczy powiedzieć, że otrzymałem piętna-ście tysięcy dolarów w gotówce oraz – jak się okazało – ponad czterdzieści tysięcy dolarów w nieoszlifowanych diamentach i szmaragdach. Miałem jedynie wymienić lufę karabinu. A potem zniszczyć oryginał.

Nie powiedziano mi dlaczego, ale kiedy wręczono broń, sam się domyśliłem. To była sztuka robiona na zamówienie, wręcz baśniowo ukształtowana z metalu, wszędzie srebrny filigran, inkrustacje ze złota i kości słoniowej. Takiego karabinu nie sposób ukryć. Doszedłem do wniosku, że użyto go w zamachu na Idi Amina Dadę, szaleńca, pożeracza dzieci, uwodziciela owiec i generała brygady, samodzielnie awansowanego ze starszego sierżanta – nigdy nie wierz tyradom dziennikarzy i nagłówkom, które układa się po to, aby zwiększyć nakład. Podwładni dyktatora dostali polecenie, żeby dokładnie zbadać broń. Gwint lufy jest tak charakterystyczny jak odcisk palca. Jeśli nie możesz zmienić odcisku, zmień palce. Zaszyłem się w hotelu Norfolk w Nairobi. Broń przyniósł mi nijaki czarny mężczyzna. Hotelowa obsługa dostarczała posiłki. Pracowałem dziewięć godzin. Wszystko musiało wyglądać dobrze, jakby przy karabinie nikt nie majstrował. Prosta sprawa. Nawet poryłem metal, aby odwzorować rysy.

Ten sam facet zawiózł mnie dżipem do buszu za wzgórzami Ngong. Wystrzeliłem z broni, stwierdziłem, że ślady na pociskach nie różnią się od oryginalnych, i pokazałem swojemu towarzyszowi. Pokiwał głową z uznaniem. Był powściągliwy, milczący i skromny, ale wiedział, czego trzeba. Usuniętą lufę oparliśmy o kilka kamieni i zatkaliśmy wylot gumowym korkiem. Od strony muszki wlałem kwas solny. Po piętnastu minutach gwint zrobił się prawie niewidoczny.

Powtórzyliśmy cały proces. Potem zadowolony kompan przejechał po lufie samochodem. A na koniec, tak jak robią czarni, gdy chcą być cholernie pewni, że nawet ju-ju niczego im z zemsty nie wywiną, wbił powyginaną rurę w norę mrówkojada.

Spędziłem w Kenii tylko sześćdziesiąt jeden godzin. Wyszło trochę mniej niż tysiąc dolarów za każdą godzinę. W tamtych czasach to były bardzo dobre pieniądze. Bez najmniejszego wahania pokryto też moje wydatki, łącznie z kosztami przelotu.

I skosztowałem miodu dzikich pszczół.

Kiedy czekaliśmy, aż kwas wypali lufę, czarnoskóry towarzysz – nigdy nie poznałem jego nazwiska, mówił o sobie Kamau, a to w Nairobi jest jak Dai Evans w Newport – przechylił głowę na bok.

– Słuchaj! – zawołał.

Nadstawiłem uszu. Nie miałem pojęcia, o co chodzi: trzask pękającej gałązki, ryk dieslowego silnika, szczęk odwodzonego kurka?

– Słyszysz to? – wymamrotał.

– Co? – syknąłem.

Coraz bardziej się niepokoiłem. Umieranie to jedno: stawiałem czoło tej nieuchronności całe życie. Prawie całe. Jednak nie chciałem skończyć w rękach afrykańskich bojowników. Oni zwykle ucinają ofiarom części intymne, zanim w końcu poderżną gardło albo przystawią kałasznikowa do podstawy czaszki i wystrzelą krótką serię – krótką, bo dla partyzantów amunicja zawsze jest cenna. Chociaż w takim wypadku i tak nie miałbym w przyszłości już żadnego pożytku z narządów, których by mnie pozbawiono, wolałabym jednak nie rozstawać się z nimi, będąc przytomnym.

– Miodowód. Ten ptak pokazuje drogę do miodu. Lubi małe pszczoły, ale nie potrafi przebić się przez ścianę pszczelego gniazda. Musi to za niego zrobić człowiek. Albo ratel miodożerca.

To najdłuższa kwestia, jaką wygłosił mój towarzysz.

Gdy powyginana i wypalona lufa została umieszczona w norze mrówkojada, ruszyliśmy za charakterystycznym świergotem „witpurr, witpurr, witpurr". Ptak, gdy już do niego dotarliśmy, okazał się rozmiarów angielskiego paszkota, brązowy z żółtą smugą na skrzydłach.

– Jak on się nazywa? – zapytałem, spodziewając się jakiegoś słowa w suahili.

– Wiktor – odparł Afrykańczyk. – Wyśpiewuje swoje imię, kiedy już jesteśmy blisko pszczelego gniazda.

No i jasne, ptasi trel brzmiał teraz „wiktor, wiktor", przeplatany dźwiękiem przypominającym grzechotanie pudełka z zapałkami.

Rój mieszkał w skarłowaciałym drzewie, niecałe trzy metry nad ziemią. Mężczyzna wyjął z kieszeni benzynową zapalniczkę Ronsona, ustawił wysoki płomień i podpalił dolną cześć gniazda. Zatliło się, w górę poszybował dym. Pszczoły zaczęły się roić. Trzymałem się spory kawałek z tyłu. Co innego świst ołowiu, a co innego bzyczenie pszczół.

Po kilku chwilach Afrykanin cisnął w gniazdo kilkoma garściami pyłu i patykiem strącił z gałęzi. Sięgnął po nie, gwałtownie potrząsnął,

195

oderwał kawałek, po czym zwinnie się odsunął. Chmura pszczół unosiła się nad drzewem, resztki gniazda leżały na ziemi. Gdy Kamau znalazł się z powrotem koło mnie, pszczoły zaczęły już się rozpraszać.

– Wsadź palec.

Wetknął palec wskazujący w plaster i nim pogmerał. Wyciągnął, possał jak dziecko lizaka. Zrobiłem to samo.

Gęsty, słodki miód smakował pożarami buszu i pyłem weld. Znów zanurzyłem palec. To było takie dobre, oryginalne. Spojrzałem przez ramię. Ptak pustoszył resztki gniazda, nie zwracając uwagi na pszczoły, które teraz się przegrupowywały. Jego dziób ciągle uderzał w plaster.

Gdy ja i Afrykanin jechaliśmy po dziurawej, kamienistej drodze, ciągle jeszcze wciskaliśmy palce w pszczele gniazdo. Po dwóch godzinach siedziałem już w samolocie BOAC, do... no, w każdym razie z Kenii.

Od czasu do czasu chadzam więc do Convento di Vallingegno. Stawiam czoło wiedźmim sabatom i duchom gestapowców. Wspinam się też po ścianach na pierwsze piętro. Gdy już tam się dostanę, to dalej jest łatwo: okno nie ma framug, nigdy nie widziało drewna ani szkła. Wkraczam w XIV wiek.

Przechodzę przez okno i jestem w izbie, obok której biegnie balkon przez całą długość klasztornej świątyni. Stąd rozciąga się zdumiewający widok – dwadzieścia pięć kilometrów w głąb doliny, wzdłuż szlaku, którym templariusze wieźli złoto i chwałę. I historię. Wiele z tego zapomniano.

Schody prowadzące w dół są kamienne, stare i solidne. Ciszę i spokój przełamuje tylko szum wiatru. Na dole mieści się kaplica. Tam kierują się wiedźmy. Ołtarz postawiono z luźnych bloków kamienia, połączonych słabą zaprawą z wapna zmieszanego z ludzkimi kośćmi. Podczas pierwszej wizyty znalazłem kość palca; wystawała z jakiejś szczeliny.

Za ołtarzem jest wysoki fresk, namalowany na tynku. Nie zdołały go zniszczyć ataki pogody, stulecia chłodów i upałów. Może to cud. Kto wie?

Maria Magdalena między rzędem cyprysów z lewej a palm z prawej. Perspektywa jest zaburzona. Drzewa, zamiast się zmniejszać wraz z większą odległością, stoją coraz bliżej siebie. W górze Bóg – starzec w koronie. Ramiona wznosi w geście błogosławieństwa. Z tyłu kaplicy, w półmroku, fresk przypomina kozi łeb. Właśnie dlatego zjawiają się tu wiedźmy, z tego powodu przyszło gestapo, a dziedziniec klasztoru, porośnięty ostem i wrzoścem, stał się prawdziwym labiryntem wykopanych jam.

Nie został już ani jeden grób, którego by nie splądrowano. W małej piwnicznej izdebce, tam dokąd kiedyś zawędrowałem, przeciskając się przez wąską szczelinę, leży mnóstwo kości. To szczątki mnichów zmarłych na skutek zarazy, starości, pobożności, choroby, albo za sprawą inkwizycji. Kości nóg, ramion, żebra, kręgosłupy, biodra, palce rąk i nóg, kilka żuchw i zębów – ale żadnej czaszki. W całym pomieszczeniu ani jednej czaszki. Pokradli je czarownicy.

Nie przyszedłem tutaj rabować zmarłych – tylko żywych. Dzikie pszczoły.

Zaprawa w murach się pokruszyła, kamienie sterczą jedne na drugich niczym poszczerbione zęby. Obserwuję pszczoły zmierzające do trzech, może czterech dziur. Najniższy otwór jest w moim zasięgu. Przeciskam się między krzakami, kolce czepiają mi się dżinsów jak macki śmierci. U wlotu do gniazda widać gładki żółty stalaktyt z wosku.

Pracowite owady nie zwracają na mnie uwagi. Nie wiedzą, co się zbliża. Smaruję wosk prochem strzelniczym, trochę wciskam w dziury wokół wejścia do gniazda. Odsuwam się, przykładam zapałkę. Słychać syk, lecą iskry jak z zawilgoconego fajerwerku. Pojawiają się chmury gęstego, siwego dymu. Pszczoły wylatują szybko, wściekle, oszołomione, odymione. Prędko, jak wróg wykorzystujący przewagę zaskoczenia, odrywam od muru jeden, dwa kamienie. Pozostałe toczą się same. W szczelinie jest krawędź plastra. Wyciągam go. Odrywa się, pęka na pół. Ciskam lepki kawałek do plastikowej torby i czmycham.

W citroëne przekładam plaster do dużego słoika. Później, nie podając źródła, podaruję małą cząstkę signorze Prasce. Ona wierzy, że wosk uleczy ją z reumatyzmu.

Co południe przez godzinę, dwie mieszkańcy miasta paradują po corso Federico II. Pod arkadami robi się tłoczno. Ludzie gapią się na wystawy, turyści popijają kawę i jedzą ciastka, stare kobiety sprzedają gazety, sekretarki trzymają się za ręce i świergoczą jak ptaszki, starcy rozprawiają o polityce, młodzieńcy dyskutują o seksie i muzyce rockowej, zakochane pary nie mówią nic.

W samym środku corso, niedostępnym dla ruchu kołowego, nie licząc autobusów i nielicznych o tej porze taksówek, spacerują objęci mężczyźni. To wcale nie jest miasto gejów, siedlisko ciot, kopalnia złota dla konowałów obiecujących wyleczenie z AIDS mieszaniną pestek moreli i chininy. To są Włochy, tutaj faceci łapią się za ręce, kiedy rozmawiają o swoich żonach, kochankach, sukcesach zawodowych i porażkach rządu.

Lubię czasem usiąść w jednej z małych kafejek pod arkadami, z cappuccino i *pasta* na stoliku, z gazetą w ręku, i patrzeć, jak mija mnie świat. Oglądam show pełen odgrzewanych sztuczek, statystów spektaklu życia, ludzi, a dobre wino smakuje jak kobieta. Przypominam sobie Duilia. Oni wszyscy nie mają do zagrania nic, muszą tylko zbudować atmosferę. Są chórem, sceną zbiorową, sługami, parobkami i żołnierzami. Tworzą tło po bokach. Tymczasem w centralnej części występują prawdziwi aktorzy. To oni pchają opowieść do przodu. Sądzę, że ja też tam odgrywam swoją rolę. Taką skromniejszą – kilka linijek tekstu, parę gestów. Mimo to zmieniam bieg dramatu. Na przykład, już niedługo wróci mój gość i akt czwarty trzeba będzie doprowadzić do końca. Wkrótce zacznie się też akt piąty.

Przez corso idzie Clara. Z jakąś młodą dziewczyną. Jeszcze jej nie widziałem. Sądząc po wyglądzie, studentka. Ma długie nogi, długie włosy, długie rękawy bluzki, która rozchyliła się, gdy obok przemknął autobus. Trzymają się za ręce. Dziewczyna niesie pod pachą teczkę na dokumenty, z cielęcej skóry. Clara ściska trzy, cztery książki obwiązane skórzanym paskiem. Mogłaby być uczennicą. Nie sposób się domyślić, że drogę przez studia toruje sobie pieprzeniem, w dodatku ze starszym panem, który wiele godzin spędza na potajemnym przerabianiu socimi 821.

Widzi mnie, kiwa do koleżanki i przechodzą przez tłum spacerowiczów.

– To moja przyjaciółka Anna – oznajmia. – A to mój przyjaciel, signor Farfalla.

Puszczają swoje dłonie, dziewczyna podaje mi rękę. Unoszę się lekko, składam gazetę i odwzajemniam powitanie.

– Jak się masz?

– Bardzo dobrze, dziękuję.

Anna mówi po angielsku. Mam więc dać jej zaimprowizowaną lekcję angielskiego, możliwość popraktykowania. W porządku. Mężczyzna pijący kawę z dwoma dziewczętami wzbudza mniej podejrzeń niż samotny facet z gazetą.

– Napijecie się ze mną kawy? – proponuję. – *Prego*. – Wskazuję puste krzesło.

– To byłoby bardzo dobre – odpowiada Clara.

Przesuwa krzesło, żeby usiąść bliżej mnie. Pod stołem jej kolano przyciska się do mojego. Anna też przystawia krzesło, ale wyłącznie po to, by przenieść je z blasku słońca. Nie ma żadnej rywalizacji.

– Anna też uczy się angielskiego – objaśnia Clara.

– Byłaś kiedyś w Anglii? – dopytuję się.

– Nie. Tylko we Francji, a potem w Monako. Ale mój ojciec ma auto Rovera, a ja mam kurtkę Burberry.

Anna jest bogata. Roztacza wokół siebie aurę dobrobytu. Nosi zegarek marki Hermés, ze stalową bransoletą i literą H platerowaną złotem. Na małym palcu lewej dłoni widzę złoty pierścionek z rubinem. Kolorem pasuje do jej szminki. Ona nie pieprzy się dla pieniędzy, tylko dla zabawy.

Zjawia się kelner.

– *Due cappuccini e un caffe corretto* – zamawiam. Nie chcę wina, ale grappa mnie ożywi.

Zabiera moją pustą filiżankę i znika w kawiarni.

– Patrz! – woła Clara. – To książka, o której ci opowiadałam.

Przekręca stosik leżący na stole i stuka w tom na samej górze: egzemplarz *Skromnej róży* Iris Murdoch, wydanie Penguina.

– Świetnie – odpowiadam. – Będziesz bardzo oczytana. Znakomicie.

Jestem naprawdę zadowolony, że wydaje pieniądze – moje pieniądze – na naukę, a nie wstrzykuje je sobie w nocnych uliczkach czy trwoni na hałaśliwą muzykę. Uśmiecha się ciepło, niemal z miłością.

– Skąd jesteś? – pytam Annę.

– Przepraszam... – mruczy z zakłopotaniem.

Czas, abym wcielił się w rolę nauczyciela.

– *Dove abita*? – pomagam dziewczynie.

– Ach, tak! – W uśmiechu odsłania białe zęby. Nawet jej usta wyglądają jak pieniądze. – Mieszkam przy via dell'Argilla. Obok Clary.

Przez chwilę się zastanawiam, czego jeszcze mógłbym nauczyć tę pannę, gdyby nadarzyła się okazja. Przenoszę wzrok z jednej na drugą. Stwierdzam, że Clara jest ładniejsza. Larry powiedział mi kiedyś, że bogate dziewczyny są jak cierń w dupie. Wiedział, co mówi. Jedna z nich kiedyś zabiła mu klienta.

– Rozumiem. Ale skąd pochodzisz?

– Aha, pochodzę z Mediolanu – recytuje, jakby odpowiadała na pytanie zadane przez bezosobowy głos z kasety do nauki języka.

Pojawia się kawa. Anna nalega, że zapłaci. Z teczki wyciąga portmonetkę z krokodylej skóry i podaje kelnerowi banknot o wysokim nominale. Przez piętnaście minut rozmawiamy o różnych błahostkach: o pogodzie – Anna sądzi, że jestem Brytyjczykiem i dlatego wybiera taki temat – o mieście, o korzyściach płynących z nauki angielskiego. Z tego, co zrozumiałem, jej ojciec milioner handluje skórą w Mediolanie. To człowiek ze świata mody i kobiet. Anna zaznacza, że chciałaby zostać modelką w Londynie – po to uczy się języka.

Wreszcie zbierają się do wyjścia. Clara puszcza do mnie oko.

– Może niedługo razem się napijemy? – proponuje. – Jestem wolna… – Przegląda wypełniony po brzegi harmonogram swojego życia. – W poniedziałek.

– Oczywiście, chętnie się z tobą spotkam.

Ja również wstaję.

– Anno, bardzo miło było ciebie poznać. *Arrivederci!*

– *Arrivederci, signor Farfalla* – odpowiada.

W oczach dziewczyny zapala się iskra, nie do pomylenia z czymkolwiek innym. Clara musiała jej powiedzieć.

Dzisiejszy wieczór jest ciepły, powietrze balsamiczne jak na tropikalnej wyspie, bryza o temperaturze krwi. Rano padało. Po południu wiatr zdmuchnął chmury za górskie szczyty i z jasnego nieba uderzyło słońce. Tutaj jego blask nie ukazuje dieslowskiej sadzy jak w Rzymie, fabrycznego brudu jak w Turynie i Mediolanie czy betonowego kurzu jak w Neapolu. Górski deszcz oczyścił powietrze z pyłków milionów kwiatów, zmył kurz wzniesiony przez powolne konne wózki i leniwe traktory ciągnące płytkie pługi przez kamienistą ziemię. Zneutralizował tępe naelektryzowanie ciężkiego skwaru, zastępując je ostrymi iskrami ciepła.

Kiedy w tych stronach przychodzi ulewa, pada ze śródziemnomorską mściwością. Tutaj deszcz jest włoskim mężczyzną, który nie całuje w rękę i nie nadskakuje niczym Francuz, nie kłania się dyskretnie jak Anglik trzymający żądzę na uwięzi, nie od razu szaleje bezwstydnie jak amerykański żeglarz po zejściu na ląd. Tutejszy deszcz ma w sobie pasję. To nie tropikalne oberwanie chmury ani żałosne kapanie w stylu angielskiego marudzenia, pochlipywania z zatkanym nosem. Leje z ukosa, ciska włóczniami. Żelazne pręty szarej wody uderzają o ziemię i dziurawią kurz. Na suchym bruku i kamiennych płytach piazza del Duomo rozbryzguje się jak wilgotne gwiazdy. Ziemia rozkoszuje się tym szturmem. Po krótkim prysznicu słychać, jak trzaska i pęka, wsysa napój.

W ciągu kilku chwil liście, które zwisały ponuro w drgającym powietrzu, zaczynają się prężyć, wyciągają zielone ręce, proszą o więcej.

Po deszczu na świecie nastaje radość. Podzielam ją. Tyle wszędzie zgnilizny, zepsucia, rzeczy skazanych na zagładę. Ulewa zdaje się błogosławieństwem, jak gdyby przyroda postanowiła ochrzcić rzeczywistość.

Siadam w loggii. Nie zapalam lampy naftowej. Na pewno rozumiesz, że nie trzeba mi teraz światła. Na stole stoi butelka moscato rosa. I jeden wysoki, smukły kieliszek. W angielskim domu jakaś kobieta trzymałaby w nim kwiat o długiej łodyżce. Obok mam ceramiczny słoik i trzy grube pajdy chleba, posmarowane solonym masłem. Na później.

Gdzieś za miastem zaczyna szczekać pies zagubiony wśród winnic, które dochodzą aż po fragmenty czternastowiecznego muru. To tęskny głos, pełen psiej melancholii. Inny, trochę dalej, podejmuje rozmowę i oba wołają do siebie niczym mężczyźni wzywający się przez dolinę. Trzeci, na dziedzińcu któregoś z budynków przyległych do mojego, dołącza do nocnego chóru. Ochrypłe, szorstkie szczekanie odbija się echem – bardziej przypomina głos wulgarnego pijaka, który się męczy, aby powiedzieć coś mądrego w knajpianej dyskusji.

W tym ujadaniu jest coś ponadczasowego, jakby te czworonogi były duchami wszystkich psiaków, co walczyły albo żebrały w dolinie, strzegły zwierząt gospodarczych, szydziły z niedźwiedzi po lasach i wyły do księżyca.

Spośród nocy przypływa zapach kwiatu pomarańczy. Ktoś hoduje pomarańczowe drzewko w donicy na balkonie albo werandzie. Ono kwitnie późno i nie wydaje owoców. Nie chodzi o zbiór pomarańczy, tylko o aromat po letniej ulewie.

Burze jeszcze nie minęły. Gdzieś za górami co chwilę migoczą błyskawice, ale to daleko, w wysokim świecie szczytów, dolin, skalnych klifów, gdzie wciąż jeszcze mieszkają niedźwiedzie. Albo tak się mówi. Minie kilka godzin, zanim nawałnica przybędzie nad miasto. Ale wtedy będę już spał, nieświadom łoskotu.

To wino jest unikalne. Wywodzi się z wiejskich okolic Triestu. Sam trunek pochodzi z Bolzano, gdzie tę odmianę grona zaczęto sadzić przed wojną. Ma jasnowiśniowy kolor i pachnie różami. To wino deserowe, słodkie jak kostka cukru. Moje ulubione. Lagarina jest za szorstka. Cerasuolo za wytrawne i zbyt ostre jak na kieliszeczek przed snem po takiej ulewie. Vesuvio rosato uważam za zbyt pospolite – nazywają je *Lacrima Christi*, Łzy Chrystusa. Galeazzo twierdzi, że to całkiem trafna nazwa. Jak sugeruje, Chrystus pił je podczas ostatniej wieczerzy i aż się popłakał. Wygląda na to, że Jezus był

Włochem, koneserem dobrych win, i poznawał kiepski trunek, kiedy tylko przepłynął mu przez usta.

Mały słoik dostałem w prezencie od Galeazza. Stwierdził, że powinna mi zasmakować jego zawartość jako artyście, co studiuje motyle i ostatnio chodził po górach, malując kwiaty.

W słoiczku jest dżem z płatków róż.

Brak słów, aby opisać smak tego niebiańskiego przetworu. Stanowi esencję zarośniętego ogrodu w środku dusznego lata, to jego wydestylowane soki, osłodzone nektarem i zmieszane z ambrozją. Rozsmarować taki dżem na mdłym chlebie i ugryźć kawałek to jak jeść czysty wyciąg z perfum natury, wszystkich esencji oraz nastrojów wywoływanych każdym wersem poezji chwalącej wieś, począwszy od czasów Wergiliusza.

A zatem siedzę sam w półmroku włoskiej nocy, piję różowe wino i rozkoszuję się kwiatem róży. Świat jest dobry. Czas się zatrzymał. Księżyc zasłoniła burzowa chmura. Na ulicach panuje spokój, bo dochodzi już pierwsza w nocy. Poszli sobie nawet narkomani, skuleni w układance fałszywych snów. W parco della Resistenza dell'8 Settembre ziemia stała się zbyt mokra dla kochanków. Już nie zmienia się układ gwiazd.

Jednak wokół loggii, książęcej wieży wysoko nad ludzkimi zmaganiami, poruszają się moje własne gwiazdy. Pobłyskują i gasną jak meteoryty spalające się w stratosferze. Są bliskimi, małymi błyskawicami. Błędnymi ognikami. Gdybym był przesądny, mógłbym pomyśleć, że oto nawiedzają mnie dusze tych, którym asystowałem w podróży do wieczności, a w przypadku kilku szczęśliwców nawet i nieśmiertelności. A może to kule, jakie zrobiłem, zawsze wystrzeliwane dla dobra jakiejś sprawy.

To świetliki – tutaj, w samym środku miasta, nad dachami, rzędami dachówek, przepaściami podwórzy i wąskich, starych uliczek.

Co dziwne, owady nie siadają. Czy kamień jest dla nich za chłodny, zbyt martwy? Światło nie ma pożytku z kamienia. Szybko schodzę do salonu. Wyjmuję z wazonu kilka kwiatów, wracam do loggii i opieram je o jeden z filarów. Ale ruchome płomyki, te malutkie fosforyzujące punkty nie lądują, ignorują płatki.

Pociągam łyk wina. Jest takie słodkie. Myślę o miodzie zebranym w Convento di Vallingegno. Odchylam się w fotelu i spoglądam na góry. Szczyty na południowym wschodzie nagle, przez krótką chwilę, pojawiają się jako kontury na tle ciemnych chmur oplecionych błyskawicami. Burza się przybliża.

W mieście bije zegar. Tylko raz. To mi przypomina, że czas nieuchronnie biegnie naprzód.

Znów napełniam kieliszek. Butelka staje się pusta. Wciskam szeroki korek w wylot słoika z różanym dżemem. Na dziś dosyć. Muszę zachować trochę na później. Zamierzam zanieść resztę przetworu Clarze i Dindinie, aby go posmakowały, zanim pójdziemy do łóżka. Oktawian August, Neron, Kaligula: oni na pewno nadaliby swoim kobietom taki smak. Dżem z płatków róży nie może być przecież współczesnym wynalazkiem. Jest zbyt wyśmienity.

Rozpieram się na krześle i przypadkiem zerkam na kopułę nad loggią. Malowany horyzont, który oglądam, też został dotknięty burzą z piorunami. Na lazurowym niebie złocą się gwiazdy. Ale teraz się poruszają. Meteory opuściły niebiosa i igrają po suficie. Kreślą dziwne wzory.

Świetliki wiedzą, że zbliża się burza. Nie mają czasu dla kwiatów. Potrzebują schronienia, zanim wielkie krople zaczną przygniatać je do ziemi, przepędzą spod marnych schronień pod opadłymi liśćmi, wypłuczą z azylu między kamieniami.

A więc stopniowo, gnając, pobłyskując – jak gdyby rozkazy wydawał generał z ich armii, który wyznacza swojej piechocie kwatery pośród moich gwiazd – usadawiają się i migoczą. Na zewnątrz loggii, w górach, liche światła położonej wysoko wioski też połyskują w ciepłą noc. Nad szczytami rywalizują z nimi elektryczne wyładowania burzy.

Wypiłem wino i siedzę spokojnie, dopóki pierwsze krople deszczu nie zaczynają uderzać o parapet. Teraz huk gromów jest głośny, błyskawice są surowe i okrutne. To byłoby głupie zostawać tutaj dłużej, w najwyższym miejscu w okolicy. Schodzę do pokoju, powoli się rozbieram i kładę pod kołdrą. Strumienie deszczu pędzą w dół, burza przewala się nad miastem i doliną jak wściekła kobieta, opuszczona przez męża rogacza i zdradliwego kochanka.

Kiedy odpływam w sen – nie przejmując się burzą, bo przeznaczenie i tak zrobi, co chce – pełzną mi w głowie trzy myśli. Pierwsza, że muszę ukończyć broń w ciągu najbliższych dwóch dni. Druga, że mam nadzieję, iż świetliki są teraz bezpieczne pod parasolem prywatnego nieboskłonu. Trzecia właściwie nie jest myślą, ale uświadomieniem sobie: oto miłe i cudowne miejsce, chciałbym osiąść tu na stałe.

Wrócił. Człowiek z cienia, mężczyzna z ulicy po drugiej stronie winiarni. Ledwie godzinę temu, kiedy podchodziłem do citroëna, siedział przy stoliku obok baru, z kieliszkiem grappy. Rozwiązywał krzyżówkę z angielskiego wydania „Daily Telegraph", ale widziałem, że to tylko gra pozorów. Chciał zabić czas i nie być niepokojonym przez kelnera.

Na szczęście zobaczyłem go, zanim on zobaczył mnie. Chyłkiem wszedłem do sklepu mięsnego. W środku stała kolejka kobiet. Dołączyłem do niej, dając sobie sporo czasu, aby przyjrzeć się tamtemu mężczyźnie sponad kawałów mięsa i podrobów, flaczków i kotletów. Za mną ustawiły się dwie starsze panie. Przesunąłem się w bok.

– *Prego*. – Gestem zaproponowałem swoje miejsce. Uśmiechnęły się do mnie, jedna bezzębnie jak stary pies, i przesunęły do przodu.

Podziękowałem swojemu szczęściu za to, że zaparkowałem samochód spory kawałek od mieszkania, dziesięć minut spaceru z *vialetto*.

Nieznajomy ubrany był zwyczajnie, nie jak turysta, ale też nie całkiem jak miejscowy.

Miał czarne spodnie, dosyć eleganckie, lecz nie włoskiego kroju. Koszula rozpinana pod szyją, w delikatne, niebieskie prążki. Nosił ciemne okulary – poranne słońce raziło – jednak nie włożył kapelusza. W kieszeni brązowej marynarki upchnął bladoniebieską chusteczkę do nosa.

Uznałem, że zna się na rzeczy, choć może nie pobierał nauk w najlepszych szkołach. Nie wydawał się ekspertem w sztuce kamuflażu, ale też nie był całkowitym dyletantem. Przykładał się do swojej pracy.

Ciekawe, czy zjawił się tutaj, by mnie śledzić, czy aby mnie ostrzec. Porzuciłem te rozmyślania. Gdyby chodziło o to drugie, mocniej rzucałby się w oczy, byłby bardziej arogancki. A zachowywał się dyskretnie.

Nic go nie wiązało z moim gościem. W przeciwnym razie nie musiałby wypatrywać, jaki mam samochód. Obserwowałby moje mieszkanie, włóczył się nieopodal wylotu *vialetto*, czynił swoją obecność oczywistą. Może nawet raz czy dwa zabawiłby się ze mną w kotka i myszkę.

Kiedyś w Nowym Jorku śledzono mnie na polecenie klienta. Wtedy tropiciel wiedział, że ja wiem, że on jest. Pewnego dnia uchylił przede mną czapkę. Kiedy indziej, pod Grand Central, podszedł i poprosił o ogień, aby zapalić cygaretkę. Uśmiechnął się szeroko, kiedy odpowiedziałem, że nie palę, z czego zresztą doskonale zdawał sobie sprawę. Udał zakłopotanie i się zmył. Nazajutrz zobaczyłem go w poczekalni. Był przy budce telefonicznej w hali odlotów lotniska Kennedy'ego. Załatwiałem właśnie odprawę bagażową i stawałem w kolejce obok wejścia do poczekalni.

– Życzę miłego lotu – powiedział, kiedy go mijałem.

– A ja panu miłego dnia – odparłem.

Obaj uśmiechnęliśmy się szeroko. Oddalił się spacerkiem. Opuściłem kolejkę, po czym ruszyłem za nim. Na zewnątrz przeszedł po pasach na parking i otworzył drzwiczki lincolna continentala. Natychmiast zawył alarm. Facet wyłączył go przyciskiem. Uruchomił silnik, odjechał. Przyglądałem mu się z cienia za mosiężnobrązowym dodge'em kombi estate wagon. Lincoln na zderzaku miał małą naklejkę: „samochód mafii". To chyba było jedyne auto w całym Nowym Jorku, w przypadku którego ten żart okazywał się prawdziwy.

Człowiek z cienia się poruszył. Rozstawił nogi, potem znowu założył jedną na drugą i uniósł wzrok znad gazety, jakby szukając na ulicy inspiracji. Przypuszczalnie trafił w krzyżówce na jakąś zagwozdkę. Machał długopisem nad papierem, ale nic nie pisał. Na chwilę utkwił spojrzenie w sklepie mięsnym, lecz miałem pewność, że mnie nie widzi ani też nie może zobaczyć. Nad witryną wisiała markiza, a rzucany przez nią cień nie pozwalał dojrzeć, kto jest w środku.

Jeśli on nie przybył z moim gościem – a tego jestem pewien – to stanowi realne zagrożenie. Nie należy do jakiejś międzynarodowej brygady śledczej, bandy CIA, zgrai FBI, klubu MI5 czy gangu dawnej KGB. Oni są znacznie zdolniejsi i na swój sposób bardziej oczywiści. To też nie

211

zagraniczny oficer policji. Ci chadzają parami jak zakonnice, a ten bez wątpienia jest sam. Nie może być również Włochem. Nie wygląda jak Włoch, nie zachowuje się jak Włoch, nie ubiera jak Włoch.

Kim on, do diabła, jest?

Tak jak poprzednio przygotowałem piknik: dwie butelki schłodzonego asprinio, o bukiecie trochę przypominającym moscato, ale frizzante; bochenek miejscowego chleba, krągły dysk z ciasta; nie każdemu przypada do gustu pecorino, ma mocny smak, wziąłem więc dwa kawałki mozzarelli. Do tego sto pięćdziesiąt gramów *prosciutto*, sto gramów szynki parmeńskiej, duży słoik zielonych, drylowanych oliwek i termos czarnej, słodkiej kawy. Nie spakowałem tego do plecaka, lecz do wiklinowego kosza. Ja i mój gość równie dobrze moglibyśmy grać drugoplanowe role w *Pokoju z widokiem*.

Do plecaka trafiło rozłożone socimi, owinięte prostokątami bawełnianego materiału.

Nie spotkaliśmy się na piazza de Duomo ani w moim mieszkaniu. Umówiliśmy się na podmiejskiej stacji kolejki, w dole doliny za miastem, niedaleko drogi, która wspina się po górach i ku naszemu miejscu przeznaczenia.

Stacja była niedużo większa od przystanku, jeden peron i tylko dwa, trzy wagony stojące wzdłuż pojedynczego toru i dwuizbowego budynku. Po obu stronach szyn bardzo stromo wznosiły się zbocza wąskiej doliny, okryte lasem zrzucającym liście. Dwieście metrów w górę mała wioska złożona z szarych kamiennych domów z wyższością spoglądała na betonowy blok stacji.

Budynek był zamknięty. Droga kończyła się przy nim kręgiem asfaltu, z którego, przez pęknięcia, wyrastały chwasty. Nawierzchnię miała śliską. Pokrywał ją luźny żwir zmyty ze zbocza przez burzę, a co kilka metrów przecinały wilgotne strugi, jakby zbocze wciąż szlochało. Wzdłuż torów mknęła w dół wartka rzeczka nabrzmiała od deszczu. Pod stalowym mostem zbierała gałęzie i trawę.

Słońce prażyło citroëna. Otworzyłem zatrzaski i odsunąłem brezentowy dach. Promienie przypiekły mi kark, więc wziąłem z tylnego siedzenia słomkowy kapelusz. Angielscy turyści w moim wieku zawsze noszą słomkowe kapelusze, podobnie jak malarze, nawet ci portretujący motyle.

Pociąg przybył o czasie – lokalna kolejka z trzema wagonami. Cały skład grzechotał na zakręcie szyn prowadzących w górę doliny. Z rur wydechowych snuły się dieslowskie spaliny. Wyglądały jak pióra na rycerskim hełmie. W gruncie rzeczy ten pociąg jechał doliną, która oglądała templariuszy maszerujących, aby walczyć za Boga i złoto – co w sumie wychodziło na jedno. Drzewa kuliły się, chowały przed wtargnięciem lokomotywy.

Kolejka wiozła zaledwie kilkunastu pasażerów. Poza moim gościem na tej stacyjce nikt nie wysiadł.

Podaliśmy sobie ręce. Lokomotywa zagwizdała, silniki zaczęły łomotać. Koła powoli nabierały rozpędu. Pociąg z turkotem przetoczył się nad dźwigarami mostu i szybko zniknął z pola widzenia, w lesie za zakrętem. Drzewa nagle ucięły jego odgłosy.

– Pan Motyl. Jak to dobrze znowu pana widzieć.

Ten sam mocny uścisk dłoni. Nie dostrzegłem swojego odbicia w okularach przeciwsłonecznych. Identyczne nosił gość, który przypatrywał mi się wtedy na targu, przy stoisku z serem, zerkając znad „Il Messaggero".

– Czy podróż minęła przyjemnie? – zapytałem. – Włoskie pociągi nie są moim ulubionym środkiem transportu. Za duży w nich tłok.

– Racja. Ale podróż była całkiem miła. Z... no, z dalszej części tej trasy widoki są spektakularne. Wybrał pan bardzo piękne miejsce na emeryturę.

Ostatnie słowo zostało wypowiedziane z taką ironią, że aż się uśmiechnęliśmy.

– Nigdy nie idzie się na emeryturę, tylko przemija – odparłem.

Zdjęła ciemne okulary. Wsunęła je do kieszeni granatowej, sportowej torby.

Może jesteś zdziwiony. Kiedyś też byłbym zupełnie zaskoczony. I bardzo ostrożny. Jednak od czasów, gdy zaczynałem pracować w tym zawodzie, świat się zmienił. Kobiety mają teraz w nim nowe miejsce – są menedżerami banków, pilotami samolotów pasażerskich, sędziami sądu najwyższego, filmowymi magnatami, prezesami międzynarodowych korporacji, premierami...

Nie widzę żadnego powodu, aby wyłączać je z mojego fachu. To zawód zrzeszający doborowe towarzystwo, idealny dla manipulatora, dla kogoś czujnego i obdarzonego intuicją. Chyba nie ma kobiety, która by nie posiadała tych wszystkich kwalifikacji. Należałoby tylko zrobić małą poprawkę w *Oksfordzkim słowniku języka angielskiego* albo słowniku Webstera: „płatny zabójca, patrz też płatna zabójczyni". Ewentualnie, ktoś nastawiony mniej feministycznie mógłby być znany jako „osoba dokonująca płatnych zabójstw".

Przypuszczanie do zabicia kobiety potrzeba właśnie płatnej zabójczyni.

Nie myśl, że jestem męskim szowinistą. Wcale nie. Nie mam czasu na intrygi związane z klasyfikowaniem ludzi na podstawie płci. To dobre przy dobieraniu koni wyścigowych. Albo klaczy na polach.

– Zabrałam małą przekąskę – powiedziała.

Otworzyłem bagażnik, wsunęła do środka swoją sportową torbę, ocierając nią mój wiklinowy kosz.

– Widzę, że pan też.

– Staram się łączyć pracę z przyjemnością. Mamy piękny dzień, a pojedziemy... Zresztą, zaraz pani zobaczy dokąd.

Weszliśmy do samochodu, szybko odsunęliśmy szyby, po czym ruszyliśmy ze stacji. Citroën kołysał się, przemierzając kamienny mostek. Mury drżeniem odwzajemniały warkot silnika.

– Trudno byłoby panu szybko uciekać czymś takim – stwierdziła i rozejrzała się po ciasnym wnętrzu auta. – Sądziłam, że jeździ pan co najmniej audi.

– Malarze motyli nie są zamożni. Nie w widoczny sposób.

Pokiwała głową.

– Myślę, że 2CV to równie dobry kamuflaż jak cokolwiek innego.

– Tam, dokąd zmierzamy, audi się nie dotrze.

– To daleko?

– Dosyć. Z pięćdziesiąt minut jazdy. Wysoko w górach.

Pomachałem dłonią nad głową. Spojrzała na łańcuch górski.

– Stromo.

– Dlatego musimy długo jechać naokoło. Zresztą nie ma bezpośredniej drogi.

Odprężyła się, zamknęła oczy. Zobaczyłem zmarszczki, dosyć świeże.

– Zmęczyła mnie podróż. Trzeba tak bardzo uważać w miastach, w pociągach, na ulicach.

– Całkowicie to rozumiem.

– Przepraszam, jeśli przysnę.

– Obudzę panią, kiedy wydostaniemy się z doliny.

Uśmiechnęła się, ale nie otworzyła oczu.

Jechałem dalej, żałując, że drążek zmiany biegów nie jest w podłodze, tylko – jako jeden z tych śmiesznych francuskich wynalazków – wystaje z deski rozdzielczej jak główka laski. Byłoby miło od czasu do czasu musnąć palcami jej sukienkę.

Pozwól, że ci ją opiszę. Już zbyt się zapędziliśmy autostradą mojej opowieści, żeby to uczyniło szkodę. Poza tym czy w innym razie zdołałbyś mi uwierzyć? Przecież do pewnego stopnia się poznaliśmy. Podejrzewam, że umiesz odróżnić prawdę od nieprawdy.

Dałbym jej dwadzieścia kilka lat. Włosy krótko ścięte na pazia kręcą się przy karku. Nie nosi żadnej z tych męskich fryzur, ostatnimi czasy tak lubianych przez młode kobiety, które wolałyby być mężczyznami i wkładają ogrodniczki albo robotnicze kombinezony, zakamuflowane jako ostatni krzyk mody. Teraz jest blondynką, nie mysią szatynką jak ostatnio, ale nie ma jasnej skóry. Trochę się opaliła, choć daleko jej do obsmażonych na słońcu kreatur z adriatyckich plaż. Kości policzkowe są troszeczkę mocniej wystające. Usta ani cienkie, ani pełne, kuszące. Mieszanina brązu i szarości tworzy tęczówki. Poprzedni, piwny kolor musiał wynikać z noszenia soczewek. Rzęsy ma długie, prawdziwe. Makijaż bardzo dyskretny. Nadgarstki delikatne, ale żylaste. Ramiona mocne, chociaż nie muskularne. Piersi nie rozpychają bluzki. Luźną, letnią spódnicę podciągnęła do kolan. W citroënie jest gorąco. System wentylacyjny ukryty pod deską rozdzielczą nic nie daje. Nogi mojego gościa są zgrabne, wydepilowane. Na stopach drogie pantofle na niskich obcasach. Nie nosi biżuterii, nie licząc zegarka Seiko na metalowej bransolecie i cienkiego złotego łańcuszka na szyi.

Gdybyś zobaczył ją na corso Federico II, uznałbyś, że to sekretarka, która wyszła na zakupy, lub turystka oglądająca widoki. Albo niezbyt zamożna studentka. Jak Clara, chociaż nie jest taka ładna.

Clara mimo seksualnego doświadczenia roztacza wokół siebie aurę niewinności. Gdy siada na mnie okrakiem, zamyka oczy i zaczyna jęczeć, wciąż ma w sobie naiwną czystość. Nieważne, jak bardzo gorączkowe staną się jej ruchy, jak głośne będą jęki. Ciągle pozostaje dziewczyną u progu kobiecości, cieszącą się erotycznymi igraszkami, a w dodatku jeszcze za nie wynagradzaną.

I na odwrót, po moim gościu widać życiowe doświadczenie. Zmęczenie mijającym czasem pozostawiło niezatarty ślad. Wygląda młodo, kiedy tak drzemie. Nawet młodziej od Clary. Jednak ma w sobie ostateczną głębię, jakiej brakuje mojej kochance, pewną twardość, surowość, której nie potrafię opisać ani dokładnie wskazać. Po prostu w niej to jest, a ja o tym wiem. Moja wiedza nie ma nic wspólnego z przejrzeniem sekretu tej młodej kobiety, z wykonywaniem tego samego zawodu. Chodzi o coś głębszego, podobnego do lęku pasikonika przed dzięciołem, którego w swoim krótkim życiu nigdy przecież nie widział.

Zdaję sobie sprawę, że muszę zachować ostrożność. Owszem, mój gość jest atrakcyjną, drobną blondynką drzemiącą w aucie, ale też kimś bezwzględnym jak kot wobec wróbla. Inaczej stałaby się nieboszczykiem, a nie akwizytorem śmierci.

Gdy socimi znajdzie się w jej rękach, stanę się zbędny. Odkryłem jej sekret. Wiem, kim jest. Stałem się dla niej zagrożeniem, chociaż nie znam jej nazwiska, narodowości, adresu, kontaktów ani ideologii.

Kiedy kręciłem kierownicą, aby uporać się z zygzakowatymi zakrętami, i zmagałem ze zmianą biegów, rozmyślałem o naszym pierwszym spotkaniu. Wolę ją w letniej sukience i bluzce niż w surowym, dobrze skrojonym żakiecie.

– Daleko jeszcze? – Otworzyła oczy. Mówiła jak dziecko znudzone męczącą podróżą samochodem.

– Nie, ze dwadzieścia minut. – Zerknąłem na nią.

Przechyliła głowę na bok, uśmiechając się.

– Dobrze. Podoba mi się ta przejażdżka. Za miastem mogę się zrelaksować, a słońce jest gorące.

Wychyliła się do tyłu, by wyjąć okulary przeciwsłoneczne. Spojrzałem w lusterko, żeby się upewnić, chociaż niepotrzebnie. Nie sięgałaby po broń. Nie tak prędko. Znalazła okulary, ale ich nie założyła. Bawiła się nimi. Wąskie palce oplatały się wokół plastikowej oprawki. Potem opuściła klapkę przeciwsłoneczną.

Powinienem zajrzeć do małego baru w Terranera. Espresso by nam nie zaszkodziło. Ale to byłoby zbyt niebezpieczne: dwoje obcokrajowców w szaro-bordowym citroënie 2CV na miejscowych rejestracjach zatrzymuje się, aby wypić kawę na odludziu. Ktoś mógłby coś zapamiętać, skojarzyć twarze i pojazd, przypomnieć sobie urywki rozmowy. Zbliżając się do wioski, szczęśliwie znaleźliśmy się za powolną ciężarówką z belami makulatury. Nikt nas nie zauważy.

Na zjeździe przystanąłem.

– Tak na wszelki wypadek – wyjaśniłem, wysiadłem z samochodu i udałem, że sikam w krzaki.

219

Na drodze niżej minęło nas czerwone alfa romeo. Kierowca nie uniósł wzroku. Na polach nikt nie pracował, nie słychać było żadnych odgłosów oprócz warkotu tamtego alfa romeo, gdy facet zmieniał bieg na ostrym zakręcie ze czterysta metrów od nas.

Zjechaliśmy z trasy. Po ulewie kurz osiadł i citroën zostawiał ślady na nieskazitelnej nawierzchni. To trochę mnie zmartwiło. Ale słońce świeciło wysoko, a ziemia szybko wysychała. Suche odciski opon wkrótce rozwieje popołudniowa bryza.

Wreszcie dotarliśmy do alpejskiej łąki. Okazała się wspanialsza niż za poprzedniej wizyty. Deszcz wydobył z niej jeszcze z milion kwiatów. Zaparkowałem pod kasztanowcem – tak jak wcześniej ustawiłem samochód pod górę – i wyłączyłem silnik.

– To tutaj – oznajmiłem.

Otworzyła drzwiczki, stanęła w cieniu drzewa. Jaskrawe światło słońca lekko mnie niepokoiło. Nie chciałem, aby ktoś dostrzegł auto. Ale ona musiała zjawić się tutaj właśnie dziś. Nie mogłem zamówić odpowiedniejszej pogody.

– A tamte domy? Są puste? – spytała, przeciągając się.

– Opuszczone. Sprawdziłem.

– Myślę, że powinniśmy to zrobić jeszcze raz.

– Tak – zgodziłem się. – Ale lepiej pójdę sam. W tych górach jest pełno żmij. Pani buty...

– Będę uważać – odparła. Nie powiedziała tego ostro, ale już wiedziałem, że mi nie ufa.

Ruszyliśmy. Szedłem przodem, aby odstraszyć węże, sprawić, by odpełzły w poszukiwaniu kryjówki. Niedaleko zarośniętych ruin zatrzymałem się i spojrzałem w dół, na dolinę, w górę, na surowe turnie z tyłu, potem przed siebie, ku jeziorku, po deszczu większemu o połowę.

– Bardzo tu pięknie. – Usiadła na kamiennym murku, na skraju dawnego terasowego pola. Sukienkę utknęła między nogami. Pochyliła się, opierając przedramiona na kolanach.

Niczego nie mówiłem. Wyjąłem z kieszeni spodni miniaturową lornetkę i przyjrzałem się dolinie. Kępa na jeziorze, ta, co ostatnio stanowiła mój cel, teraz znajdowała się sześć metrów od brzegu, na wpół zatopiona.

– To tutaj pan wcześniej testował broń?

– Tak.

Przyglądała się jaszczurce z jaskrawą, zielono-żółtą główką. Zwierzątko wyglądało spod kamieni w murku. Łypnęło na nią i czmychnęło z powrotem w cień.

– Cudowny spokój. Gdyby wszędzie tak było...

Wyczułem w tej młodej kobiecie pokrewną duszę. Ona też uważa świat za gnijące miejsce i szuka sposobu, aby go ulepszyć. Wierzy, że eliminacja jakiegoś polityka albo złego człowieka pozwoli uczynić ku temu krok. I ja się z nią zgadzam.

– Panie Motylu, proszę mi powiedzieć, jak często pan tu bywał?

– Tylko raz, żeby sprawdzić broń.

– Nigdy nie zabrał pan tutaj żadnej kobiety?

Wzdrygnąłem się.

– Nie.

– Może w pana życiu nie ma żadnej kobiety? Nam niełatwo utrzymywać związki.

– Mam znajomą. I fakt, nie jest łatwo.

– Przyjaźnie mijają.

– Owszem. To znaczy...

Coś się poruszyło w poprzek doliny. Dostrzegłem to kątem oka. Przyłożyłem do twarzy lornetkę i popatrzyłem na okrywę lasu. Wyczułem, że mój niepokój udzielił się kobiecie.

– Dzik.

Wręczyłem jej lornetkę, ustawiła sobie ostrość.

– One są duże. I bardzo włochate. Nie tak je sobie wyobrażałam. Na farmie...

Oddała mi lornetkę. Na chwilę pozwoliła sobie opuścić gardę. Zastanawiam się: celowo czy może to był starannie określony moment przedstawienia, jakie teraz oboje dajemy, tak dokładnie skonstruowanego jak grecka tragedia. Jeśli pomyślę, że opuściła gardę, sam też mogę się odprężyć – i wtedy skorzysta z okazji. W moim świecie zdarzają się ataki z zaskoczenia. Wielu rusznikarzy po skończeniu pracy zostało uduszonych garotą albo zadygotało na szybkim ostrzu. Bo w zaufaniu nie chodzi o to, by wiedzieć, jak się sprawy mają, lecz przewidzieć, jak się mogą zmienić.

Wstała, strzepując ziemię ze spódnicy. Wróciliśmy do samochodu.

– Czego pani sobie życzy na początek? Coś przekąsimy czy sprawdzimy broń?

222

– Sprawdzimy broń.

Wyjąłem plecak z bagażnika samochodu i położyłem na przednim fotelu pasażera.

– Jest rozłożona. Pomyślałem, że może zechce pani poznać ją od najdrobniejszego szczegółu.

Rozpięła plecak i zaczęła wyciągać zapakowane elementy. Każdy pakunek otwierała tak starannie, jakby zawartość wykonano z porcelany, nie ze stali i stopów. Potem kładła części na rozwiniętym płótnie, na tylnym siedzeniu. Bardzo uważała, by nie pobrudzić obić oliwą.

– Oliwa z młodej broni jest jak mocne perfumy – zauważyła, w równym stopniu mówiąc do mnie, jak do siebie.

Doskonale to rozumiałem. Z każdej broni palnej dochodzi cudownie bogaty, oszołamiający, uzależniający zapach mocy. Unosi się nad nią jak woń kadzidła w świątyni albo potu nad ludzką skórą.

Sprawnie zmontowała broń i przyłożyła sobie do ramienia. Można by pomyśleć, że dobrze zna ten pistolet maszynowy. Dziwnie było popatrzeć na tak męską, potężną rzecz, przyciskaną do delikatnego ramienia. Chociaż gdy tylko kolba dotknęła bluzki, wyczułem w kobiecie zmianę, tak jak zawsze, kiedy obserwowałem klienta, który po raz pierwszy brał w ręce zamówiony towar. Przestała być jasnowłosą dziewczyną o kuszących nogach i małych zgrabnych piersiach. Stała się przedłużeniem broni, jej potencjału kształtowania przyszłości.

– Ma pan amunicję? – Odstawiła peema kolbą w dół, opierając go o obok samochodu.

– Zrobiłem ją w dwóch rodzajach. – Otworzyłem przednią kieszeń plecaka. Trzydzieści pocisków ołowianych i trzydzieści płaszczowych.

– Wolałabym po sto sztuk każdego rodzaju. – To było zamówienie, w jej głosie nie pojawiły się emocje. – I jeszcze pięćdziesiąt eksplodujących.

– Nie będzie problemu. – Wręczyłem treningową amunicję w dwóch pudełkach, pociski leżały na małych, plastikowych tackach. – Może być rtęć?

Wzięła pudełko z nabojami, ale go nie otworzyła.

– Przyniosłam własne cele – oznajmiła.

Ze sportowej torby wyciągnęła kilka kawałków złożonego kartonu, wzmocnionego połamaną bambusową tyczką. Bez słowa ruszyła przez alpejskie kwiaty. Gdy szła, wokół niej podrywało się konfetti z motyli i cykad, a ja słyszałem gorączkowe buczenie pszczół w poruszonych kwiatach.

– Uwaga na żmije – zawołałem, choć niezbyt głośno, na wypadek gdyby moje słowa powędrowały daleko. Najprawdopodobniej tak by się nie stało w gorącym i ciężkim powietrzu, ale po co ryzykować.

Pomachała do mnie dłonią, w której trzymała pudełko z amunicją. Nie była głupia. Ani ja. To ja miałem broń, należało jeszcze zapłacić drugą ratę honorarium.

Zatrzymała się dziewięćdziesiąt metrów dalej, obok kupki kamieni zarośniętych naziemnymi pnączami. Wystawały stamtąd małe, purpurowe, trąbkowate kwiaty. Przypominały powój. Za ich sprawą cały stos nabierał ametystowego odcienia. Kiedyś mógł być polnym schronieniem, a może kurhanem wyznaczającym granicę pól. Rozstawiła cel, ale z takiej odległości widziałem tylko niewyraźny, srebrzystoszary kształt. Wróciła do citroëna i podniosła broń.

– Prędkość wylotowa pocisku? – zapytała.

– Nie mniej niż trzysta sześćdziesiąt metrów na sekundę. Tłumik zabiera góra dwadzieścia metrów na sekundę.

Spojrzała na ślad na metalu, gdzie kwasem rozpuściłem numer seryjny.

– Socimi – stwierdziła ze znawstwem.

– Osiemset dwadzieścia jeden.

– Nigdy takiego nie miałam.

– Przekona się pani, że jest łatwe w obsłudze. Przebalansowałem je ze względu na dłuższą lufę. Środek ciężkości jest teraz przesunięty trochę w stronę chwytu. To nie powinno mieć znaczenia, jeśli będzie pani strzelać ze sztywnej pozycji. – Moja sugestia pozostała bez odpowiedzi. – Nie powinno być żadnych większych problemów z odrzutem – kontynuowałem. – I trzyma się nawet najmniejszego celu.

Wsadziła do magazynka dwa płaszczowe pociski, stanęła w rozkroku, naprężona. Wietrzyk pod kasztanowcem marszczył luźną letnią sukienkę na opalonych nogach. Nie oparła broni o samochód, tak jak ja. Rękę miała pewniejszą, za sprawą młodości i optymizmu. Rozległo się króciutkie tu-tu. Jeszcze przez chwilę trzymała cel na muszce, potem opuściła broń. Równie dobrze peem mógłby być dubeltówką, a ona damą z wiejskiej posiadłości, strzelającą do bażantów w jesienne popołudnie.

– Dobra robota, panie Motylu. Bardzo dziękuję. Naprawdę bardzo.

Paznokciem odrobinę zmieniła ustawienia lunety. Przeładowała i wystrzeliła ponownie.

Przyłożyłem lornetkę do oczu i spojrzałem na cel. Nie dawało się tego pomylić z niczym innym: srebrzysty kontur boeinga 747-400, długi mniej więcej na półtora metra. Pociągła kabina. Pomalowane końcówki skrzydeł. Wejście do samolotu ocienione, czyli prowadziło do kabiny pierwszej klasy. Stała w nim ludzka sylwetka, a pośrodku niej widniały dwa otwory. Na kamieniu nad samolotem zobaczyłem ślady po rykoszetach.

A zatem miała zlikwidować pasażera międzynarodowego lotu. Wsiadał na pokład, by ruszyć na zagraniczną misję i zmienić świat, albo wysiadał po dokonaniu takiej zmiany.

Mając w magazynku jeszcze dwadzieścia osiem płaszczowych pocisków, wycelowała ponownie. Obserwowałem cel przez lornetkę. Tu-tu-tu-tu! Tam, gdzie kiedyś znajdowała się głowa sylwetki, teraz pojawiła się następna rysa na kamieniach. W ciepłym powietrzu wirowało kilka skrawków kartonu.

– Jest pani bardzo dobrym strzelcem – skomplementowałem.

– Owszem – odparła prawie od niechcenia. – Muszę być. – Załadowała magazynek ołowianymi pociskami, wsunęła go w chwyt i podała mi broń. – Niech pan idzie do tych kamieni i strzeli w moją stronę – poinstruowała. – Po wiedzmy… – Rozejrzała się, szukając celu. – Do tego krzaka za żółtymi kępami kwiatów. Dwie serie, oddzielone od siebie o… pięć sekund.

Podszedłem do kamienia i się odwróciłem. Citroën był dobrze ukryty w cieniu orzecha. Widziałem tylko sukienkę i bluzkę kobiety. To nie tylko sprawdzian broni, ale i zaufania. Zwróciła ku mnie twarz, a ja uniosłem peem do ramienia.

Wycelowałem z socimi w kwiaty, wstrzymałem oddech i ściągnąłem spust. Poszła pierwsza seria. Żółte łodygi zdały się nietknięte. Byłem pewien, że mierzyłem prosto w nie. Powoli policzyłem do pięciu i strzeliłem znowu. Przez lunetę zobaczyłem, że dwie łodygi ze złotymi kwiatkami upadły na bok.

– Bardzo dobrze – pochwaliła mnie, gdy wróciłem do samochodu. – Wytłumienie doskonałe. Nie potrafiłam umiejscowić kierunku ognia.

Wyciągnęła ze sportowej torby drugą kopertę, dokładnie taką samą jak pierwsza – zwykłą, brązową, bez żadnych oznaczeń.

– Amunicji potrzebuję pod koniec przyszłego tygodnia. Tymczasem proszę dokręcić regulację lunety. Jest za luźna. I wydłużyć lufę o trzy centymetry. Potrzebuję też magazynku na sześćdziesiąt pocisków. Wiem, że wtedy to będzie dosyć nieporęczne, może zaburzyć wyważenie, ale…

Pokiwałem głową.

– Już myślałem o takim magazynku. Jak słusznie pani zauważyła, on przesunie punkt ciężkości broni. Ale jeśli pani sobie z tym poradzi, tak zrobię. To nie problem.

– Ma pan futerał?

– Walizkę. Samsonite. Standardowy model. Zamek szyfrowy. Jakiego numeru chciałaby pani użyć?

Zastanowiła się przez chwilę.

– Osiemset dwadzieścia jeden – powiedziała.

Bardzo sprawnie rozłożyła broń, zapakowała w prostokąty tkaniny i włożyła z powrotem do plecaka. Razem z elementami pistoletu schowałem kopertę z pieniędzmi. Zebrała łuski.

– Co pan z nimi zrobi? – zapytała.

– Ostatnio wyrzuciłem do jeziora...

Kiedy przygotowywałem piknik, poszła w dół doliny. Patrzyłem, jak ciska mosiężne łuski do wody. Ciekawe, czy znowu wypłynie po nie jakaś ryba.

Potem usiadła na kocu, na skraju cienia rzucanego przez orzech. Uniosła butelkę i przyjrzała się etykiecie.

– Asprinio. Nie znam włoskich win. Ono jest musujące.

– *Frizzante* – powiedziałem. – *Vino frizzante*.

– Przyjeżdżał pan tutaj malować motyle?

– Nie. Sprawdzić socimi. I malować kwiaty.

– Artysta... to dobra przykrywka. Można być ekscentrykiem, schodzić z udeptanych ścieżek, pracować o dziwnych porach, spotykać się z obcymi ludźmi. Nikt nie nabierze podejrzeń. Może i ja powinnam kiedyś zostać artystką.

– Przydaje się umiejętność rysowania – doradziłem.

– Umiem rysować. – Uśmiechnęła się krzywo i dodała: – Kropkę na ludzkim czole z odległości trzysta metrów.

Nie odezwałem się. Zresztą co mogłem powiedzieć. Nie wątpiłem w talent tej kobiety. Znalazłem się w towarzystwie prawdziwego zawodowca, jednego z najlepszych. Rozważałem, za jakimi sprawami, o których czytałem w gazecie albo słyszałem w BBC World Service, stała właśnie ona.

Odkroiła kawałek mozzarelli.

– A to, co to jest?

– Ser z krowiego mleka. Przypuszczalnie z okolic tej małej wioski nieopodal początku szosy.

– Terranera? Widziałam bawoły na pastwiskach.

– Bardzo pani spostrzegawcza.

– Czyż oboje tacy nie jesteśmy? Dzięki temu przetrwaliśmy. – Zerknęła na seiko. – Mój pociąg odjeżdża za piętnaście szósta. Lepiej już chodźmy.

Spakowaliśmy niedojedzone piknikowe specjały i ruszyliśmy w górę ścieżki. Citroën podskakiwał na wybojach.

– Bardzo piękna dolina. – Spojrzała przez ramię, gdy samochód przejechał przez pierwszy grzbiet. – Szkoda, że mnie pan tu zabrał. Chciałabym odnaleźć ją sama dla siebie i potem, któregoś dnia, tutaj osiąść. Ale teraz, gdy pan już wie...

– Jestem znacznie starszy od pani. Kiedy pani odejdzie na emeryturę, ja już nie będę żył.

Podjechałem do krawężnika przy stacji.

– Rozumiem, że pan zazwyczaj sam nie dostarcza towaru. Ale nie możemy się spotkać tak jak wcześniej. Spotkałby się pan ze mną przy stacji benzynowej obok autostrady, trzydzieści kilometrów na północ od północnej drogi?

– Chętnie.

– Za tydzień?

Pokiwałem głową.

– Około południa?

Raz jeszcze przytaknąłem.

Otworzyła tylne drzwiczki i wyjęła sportową torbę.

– Dziękuję za miły dzień, panie Motylu. – Pochyliła się i delikatnie pocałowała mnie w policzek. Jej suche usta musnęły mój zarost. – I musi pan tutaj zabrać kiedyś swoją kochankę.

Zniknęła w wejściu na stację. Całkiem zmieszany ruszyłem do miasta.

Na piazza del Duomo rozbrzmiewał targowy gwar. Zbierano się tam od zawsze. Prawdopodobnie dzięki targowi założono miasto, bo istniał, jeszcze zanim stanęły budynki, był miejscem spotkań kupców, pasterzy schodzących z gór, wędrownych mnichów i znachorów, szarlatanów i oszustów, zbrojnych i najemnych żołnierzy, bandytów i koniokradów, hazardzistów i szulerów, lichwiarzy i sprzedawców marzeń. Prawdziwy ludzki kosmos, stłoczony na wzgórzu nad mostem, gdzie droga wiodąca z doliny przekraczała rzekę i gdzie zbiegały się górskie ścieżki. Zapytasz, czemu akurat na wzgórzu? By łapać wiatr.

Przez lata niewiele się zmieniło. Konie zastąpiono furgonetkami fiata, stragany rozstawiano na kozłach, nie wozach, daszki były z jaskrawego plastiku, nie nasmołowanej juty – jednak przekupnie pozostali tacy sami. Stare kobiety ubrane w czerń i skrzeczące jak wrony kucają za swoimi warzywami o rozbuchanych barwach, za szkarłatem chilli, szarością pieprzu, wiśniową czerwienią pomidorów, berylem selera. Młodzieńcy w obcisłych dżinsach, szarlatani, współcześni sprzedawcy odpustów i zaklinacze, już nie sprzedają obiecanek i nie oferują odpuszczenia grzechów, lecz zachwalają tanie buty, podkoszulki, elektroniczne zegarki na baterie słoneczne i cieknące, kulkowe długopisy. Starsi mężczyźni w kamizelkach i spodniach handlują przyborami kuchennymi, miedzianymi garnkami, naczyniami stołowymi, stalowymi nożami z Tajwanu i tanimi kubeczkami z durafleksu. Są też stragany z serem, szynką, salami i świeżymi rybami, jeszcze tego ranka przywiezionymi prosto z oceanu autostradą biegnącą podgórskimi tunelami.

Tą handlową gęstwiną brną wędrowcy przez życie, domowe gospodynie i gapie, hurtownicy i spece od ubijania interesów, głodni i syci, bogaci i biedni, stary i młodzi, rowerzyści i kierowcy mercedesów, ci, co nie mają nic, i ci, co opływają w dostatek.

To taki zwariowany cyrk, mikrokosmos typowy dla świata ludzi, mrówek, pszczół, wszystkich stadnych istot, które muszą żyć w tłumie. Krzyżują i przecinają swoje ścieżki, jak w złożonych układach tanecznych, pokazywanych przez sportowców z socjalistycznych republik: nigdy się nie zderzają, nie dotykają i nie zbliżają do siebie. Każdy zna swoje miejsce, wie, co ma robić, jak pozostać na arenie i unikać tygrysów i lwów w klatce. Niektórzy wkraczają za żelazne kraty, trzaskają batami, potem wychodzą stamtąd bez szwanku. Paru zostaje poturbowanych, złapanych w szczęki, ciśniętych niczym zgniłe mięso, o które biją się ścierwojady. Pozostali wybierają bezpieczeństwo, błaznowanie, balansowanie na jednokołowych rowerach, grę w trzy kubki, połykanie ognia, tresowanie fok, by grały na gitarach, albo szympansów, żeby popijały herbatę. Niektórzy wystawiają się na próbę i chodzą po linie, bujają się ryzykownie na trapezie, ale pod spodem zawsze mają siatkę, coś, co zapobiegnie katastrofie. Ci zbyt wstydliwi, aby pajacować lub jechać tył na przód na ustrojonym w złoto kucu, siedzą na straganach i oklaskują każde niemądre przedstawienie.

Zupełnie nic się nie zmieniło od pierwszych dni tego targu, od pierwszych jarmarków i cyrku. W tłumie na piazza del Duomo jest nawet najemnik. Nie podąża do Ziemi Świętej, nie należy do zakonu mnichów-wojowników. Kupuje trochę rzeczy, których może potrzebować w swojej podróży ku jutrzejszemu dniu, bo właśnie jutro jest jego celem. Albo kolejny dzień. Dla niego przyszłość nastaje od razu, daje się zmierzyć zegarem ze stacji kolejowej albo jednym z tanich zegarków na rękę. Nie ma pojęcia, dokąd prowadzi szlak ani co minie po drodze ku ostatecznemu miejscu przeznaczenia. Wie tylko, czym ono jest – śmiercią. Hydraulicznym buforem kończącym każdą linię. Po prostu zmierza drogą, przygląda się cieniom, czy aby nie kryją bandytów, uważa na szarlatanów, strzeże się zjadaczy grzechów i niosących przebaczenie, podejrzliwie patrzy na toczące się kości.

Przyjrzyj mu się. Ogląda cienkie salami, a zanim jakieś kupi, bierze kawałek na spróbowanie. Uśmiecha się uprzejmie do staruchy w pomarańczowej chustce na głowie, z ostrym nożem i tłustymi dłońmi, która przebiera wśród kiełbas zwisających spod dachu straganu jak w obscenicznych owocach. Nie targuje się. Człowiek bez określonej przyszłości nie musi spierać się o cenę. Swoje umiejętności w tym zakresie zachowuje na ostatni, wielki interes. Po to, by umrzeć szybko albo powoli, z bólem albo we śnie, bez poniżenia, cierpienia czy męczarni. Od jednego z handlarzy kupuje kawałek ołowianej rury. Sprawdza, jak dojrzałe są karczochy, morele i brzoskwinie, papryczki i ogórki. Wącha czyste liście sałaty jak płatki egzotycznego kwiatu prosto z dżungli. Na cokolwiek się zdecyduje, płaci gotówką, banknotami o niskich nominałach, a machnięciem ręki odmawia przyjęcia reszty. Nie będzie miał żadnego pożytku z monet albo telefonicznych żetonów. One są balastem, ciężarem, który spowalnia.

Przechodzi przez corso Federico II i znika w cienistej gardzieli bocznej uliczki.

Kim jest ten zagadkowy osobnik? Ten niewidzialny, uśmiechnięty mężczyzna, ten skryty człowiek?

To jestem ja. Choć równie dobrze mógłbyś być nim i ty.

Słońce wisi wysoko na niebie. Ojciec Benedetto rozłożył parasol nad stołem w swoim ogrodzie. Biało-niebieski, z nadrukowanym logo banku narodowego. Jakiś długi pęd winorośli z północnego muru ogrodu sięgnął poza ogrodzenie i próbuje opleść jego krawędź swoimi wąsikami.

Ksiądz wrócił z Rzymu, z Watykanu. Uczestniczył w mszy w Bazylice Świętego Piotra, z samym Ojcem Świętym. Ma oczyszczoną duszę i dwie butelki La Vie z grand armagnac.

Teraz, gdy skończyły się brzoskwinie, a drzewko jest ogołocone – nie licząc kilku spóźnionych owoców, które jeszcze nie dojrzały – mamy przed sobą pół kilograma *prosciutto*, pokrojonego w plastry cienkie jak bibuła. Pochodzi z zapasu dwóch tuzinów szynek. Ksiądz sam o nie zadbał, zawiesił w piwnicy jak truchła wielkich nietoperzy. Sam uwędził: na dole stoi wędzarnik. Prawo zabrania wędzenia szynek po domach, w granicach miasta. Zrobił to więc nocą, a o świcie albo przy mocnym wietrze zalał węgle i rozżarzone drzazgi. Zakaz nie ma nic wspólnego z ochroną przyrody: istnieje od stuleci, aby bronić monopolu mieszczan i gildii wędzarzy *prosciutto*.

– Amerykanie to dzikusy – odzywa się nagle ni z tego, ni z owego.

Od kwadransa nie zamieniliśmy ze sobą słowa. I dobrze. Nie jesteśmy sobie tak obcy, żebyśmy musieli cały czas trajkotać.

– Dlaczego?

– W knajpce przy piazza Navona widziałem dwóch Amerykanów pijących koniak z piwem imbirowym! Co za bluźnierstwo wobec Bachusa!

– Jesteś katolickim księdzem!

– No tak… owszem – broni się – ale każdy powinien przestrzegać zasad. Niezależnie od wiary.

Zerka ku niebiosom, szukając przebaczenia, ale po drodze jego wzrok trafia na parasol. Gdybym zwrócił mu na to uwagę, na pewno przypomniałby mi, że Nasz Pan widzi i przez płótno.

– W Rzymie jadłem kolację w Venerabile Collegio Inglese. Znasz je?

Kiwam głową. Zawsze unikałem wąskiej via di Monserrato przy piazza Farnese. Bracia zakonni z mojej szkoły stale ją wychwalali. Opowiadali o jej pięknie i spokoju w chaosie centrum Rzymu. Każda ich anegdota zaczynała się od słów: „Kiedy byłem w Kolegium Angielskim…" Niektórzy chłopcy w końcu ruszyli tamtą drogą, stali się seminarzystami i księżmi, aby kontynuować takie opowieści. Ja w młodości postanowiłem, że moja noga nigdy tam nie postanie. Kolegium zdawało mi się równie wyklęte jak piekło. Wyobrażałem je sobie jako miejsce pełne braciszków w sutannach, przebranych diabłów, które niczym dyrygent klepią po pupach chłopców stojących na chórze.

– Tak, znam – odparłem krótko.

– Sądzę, że Anglicy nigdy nie będą gorliwymi członkami naszego rzymskiego Kościoła. Dokądkolwiek pójdą, nawet tutaj, w Rzymie, gdzie kolegium jest pod bezpośrednim patronatem Ojca Świętego, to trzymają się tego swojego specyficznego stylu… – urywa, jego na wpół otwarta dłoń zatacza koła, jakby w wietrzyku chciał uchwycić słowa, których mu brakło – … bycia rzymskim katolikiem.

– Co masz na myśli?

Dłoń ojca Benedetta jeszcze przez kilka chwil wiruje w powietrzu, potem opada na stół.

– W kaplicy kolegium, przy wysokim ołtarzu, wisi malowidło. Tak jak w większości katolickich kościołów, nie licząc tych współczesnych potworków.

Przestaje mówić. Jego niechęć do dwudziestowiecznej architektury jest tak silna, że aż go ucisza. Gdyby mógł, styl średniowieczny uczyniłby regułą.

– Malowidło? – dopytuję.

– Tak. W innych kościołach zwykle zamieszczają wizerunek Kalwarii. Miejsca ukrzyżowania Pana Naszego.

Mówi wielkimi literami. Jak na wszystkich księży, niektóre słowa rzucają na niego urok. Gdy je wypowiadają, wiadomo że odczytują bloki tekstu mieszczące się w ich umysłach, a swoją mowę postrzegają jako dekorację na dwunastowiecznym manuskrypcie.

– Tamto malowidło ukazuje Trójcę Świętą. Bóg stoi z ciałem Chrystusa na rękach. Krew naszego Zbawcy skapuje nie na ziemię, ale na mapę Anglii. A tam, na tej mapie, klęczą święty Tomasz i święty Edmund. Obraz namalował Durante Alberti. Kiedy w Anglii zakazano wiary, seminarzyści śpiewali *Te Deum* za każdym razem, gdy jakiś męczennik zostawał podniesiony do boku Pana Naszego.

Nie komentuję.

– U podstawy malowidła widnieją słowa: *Veni mittere ignem in terram*.

– „Przybyłem, aby objąć ziemię płomieniem" – tłumaczę.

Tak mogłoby brzmieć moje epitafium.

Biorę sobie kolejny skrawek szynki. Srebrne widelce ojca Benedetta są wąskie, o długich zębach, jak wysłużone widły. Przypominają mi o fresku z kościoła nieopodal zrujnowanego gospodarstwa.

– Zna ksiądz kościółek w dole doliny, pełen fresków? – pytam.

– Wiele ich tam jest.

– Ale taki mały prawie jak kaplica, brudny. Tuż obok stodoły.

Kiwa głową i mówi cicho:

– Santa Lucia ad Cryptas. Znam.

– Chyba ojciec myli go z jakimś innym. Tam nie ma krypty.

– Jest, signor Farfalla. I to duża. Większa od samego kościoła. To tak jak z dębem wiary. Znacznie więcej jest u dołu niż na górze.

– Nie widziałem wejścia.

– Bo zamknięte.

– Ale ksiądz był w środku? – zgaduję.

– Wiele lat temu. W dzieciństwie. Przed wojną.

– Co tam jest?

– Krążą różne opowieści. Może już słyszałeś?

Kręcę głową i mówię, że natknąłem się na to miejsce, gdy polowałem na motyle.

– Krypta jest ogromna. Wielkości dwóch kortów tenisowych. Wsparta na grubych filarach. Podłoga z gładkich kamieni. Ołtarz…

Zamilkł i zapatrzył się gdzieś w dal. To dla niego nietypowe. On nie bywa nostalgiczny. Ale zaraz ten nastrój znika.

– Tak jak kościół – kontynuuje – całą kryptę pokrywają malowidła. Kolory są znacznie piękniejsze niż w nawie głównej. W głąb nie dochodzi światło. Barwy nie blakną, a temperatura cały rok pozostaje stała. Nieważne, czy świeci słońce, czy pada śnieg.

– Jak się tam dostałeś, przyjacielu?

– Ojciec zapłacił księdzu, żeby nas zabrał. Potem już nikt nie odwiedzał krypty. Parę miesięcy później ją zapieczętowano. Wojna... Teraz nikt nie pamięta o jamie pod kościołem.

– Co to za freski?

Nie odpowiada od razu, tylko pociąga łyk brandy.

– Właśnie tamta wizyta sprawiła, że postanowiłem wstąpić do stanu kapłańskiego. Wtedy zobaczyłem Boga.

To mnie od razu zaintrygowało. Ojciec Benedetto jest pragmatykiem, nie marzycielem. To realista, w granicach wyznaczonych przez swoją wiarę. Dlatego uważam jego towarzystwo za miłe i przyjazne. Może i poddaje się magii mszy, a także czarom-marom rzymskich rytuałów, ale ciągle twardo stoi na ziemi. Głowy jeszcze nie skrył całkiem w chmurach dogmatu i ideologii.

– Zobaczył ksiądz Boga? Chodzi o piękne malowidło? Portret? Freski na górze z pewnością pochodzą z okresu sprzed Giotta. Czy na dole są jakieś wcześniejsze?

– Mniej więcej takie same. Ale... – Nagle robi się bardzo poważny. – Opowiem ci o tym, jeśli obiecasz, że zachowasz wszystko w tajemnicy.

Śmieję się. Jakie to włoskie, myślę. Tylko w tym kraju trzeba przysięgać, że nie zdradzi się sekretu dotyczącego wnętrza kościoła. Bizantyjskie intryganctwo. Ja mam tego wystarczająco dużo w prawdziwym życiu. Został tylko dzień do dostawy ulepszonego socimi.

– Jak ojciec może mi ufać? Nie jestem nawet katolikiem.

– Ufam ci właśnie dlatego. Katolik chciałby otworzyć kryptę, wstawić w wejściu drzwi obrotowe, napuścić turystów. Zachęcić pielgrzymów. Odprawiano by tam nabożeństwa. Kolory by wyblakły. Cały biznes... – Nadal trzymał kieliszek, ale nie przykładał go do ust. – A zatem, czy mogę ci zaufać? Nie powiesz żywej duszy?

– Tak.

– Kiedy tam wkraczasz – ja wszedłem ze świecą jak dawny mnich – to nie widzisz Chrystusa. Błogosławieństwa. Ołtarza. To nie jest miejsce święte w dzisiejszym pojęciu... Tam znajdujesz miłość Chrystusa.

Czuję się lekko zmieszany. Miłość to pojęcie abstrakcyjne, dopóki nie zostanie przełożona na działanie: piersi Clary, natarczywe wiercenie się Dindiny. Oto swoista miłość.

– A konkretnie dostrzegasz, co Miłość Chrystusa może dla ciebie zrobić.

Nadal nic nie rozumiem, bo Chrystus nigdy nie okazał mi miłości. Na pewno. I nie mam do niego żalu.

– Powiedz mi, signor Farfalla, czy czasem myślisz o piekle?

– Cały czas.

To tylko w połowie nieprawda.

– I co widzisz?

Wzruszam ramionami.

– Niczego nie widzę. Tylko nieco pogarsza mi się samopoczucie. Tak jakby pojawiały się pierwsze objawy grypy.

– Ale w duszy!

Ja nie posiadam duszy. W ogóle w to nie wątpię. Dusze są dla świętych i pobożnych głupców. Nie chcę się jednak spierać na ten temat: już nieraz potykaliśmy się na wyboistej ścieżce teologii.

– Może.

– Czym jest piekło? Wiecznym potępieniem? Czeluścią i płomieniami? Jak na wizerunkach, które widziałeś w kościele na górze?

– Tak sądzę. Nigdy nie starałem się sobie tego wyobrażać.

Wstaje, przekręca nakrętkę parasola, aby ustawić go tak, by zasłaniał *prosciutto* przed słońcem. A może, żeby mieć nieograniczony widok na niebo. Na wszelki wypadek.

– Piekło – mówię – jest jak piwnica: wilgotne, stęchłe, ciemne, z ogniem w kącie i martwym ciałem zwisającym z sufitu.

Uśmiecha się ironicznie, siada.

– Piekło to brak miłości. Życie bez nadziei. To samotność w miejscu, gdzie czas nigdy się nie kończy, zegar nie przestaje tykać, ale dłonie już się nie poruszają. Znasz twórczość Antonia Machada? – Zwilża wargi armaniakiem. – „Piekło to psujący krew pałac czasu, w którego najgłębszym kręgu czeka sam Diabeł, wahając w ręku prometejskim zegarem".

– Pamiętaj, ojcze, że twój dom stoi przy via dell'Orologio – przypominam. – I że jest w nim przypominająca piekło piwnica, a kiedyś mieszkał tam zegarmistrz. Powinienem ci zasugerować, abyś poszukał innego mieszkania. To nie może być zdrowe miejsce dla księdza.

To przypuszczenie go rozbawia. Nalewam sobie armaniaku.

– Lubię samotność – kontynuuję. – Wprost uwielbiam być sam w górach, z farbami...

– Nie sam! – przerywa Benedetto. – Jesteś tylko pozbawiony towarzystwa innych ludzi. Ale są z tobą motyle, które malujesz, drzewa i owady, ptaki, Bóg. Niezależnie od tego, czy uznajesz Go, czy też nie. Nie! Być samotnym to znaleźć się w pustce. Bez żadnych wspomnień, one są świetną bronią w walce z samotnością. Nawet wspomnienie miłości może okazać się zbawienne.

– Co takiego przedstawiają te freski, że przypominają o piekle? – pytam.

Nie odpowiedział. Nabrał trochę szynki na widelec i żuł powoli, smakując. To była jedna z najlepszych szynek, jakie wyprodukował przez dekadę wędzenia w swoim prywatnym piekle.

– Freski... tak! Ukazują piekło takim, jakim widzą je ludzie. Płomienie i demony. Szatan w całym swym zepsuciu. Otwarte trzy bramy: żądza, złość i chciwość. Za to właśnie karani są zmarli. Ale... – wzdycha. – Te ich twarze... są bez wyrazu. Nie widać na nich emocji. Nie krzywią się przed ogniem, nie walczą z żarem. Nie mają wspomnień miłości, nie mają miłości, aby powstrzymała grozę, wzmocniła ich podczas próby. Aby ich ocaliła.

– Po prostu namalował to słaby artysta – odpowiadam.

– Może. Ale oni nadal pozostają bez przeszłości. Bóg nie dotknął ich miłością. To Jego miłość ocala nas przed piekłem. Wspomnienie tej miłości.

Wypiłem brandy do końca. Czas już iść. Nie chcę znowu wikłać się w spór na temat historii. Historia zwyczajnie się dzieje. Najlepiej o niej zapomnieć, żyć przyszłością.

– Kiedy Mahomet stworzył islam, powstała religia bez piekła. I to jest dobre – komentuję.

– Może właśnie dlatego muzułmanie nie jadają wieprzowiny – odpowiada ojciec Benedetto nietypowym, żartobliwym tonem. – Nie mogą jej wędzić, nie mając piekła. Kiedy zjadasz *prosciutto*, pochłaniasz owoce piekła. A strawić je to zniszczyć.

Widelcem wsadza do ust duży plaster wędzonej szynki i uśmiecha się szeroko. Sądzi, że teraz pożera diabła i wszystkie jego dzieła, rozdziera Złego zębami, rozszarpuje go na kawałki. Później Szatan przejdzie szlakiem wszelkiej nieczystości i ta koncepcja bardzo się księdzu podoba.

– Przyjacielu, dwieście lat temu oskarżono by cię o czarnoksięstwo, bo spożywasz coś piekielnego w taki sposób jak ciało Chrystusa przyjmowane w sakramencie – mówię. – Jak to dobrze, że już nie ma inkwizycji.

– Wtedy zobaczyłbyś, jak płonę na piazza Campo de' Fiori niczym Giordano Bruno.

– Nie przyszedłbym. Wolałbym nie patrzeć, jak ksiądz wstępuje w ognie piekielne.

– Dla mnie piekło nie istnieje. Ja mam wspomnienie miłości Chrystusa.

– Pójdę już. Proszę nie wstawać.

Podajemy sobie ręce.

– Wpadnij jeszcze, signor Farfalla. W przyszłym tygodniu, na początku. – Unosi palec wskazujący, upominając sam siebie. – Nie, w poniedziałek jadę do Florencji. Wrócę w środę. Potem...

Wychodząc z ogrodu, oglądam się przez ramię. Ten zakątek jest jak mały Eden, gdzie Benedetto siedzi, popijając kolejną brandy w zbawiennym cieniu skarpy. Na chwilę się zatrzymuję. To dobry człowiek i lubię go mimo jego podstępnych starań, aby ściągnąć mnie z powrotem do dusznej owczarni swojej wiary. I właśnie tak zawsze będę go wspominał: talerz *prosciutto*, dobry armaniak i biało-niebieski parasol nad głową.

Parkuję citroëna na skraju rzędu drzew w Mopolino. Ostrożnie stawiam kroki, by ominąć wystające korzenie i świeży stos psich kup, na których żerują wielkie niebieskie muchy. Żwir chrzęści mi pod stopami. Muchy obscenicznie bzyczą w powietrzu, unoszą się i wracają na swój bankiet. Drzwi do wiejskiej poczty mają jaskrawą, czerwono-zieloną kurtynę z plastikowych pasków, aby owady trzymać na zewnątrz, a chłód wewnątrz.

W żadnym barze nie ma klientów. Siadam przy tym stoliku co zwykle, zamawiam espresso i szklankę lodowatej wody, a potem otwieram poranne wydanie „La Repubblica".

Przez mniej więcej trzydzieści minut popijam kawę, zerkam nad gazetą i obserwuję *piazza*. Szczególnie uważnie przyglądam się cieniom. Słońce wisi wysoko, a alejki okrywa głęboki półmrok. Z placyku odchodzą dwie uliczki, jedna prowadzi do małego kościoła, a druga wiedzie ku kanałowi. Przecina on zbocze górskie za wsią i ma zadanie powstrzymywać zarówno lawiny, jak i wodę z roztopów.

Zjawia się rolnik z wózkiem i baryłkowatym osłem, skrzypią koła. Zatrzymuje się przy drugim lokalu, wyładowuje wory jakichś warzyw, przez kilka chwil plotkuje z właścicielem knajpki, który wyszedł mu na spotkanie. Odjeżdża, a wkrótce potem ciężarówka zabiera worki. Mija mnie jedna z tych dwóch ładnych dziewczyn i wchodzi do sklepu spożywczego przy ulicy biegnącej z głównej drogi. Uśmiecha się do mnie słodko.

Kiedy wypijam kawę, pies śpiący obok drzew podnosi się i warczy, a drugi odpowiada na zew powtarzanym staccato refrenem ujadania. One nie szczekają na siebie, nie sprzeczają się jak wiejskie kundle na całym świecie. Dziwne. Podnoszę wzrok i wtedy zauważam człowieka z cienia. Stoi z dziesięć metrów od mojego samochodu. Ma na sobie takie samo ubranie, jak wtedy gdy ostatni raz go widziałem. Tyle że teraz włożył jeszcze słomkowy kapelusz, uformowany trochę jak filcowy, z brązową tasiemką.

Gdy mnie dostrzega, gwałtownie się peszy, jak dzikie zwierzę przydybane przez myśliwego na otwartej przestrzeni. Nie spodziewał się spotkać mnie na widoku, wyraźnie odprężonego i popijającego kawę.

Szybko się odwraca i odchodzi, skąd przyszedł. Wstaję i szybko ruszam za nim. Muszę dokładniej przyjrzeć się temu człowiekowi, nawet zamienić z nim słówko.

Nieczęsto odwiedzam Mopolino. Tutaj jestem poza swoim terytorium, może i nie całkiem niepewny, ale też nie do końca swobodny. W chwilach takich jak ta, kiedy wyczuwam w powietrzu delikatny zapach niebezpieczeństwa, nie wychodzę bez ochrony. Macam wewnętrzną kieszeń marynarki: jest tam walther, metalicznie chłodny, choć słońce grzeje materiał.

Na skraju ulicy od krawężnika oddala się niebieski peugeot 309 na rzymskich rejestracjach, silnik gra ostro. Na tylnej szybie widnieje naklejka firmy Hertz – wypożyczalni samochodów. Jakby w przebłysku déjà vu rozpoznaję auto. Stało na ulicy pod winiarnią, kiedy po raz pierwszy spostrzegłem prześladowcę. To kierowca tego auta rozmawiał ze starcem, gdy oglądałem opuszczone gospodarstwo i znalazłem freski.

Wracam do stolika i wypijam szklankę wody. Nagle czuję pragnienie, w gardle mi zaschło. Nie siadam.

On nie wie, dlaczego tutaj przyjechałem, nie uświadamia sobie, że korzystam z miejscowej poczty. To jasne. Inaczej nie popełniłby aż takiego błędu. Skoro teraz opuścił miejscowość, to znaczy, że zrobiło się już bezpiecznie. Natychmiast płacę za kawę i idę przez placyk.

Odsuwam paski jaskrawego plastiku. Stary poczmistrz stoi za kontuarem i wygładza nekrolog Mussoliniego. *Il Duce* ciągle wspominany jest tutaj z sympatią, a rocznicę jego śmierci czci się, naklejając na rogach ulic obramowane czernią prostokąty papieru.

– *Buon giorno* – pozdrawiam go jak zwykle.

Starzec odburkuje i zadziera podbródek.

– *Il fermo posta?*

– *Si!*

Wyciąga z przegródki grubą kopertę. Nadano ją w Szwajcarii, ale nie jako polecony. Została oddzielona od pliku korespondencji. Rozpoznaję charakter pisma. Czuję ciężar – to papiery, jakie mam podpisać. Jak zawsze poczmistrz nie pyta o żadne dokumenty. Kładę na ladzie zapłatę i mężczyzna znów coś mamrocze.

Idę prosto do citroëna. Prześladowca i tak już wie, gdzie stoi mój samochód, na skraju rzędu drzew, naprzeciwko wystających korzeni i psich kup. Uruchamiam silnik. Spieszę się, by opuścić *piazza*, która może mnie uchwycić tak jak krąg piachu łapie byka.

Kiedy odjeżdżam, stara koronkarka na progu rozpoznaje mnie i unosi dłoń. Prawie odruchowo odwzajemniam gest.

Przy głównej drodze zatrzymuję się i rozglądam, obserwując obie trasy. Nie ma żadnego ruchu. Tylko jakiś mężczyzna na skuterze. Z dyszy buchają kłęby dymu. Daję mu przejechać. Nosi beret i ma kwaśną minę. Nigdzie nie dostrzegam niebieskiego peugeota. Ruszam w stronę miasta, czujnie wypatrując auta człowieka z cienia. Nie pojawia się w lusterkach. W następnej miejscowości zjeżdżam na pobocze, obok małego sklepiku. Czekam. Pegueot nie przybywa. Jadę dalej.

W wiejskiej okolicy, nieopodal wioski San Gregorio – tam, gdzie pola są złote, powietrze drży od upału, a błyszcząca pszenica przeplata się z połaciami soczewicy i od czasu do czasu szafranu – udaje mi się wreszcie wyszpiegować ten samochód. Zatrzymał się w dole drogi. Człowiek z cienia opuścił wóz i podążył ścieżką prowadzącą do ruin małego rzymskiego amfiteatru, otoczonego topolami.

Nie zaprzestał więc pościgu. Po prostu informuje, że teraz nie stanowi dla mnie zagrożenia i że wie o Mopolino.

Parkuję na poboczu, za opuszczonym budynkiem. Może już pora skonfrontować się z prześladowcą. Wystarczy tylko iść przez morelowy sad, przekroczyć strumyk po współczesnym betonowym moście za rurą irygacyjną i przejść sto metrów do amfiteatru. Człowiek z cienia mnie zobaczy. Będzie miał czas, aby się przygotować na moje przybycie, lecz nie zdoła zaplanować zasadzki. Mam przewagę wynikającą z zaskoczenia. Muszę się tylko dostać blisko niego. Walther to dobry pistolet przy małych dystansach, ale nie trafia celnie na odległość większą niż trzydzieści metrów, nawet w rękach fikcyjnego bohatera. A ja nie potrafię aż tak dobrze strzelać.

Ten amfiteatr o okrągłych murach z wąskich czerwonych cegieł i stopniach schodzących w dół jak trybuny na piłkarskim stadionie, z areną porośniętą krotką, wypaloną słońcem trawą jest miejscem męczeństwa. Święty Grzegorz spędził tu ostatnie bolesne godziny – poniżany i biczowany. Może nadszedł czas, aby koło fortuny wykonało pełny obrót, starożytne kamienie stały się świadkami kolejnej egzekucji.

W rzeczy samej, jeśli mam go zabić, to wybrałem odpowiednie otoczenie. W okolicy nikt nie pracuje i nasza wymiana ognia nie zwróciłaby niczyjej uwagi. Każdy, kto by ją usłyszał, doszedłby do wniosku, że ktoś strzela do ptaków. Bez trudu pozbyłbym się ciała. Mógłbym wywieźć je w góry. Wrzucić do wąwozu i przykryć stosem kamieni, aby trzymać z dala kruki, które wskazywałyby trupa.

Chociaż ja nie chcę go zabijać, jeśli istnieje inne wyjście. To byłoby takie nieschludne. Poza tym ktoś by za nim tęsknił, przybył tu, aby mnie odnaleźć. Poszedłby po jego śladach i węszył, zaczął cały proces na nowo.

Najlepiej przepędzić prześladowcę. Wiem o tym, ale jednocześnie zdaję sobie sprawę, że to mało prawdopodobne rozwiązanie problemu. Tropiciele nie odchodzą ot tak, po prostu.

Zamierzam się dowiedzieć, czego szuka, jaką misję wypełnia, dlaczego tak uparcie podąża za mną, lecz nie rzuca mi wyzwania, nie zbliża się i nie wyciąga pistoletu albo noża sprężynowego.

Kiedy stoję obok samochodu, z nogami zanurzonymi głęboko w dzikich kwiatach rozrzuconych majestatycznym chaosem przyrody, uświadamiam sobie, jak bardzo kocham góry.

Chcę, wiem to teraz, zostać tutaj, kiedy już wykonam ostatnie zlecenie, po pożegnaniu się z tamtą dziewczyną i jej bronią. To byłaby moja przystań, schronienie po latach wędrówki i pracy, po unikaniu cieni i tych, co się w nich czają.

Tak jak tamta dziewczyna jest ostatnim klientem, ten przeklęty mężczyzna w niebieskim wynajętym peugeocie z pewnością jest moim ostatnim człowiekiem z cienia. Na pewno już więcej ich nie będzie. Pragnę, aby zostawiono mnie w spokoju, który właśnie odnalazłem, niezależnie od tego, co o tym sądzi ojciec Benedetto. Ale prześladowca nie chce do tego dopuścić.

Stawia mnie przed dylematem. Jak to rozwikłać? Jeśli zabiję, zaryzykuję spotkanie z jego towarzyszami. Spróbuję wystraszyć – i tak wróci, może razem z innymi, pewien, że warto na mnie polować.

Teraz jednak muszę szybko działać. Brak zdecydowania to oznaka słabości. Ruszę w najbliższą przyszłość i zobaczę, co mi przyniesie. Los zdecyduje, co się stanie. Muszę mu zaufać. Czy mi się to podoba, czy nie.

Słońce mocno praży. Prześladowca stoi na środku amfiteatru – samotny bohater tworzonego przez siebie dramatu. Zdejmuje kapelusz, ociera czoło, z powrotem go wkłada. Dzieli nas kilkaset metrów, ale on mnie widzi. Zaczynam się oddalać, idąc między morelami. Gdy docieram do betonowego mostku, na którym ciągnie się ślad z owczych bobków, słyszę odgłos uruchamianego silnika. Biegnę na kraniec mostu i patrzę na niebieski dach peugeota przemykającego za kamiennymi murami.

On nie chce konfrontacji. Albo się mnie boi, albo się ze mną bawi, gra na czas i cieszy się z mojego zmieszania. Ale się myli. Ja jestem tylko mocno zakłopotany i wściekły. Staram się nad tym zapanować. Emocje są czasem takim samym wrogiem jak człowiek z cienia. On nie stawi mi czoła w tej niezamieszkanej dolinie, bo to mu nie pasuje do planu. Ściągnę go do siebie gdzie indziej. Nie mogę ryzykować, że wybierze stosowną chwilę w mieście. Tak zniszczyłby wszystko.

Szybko wracam do miasta i parkuję na takim placu, na którym poprzednio się nie zatrzymywałem. Od teraz już codziennie muszę stawiać samochód w innym miejscu.

Po powrocie do mieszkania otwieram kopertę. Znajduję w niej przekaz bankowy – jak zwykle w trzech egzemplarzach, bo Szwajcarzy są niezwykle dokładni. Czeka na mój podpis i na okazanie. Towarzyszy mu list. Bank informuje, z jaką przyjemnością zajmuje się moimi sprawami. Do tego dołączony jest wyciąg z konta. Sprawdzam liczbę schludnie wydrukowaną na przekazie. Oczywiście się zgadza.

Serce łomocze mi ze złości i irytacji. Biorę piwo z lodówki i wspinam się do loggii. Tam, bezpieczny od prześladowcy, tego małego ludzika nasłanego przez diabła, co właśnie przycupnął mi na ramieniu, próbuję się domyślić, skąd w ogóle się wziął, dla kogo pracuje, jakie ma rozkazy albo motywy, co planuje. Na razie jednak brak tropów, więc muszę go ignorować. Zbliża się termin oddania pracy, trzeba ją ukończyć.

Wczoraj doszło między dziewczętami do kłótni. Awantura zaczęła się po tym, jak skończyliśmy się kochać. Leżałem na plecach, pośrodku podwójnego łoża. Na windsorskich krzesłach wisiały nasze ubrania, na toaletce stała torebka Dindiny. Obok buty Clary.

Dindina siedziała z mojej lewej strony, przebierając palcami we włosach, a Clara leżała po prawej, na boku, z twarzą zwróconą ku mnie. Piersi przyciskała mi do ramienia, a oddech, wciąż przyspieszony po igraszkach, muskał skórę gorącem. Przyćmione światło latarni na via Lampedusa przezierało przez żaluzje, tworząc na suficie pasiasty wzór. Włączyliśmy lampę nad toaletką. Żarówka świeciła różowawo. Przenikając klosz z czerwonego jedwabiu, napełniała sypialnię ciepłym blaskiem. W wysokim lustrze dostrzegałem odbicie Dindiny od przodu, jej pełne piersi lekko kołysały się, gdy starannie przeczesywała dłonią włosy.

Clara przysunęła usta tuż do mojego ucha. Pot przykleił jej piersi do mojego bicepsa.

– Najdroższy... – wyszeptała, urywając w pół zdania.

Odwróciłem głowę, uśmiechnąłem się, potem pocałowałem ją w czoło. Ono też było wilgotne od potu. Wyczuwałem smak soli.

– Twoje buty... – zawołała Dindina po angielsku, całkiem znienacka. – Leżą na stole!

Nowe buty, uszyte w Rzymie, dziś kupione. Clara miała je dopiero włożyć i była dumna ze swojego nabytku. Nie wiedziałem, dlaczego nie zostawiła ich razem z tamtymi, które nosiła, ale domyślałem się, że położyła pantofle na szklanym blacie toaletki właśnie po to, aby zwrócić uwagę koleżanki.

– Na stole – powtórzyła Dindina.

– Owszem.

– Nie wolno kłaść butów na stole. Wychodziły na ulicę.

Clara nie odpowiedziała. Puściła do mnie oko. To było złośliwe mrugnięcie. Poczułem do niej sympatię. Sprytna zagrywka.

– Zdejmij je natychmiast.

– Nie są brudne. Zresztą zaraz idziemy. – Spojrzała na mnie, szukając wsparcia.

– Tak – potwierdziłem i usiadłem. – Już czas. Zarezerwowałem dla nas stolik w pizzerii. W mieście jest pełno turystów.

Dindina wyślizgnęła się z łóżka. Patrzyłem na jej gładkie, zaokrąglone pośladki. Przeszła przez pokój i machnięciem ręki zrzuciła buty. Zastukały na drewnianej podłodze, tuż przy dywanie.

– *Sporcaccciona!** – wyrzuciła z siebie.

Clara odskoczyła od mojego boku i chwyciła pantofle. Jeden się zarysował w miejscu, gdzie uderzył o deski. W milczeniu pokazała mi uszkodzenie. Oczy zarówno prosiły mnie o pomoc, jak i błyszczały powstrzymywaną, latyńską wściekłością.

– Tylko wieśniaczki z północy kładą buty na stole – syknęła Dindina, zapinając stanik.

– Tylko wieśniaczki z południa nie szanują drogich rzeczy – odparła Clara. Specjalnie położyła pantofle z powrotem na stole i wciągnęła majtki.

---

* *Sporcacciona* (wł.) – brudas, fleja.

Chciało mi się śmiać. Oto znalazłem się całkiem nagi, na ogromnym łożu, na ostatnim piętrze burdelu w środkowych Włoszech, z dwoma półnagimi dziewczynami, które przez wzgląd na mnie kłóciły się po angielsku. To przypomniało farsę wprost z Whitehall.

– Przestańcie – poprosiłem cicho. – To zepsuje noc dobrej miłości. – Wstałem i wziąłem zarysowany but. – Ten ślad zniknie po zapastowaniu.

Dindina i Clara nic nie mówiły, ale spoglądały na siebie gotowe do mordu. Ktokolwiek po raz pierwszy stwierdził – a podejrzewam, że był jeszcze neolityczną półmałpą – że skrzywdzona kobieta jest niebezpiecznym zwierzęciem, to miał niesamowitą rację.

Wyszliśmy z burdelu i ramę w ramię ruszyliśmy via Lampedusa i uliczkami do via Roviano. Balsamiczną noc przesycało ciepłe powietrze, a spod nieba dobiegały odgłosy nietoperzy. Gwiazdy jaśniały tak mocno, że pozostawały widoczne mimo poblasku miejskich świateł. Clara niosła plastikową torbę ze starymi butami. Nowe włożyła na złość Dindinie, która trzymała tylko małą czarną torebkę.

Stolik mieliśmy pod oknem. Chciałem go zamienić, ale w pizzerii panował tłok, więc właściciel tylko wzruszył przepraszająco ramionami. Ja jednak nalegałem i w końcu się poddał. Przesadził nas do stolika jedynie w połowie widocznego z ulicy. Usiadłem na ukrytym krześle. W swojej sytuacji postąpiłbym głupio, gdybym pokazał się w oknie jak manekin albo amsterdamska dziwka.

Szczerze mówiąc, nasza miłość nie była dziś aż tak wspaniała. Kiedy tylko zaczynała opadać kurtyna rozkoszy, by zasłonić umysł i odciąć mnie od prawdziwego świata, przed oczyma tańczyły mi wizje: człowiek z cienia na *piazza* w Mopolino, człowiek z cienia w amfiteatrze, człowiek z cienia oparty o zaparkowany samochód, człowiek z cienia i starzec, który na mnie wskazuje. Musiałem się natrudzić, by wypędzić z seksualnej uczty tego ducha Banka.

Zamówiliśmy to co zwykle: pizza napoletana dla Dindiny, pizza margherita dla Clary. Ja wziąłem pizza ai funghi. Nie miałem nastroju na posiłek, kłótnia dziewczyn zmąciła atmosferę. Może gdzieś blisko prześladowca właśnie czekał na swoją szansę. Wiedziałem, że powinienem bardzo ostrożnie wracać do domu. Noc ukrywa wiele rzeczy.

Dziewczyny niechętnie się odzywały. To ja musiałem prowadzić rozmowę, co okazało się trudne. Mówiły na zmianę, ale nie zwracały się bezpośrednio do siebie, choć starałem się je do tego nakłonić. Wreszcie dałem za wygraną. Wypiłem wino i zacząłem kroić pizzę, kątem oka obserwując osoby przechodzące przez drzwi.

Gdy kelner przyniósł rachunek, Clara nachyliła się do mnie nad stołem.

– Przepraszam. Nie chciałam sprawić ci przykrości, ale ona... – rzuciła koleżance surowe spojrzenie – mnie obraziła.

Dindina zirytowana, że nie pierwsza wyszła z inicjatywą przeprosin, parsknęła i odwróciła się tak gwałtownie, że potrąciła mój kieliszek. Był napełniony tylko w jednej trzeciej i to winem z dna butelki. Nie zamierzałem tego pić.

– Na południu wieśniacy rozlewają wino na stole – oznajmiła Clara jadowicie słodkim tonem. – To taki zwyczaj... Nie wiem, jak to jest po angielsku. Po włosku mówimy *pagano*, rytuał ciemnych ludzi nieznających Boga.

Dindina nie mogła się odprężyć. Między dziewczętami ustawił się kelner, podawał rachunek, przyjmował ode mnie zapłatę.

– Chodźmy – powiedziałem. – Już czas. Jutro muszę wybrać się daleko w góry, żeby malować. Do jedynego miejsca, gdzie żyje pewien motyl. I jedynego takiego w całym wszechświecie.

W innych okolicznościach Clara chciałaby usłyszeć opis motyla, dowiedzieć się, o jakie miejsce dokładnie chodzi. Dindina dopytywałaby się, ile takie malowidło może być warte. Ale teraz obie milczały.

Wyszliśmy z pizzerii i zobaczyliśmy kolejkę turystów czekających na stolik. Rozejrzałem się po ulicy. Nigdzie nie zauważyłem prześladowcy.

Dindina pocałowała mnie jak wujka, a ja wręczyłem jej zarobek. Potem odwróciłem się do Clary, trzymając w dłoni taką samą sumę.

– Nie, *grazie*. Dzisiaj tak dużo nie potrzebuję. To było dla ciebie, kochany. Ja nie jestem *puttana*.

Dindina rzuciła się na nią z pięściami. Clara wypuściła plastikową torbę i podniosła ręce, żeby chronić twarz. Zabrałem tę torbę i odsunąłem się na bok.

Po kilku zadanych z rozmachem, lecz niecelnych ciosach Dindina przerwała, aby zaczerpnąć tchu. Clara skorzystała ze okazji i uderzyła ją w twarz. Tak mocno, że głowa rywalki aż odskoczyła w bok. Dziewczyna potknęła się, mało nie upadła, ale odzyskała równowagę. Potem rzuciła się na Clarę, drapiąc paznokciami. Obie się zwarły. Darły na sobie ubrania, ciągnęły się za włosy, próbowały kopać po goleniach.

Ta furia była zarówno komiczna, jak i przerażająca. W walce mężczyzn nie ma pośpiechu. Emocje zdają się przytłumione. U kobiet są ostre i wyraziste jak ciosy, walka to jedynie przedłużenie uczuć.

Kolejka turystów się rozstąpiła. Oglądali tę stronę życia we Włoszech, jakiej nie opisuje się w przewodnikach. Nie spodziewali się zostać świadkami lokalnego zwyczaju. Tłoczyli się więc wokół z zachłannością widzów walki byków. Krzyczeli i trajkotali. Dołączyli do nich miejscowi, którzy całe widowisko traktowali jako darmową rozrywkę.

Szarpanina trwała zaledwie trzy minuty. Wreszcie Dindina się poddała. Z dwóch wyżłobionych na skórze śladów, widocznych pod rozerwaną bluzką, zaczynała sączyć się krew. Clara była tylko rozczochrana, ubranie miała w nieładzie, ale całe. Obie ciężko dyszały.

– *Megera!* – wycedziła Dindina przez zaciśnięte zęby.

– *Donnacia* – odparowała Clara i dodała jeszcze: – Po angielsku mówimy „dzifka".

Powstrzymałem uśmiech. Kilku mężczyzn w tłumie zaklaskało, rozbrzmiał męski rechot. Dindina, nie umiejąc pogodzić się z porażką, odkuśtykała. Z bólem schyliła się po torebkę, którą wcześniej upuściła do rynsztoka.

– Tylko nie kładź torebki na stole – rzuciła za nią Clara. – Wychodziła na ulicę*. – Ściszyła głos. – Tak jak i ona.

Tłum się rozszedł, pełen okrutnej wesołości, a turyści na nowo uformowali kolejkę. Podałem Clarze reklamówkę i powoli ruszyliśmy via Roviano.

– To nie było miłe – napomniałem ją delikatnie.

– Sama zaczęła. Zrzuciła mi buty na podłogę.

– Mam na myśli twoją ostatnią uwagę.

Uśmiechała się triumfalnie, ale teraz mina jej zrzedła.

– Przepraszam. Zdenerwowałam cię.

– Nie, wcale nie. Zdenerwowałaś Dindinę. Wątpię, żebyśmy ją jeszcze kiedyś zobaczyli.

– Nie… Będzie ci smutno?

– Może – odpowiadam, ale to takie perwersyjne udawanie. Jestem wręcz niesamowicie zadowolony. Zmniejszyła się liczba osób, poprzez które prześladowca mógłby do mnie dotrzeć, które mogłyby go do mnie zaprowadzić.

Przeszliśmy jeszcze kawałek, a gdy mijaliśmy wąską alejkę, Clara chwyciła mnie za dłoń i pociągnęła w ciemność. Przez ułamek sekundy sercem szarpnęła mi instynktowna panika. Takie cienie, nisze wśród murów to dobra kryjówka dla prześladowcy. A jeśli Clara jest z nim w zmowie? Jeśli nasza znajomość była tylko

---

* W oryginale gra słów: *It has walked the street*; *walk the streets* (ang.) – chodzić po mieście oraz czekać na klientów na ulicy, prostytuować się.

intrygą wiodącą do tej chwili udawanej emocji, a po niej szybkiego dźgnięcia nożem Bowie albo strzykawką?

Lecz jej dłoń nie zaciskała się kurczowo. W ruchach brakło pośpiechu, nie licząc tego, jaki cechuje kochankę żądną miłości. Panika zniknęła tak szybko, jak się pojawiła.

Clara zatrzymała się kilka kroków w głębi zaułka, opuściła plastikową torbę i przycisnęła się do mnie ze szlochem. Objąłem ją, przytuliłem mocno.

Kiedy już przestała płakać, podałem swoją chusteczkę. Wytarła oczy, szybko przesunęła nią po policzkach.

– Kocham cię – wyznała nagle. – Mocno. *Molto*...

– Nie jestem już młody – przypomniałem.

– Nieważne.

– Nie będę tu mieszkał. Nie jestem Włochem.

Ledwo to powiedziałem, pomyślałem, jak bardzo pragnąłbym zostać w tym mieście, w tej dolinie, w towarzystwie tej dziewczyny.

– Nie chcę zawsze tutaj mieszkać – odparła.

Znowu wręczyłem jej torebkę.

– Czas do domu.

– Zabierz mnie ze sobą.

– Nie. Może, pewnego dnia...

Zrobiło się jej przykro, ale nie naciskała. Wyszliśmy z alejki i rozstaliśmy się na corso Federico II.

– Nie wyjeżdżaj stąd – powiedziała i pocałowała mnie. Było to zarówno polecenie, jak i życzenie.

Rozstaliśmy się. Ruszyłem do domu okrężną drogą. Wypatrywałem i nasłuchiwałem każdego ruchu. Raz nawet schowałem się w cieniu, słysząc kota polującego na myszy. Im bardziej zbliżałem się do *vialetto*, tym skrupulatniej obserwowałem teren. Mimo to nie umiałem zatrzymać powracającej myśli: Clara biła się o mnie, a nie przez swoje buty czy urażoną dumę. Kocha mnie i pożąda, a ja przyznaję, też ją kocham na swój sposób.

Ale teraz musiałem skupić się na cieniach, na drzwiach zanurzonych w nocy. Na alejkach i na przestrzeni za zaparkowanymi samochodami. Nie mogę sobie pozwolić, aby w tym przeszkadzały mi myśli o Clarze, bo wtedy stałaby się moją śmiercią.

Pocisk o rtęciowym czubku to niezwykle prosta konstrukcja, a tak straszliwie niszczycielska. Znacznie potężniejsza od amunicji dum-dum używanej przez chicagowskich gangsterów, bardziej śmiercionośna od grzybkowego pocisku komandosa.

Siedzę w warsztacie, w tle cicho gra muzyka – powiedzmy Elgar, wariacje *Enigma* – i przygotowuję amunicję. Część jest standardowa, ołowiana z płaszczem. Resztę, pociski eksplodujące, muszę wykonać sam.

Łatwizna. Trzeba odjąć łuski razem z ładunkiem i wywiercić w czubku kuli maleńki otwór.

Pocisk należy trzymać w imadle na tyle mocno, aby nie kręcił się razem z wiertłem, ale nie za mocno, żeby go nie zniekształcić. Po wykonaniu otworu, w przypadku parabellum o głębokości dokładnie trzech milimetrów, do połowy napełnia się go rtęcią. Następnie dziurkę zatyka się kroplą płynnego ołowiu. Pocisk ani na chwilę nie może się przegrzać, bo inaczej się rozszerzy i zdeformuje.

Postanowiłem przerobić amunicję płaszczową. Płaszcz ciężej się wierci niż ołów, ponowne osadzenie kuli w łusce wymaga większej staranności i umiejętności – daje jednak znacznie bardziej niszczycielski rezultat.

Ktokolwiek wymyślił tę śmiercionośną przeróbkę, był geniuszem. Jednym z takich ludzi, co dostrzegają pewien fakt i umieją znaleźć dla niego szerokie zastosowanie. Wszystko opiera się o wręcz niesamowicie proste zjawisko. Po wystrzeleniu pocisku, wskutek przyspieszenia, rtęć zostaje ściśnięta z tyłu otworu. Pozostaje tam aż do uderzenia kuli w cel. Potem, jako ciecz, pędzi przez otwór do przodu i wypycha ołowianą zatyczkę. Ta rozpryskuje się jak miniaturowy szrapnel malutkiej bomby. Za nią leci rtęć. Odrywają się też skrawki płaszcza. Pocisk robi otwór wlotowy wielkości amerykańskiej dziesięciocentówki, a wylotowy – na zewnątrz – o rozmiarach talerza do zupy. Czasem wewnątrz. Nikt nie przeżywa trafienia.

Moja piękna młoda dama chce potraktować kogoś właśnie takim brutalnym wytworem techniki.

Kiedy wsadzam gotowe naboje z powrotem do pudełka, końcówką do góry, rozmyślam o człowieku, wobec którego zostaną użyte. Istnieje sporo możliwości. Na świecie wielu ludzi zasługiwałoby na taką śmierć. Dla wielu też byłby to zbyt dobry koniec, za szlachetny, zbyt szybki. Blask życia świeci się... i nagle gaśnie. Serce pompuje krew... i się zatrzymuje. Mózg wysyła mikroampery elektryczności... i staje, wyłączony z sieci, jak to się mówi o cudownych elektrowniach. Mięśnie odprężają się w ostatnim śnie. Włosy – jak dureń, który nie wychodzi po przyjęciu – rosną dalej. Cała reszta zaczyna się kurczyć.

Jednak nie potrafię się zgodzić na inne metody. Na przynoszone trucizną powolne słabnięcie, opadanie w ból i oszołomienie; na rozrywającą mękę, gdy ząbkowany nóż wbija się i przekręca, albo na oślepiający grom wybuchu bomby, kiedy gwoździe i kawałki drutu latają w plątaninie agonii.

Tak się nie robi.

Nucę sobie w takt muzyki Elgara. W powietrzu zawisa chmura oparów ze stopionego ołowiu. Otwieram okiennice. Nie chcę sam się truć.

Zastanawiam się, co też poczuje ta ładna dziewczyna w letniej sukience, z opalonymi nogami i pewną ręką. Co przemknie jej przez głowę, kiedy palce ściągną język spustu, a części metalu zatańczą według mądrej choreografii? Co zobaczy przez lunetę? Czy z boeinga 747 będzie wysiadać mężczyzna, czy kobieta? A może znienawidzony demon w dobrze skrojonym garniturze?

Spodziewam się, że ona niczego nie zobaczy. Nic nie poczuje. W momencie strzału umysł łowcy jest czysty. Nie będzie myślała o przyczynie ani o skutku, o chaosie, jaki wyniknie za sprawą jej działania. Stanie się całkowicie pozbawiona emocji, lęków czy miłości.

Mówią, że zabijać kogoś z premedytacją po miesiącach przygotowań i planowania to jak umierać samemu. Dookoła panuje cisza. Zabójca nie słyszy meldunków, krzyków ani wrzasków. Wszystko dzieje się w zwolnionym tempie jak na filmach. Jedyne, co dostrzega w sali projekcyjnej swojego umysłu, to jakaś pojedyncza klatka z dotychczasowego życia.

Ciekawe, czy gdy młoda dama wystrzeli, zobaczy łąkę przy *pagliara*.

Ładuję nowe magazynki. Sprawdzam wszystkie trzy. W każdym, według życzenia, mieści się sześćdziesiąt sztuk amunicji. Znacznie więcej niż potrzeba. A zatem zakłada, że nie ucieknie. Spodziewa się, że zostanie odnaleziona i osaczona muru – chce więc zabrać ze sobą tylu, ilu tylko zdoła. Wie, że umrze. To wymaga szczególnej odwagi.

Jednak znajdzie przyjemność w tym orgazmie zabijania. Nie skryje się w terminalu lotniska ani nie przycupnie na dachu. Przykucnie nad swoim kochankiem, z dłonią na jego bicepsie, udami napierając mu na uda i wszystko znajdzie się pod jej kontrolą.

Czy to nie Pindar w odach napisał z dziesięć wieków przed tym, jak jakiś chiński mędrzec wymyślił miksturę prochu strzelniczego: „Za grzeszną radość gorzki koniec czeka"?

W aptece nie było zbyt dużo osób. Nigdy nie ma tłoku. Nie chadzam do tych dużych aptek przy corso Federico II. Wolę dyskretny, mały sklepik na via Eraclea. Z pewnością jest równie wiekowy, jak ta uliczka, a kiedyś służył jako laboratorium alchemika albo geomanty.

Półki to stare dębowe deski na kamiennych podporach. Trzymają je kamienne sworznie. Drewno przez stulecia zostało poplamione chemikaliami i miksturami, rozsypanymi proszkami i mieszankami wykraczającymi poza granice średniowiecznej wyobraźni. Czekam na sprzedawcę i zastanawiam się, czy gdyby ktoś zbadał półkę pod mikroskopem, odkryłby wielkie pokłady chemicznej wiedzy.

Najwyżej ciągnie się rząd butelek z dziwną zawartością – w półmroku nie widzę dokładnie. To chyba zamarynowane płody, rogi górskiej kozicy albo poskręcane korzenie pietrasznika. Pod nimi jest zaś cały asortyment lekarstw, kosmetyków, buteleczek z opatentowanymi medykamentami, perfum i szminek. Na ladzie stoi kartonowa figura – piękna dziewczyna w bikini, połowy naturalnych rozmiarów. W papierowej ręce trzyma tubę kremu do opalania z filtrem numer 15. Trochę wyblakła, bo wcześniej była w witrynie sklepu, na słońcu, i teraz tuba kremu ma zdrowszą barwę niż sama postać.

Sprzedawca wszedł przez tylne drzwi. To młoda kobieta, mniej więcej w wieku Clary, szczupła niemal do granic anoreksji. Twarz wychudzona, dłonie kościste. Wyglądała, jakby geomanta złożył ją z części ciał podkradanych na miejskich cmentarzach. Mogłaby też być duchem jednej z tysięcy dziewcząt, które na pewno odwiedzały to miejsce, aby spędzić płód, zdobyć dziarskiego kochanka czy pozbyć się pryszczy.

– *Un barattolo di...* – Nie potrafiłem sobie przypomnieć odpowiedniego słowa... – *antisepsi. Crema antisepsi. Per favore.*

Uśmiechnęła się słabo i sięgnęła ku jednej ze starych półek. Ramię miała cienkie jak patyk, jakby dopiero co wypuszczono ją ze strasznego więzienia. Pomyślałem, że przypomina tę dziewczynę z kartonu, i ogarnęła mnie fala smutku. Wystarczyłoby kilka tygodni urlopu i pożywne jedzenie, by stała się tak ładna i atrakcyjna jak Clara.

– *Questo?*

Trzymała mi przed twarzą puszeczkę maści cynkowej. Wziąłem opakowanie i odkręciłem wieczko. Zapach tlenku cynku i chirurgiczny róż kremu natychmiast przywołały wspomnienie mojej szkoły i matrony, która wcierała nam tę maź w zadrapania tak mocno, jakby chciała, żebyśmy pożałowali, że przeszkodziliśmy jej w podwieczorku. Widziałem, jak przez mgłę metalicznego odoru, brata Dominika – stoi na linii autowej i wykrzykuje rugbistom niezrozumiałe polecenia.

– *Quant'è?* – zapytałem.

– *Cinque euros.*

Kupiłem maść, a gdy dziewczyna wydawała mi resztę, delikatnie posmarowałem odrobiną lekarstwa rozcięcie na grzbiecie dłoni. Skaleczyłem się tokarką – taki głupi, drobny wypadek. Zaraz polizałem ranę i uznałem ją za kolejną oznakę tego, że się starzeję, zbliżam do kresu zawodowego życia. Jeszcze rok temu nie byłbym taki niezręczny.

Kiedy wsunąłem puszeczkę do kieszeni marynarki, stuknęła o walthera. Nie przywykłem do noszenia broni i czasem o niej zapominam. Przełożyłem opakowanie do drugiej kieszeni.

Zanim wyszedłem z apteki, rozejrzałem się po ulicy. Szło tylko dwóch mężczyzn. Trzymali się pod ramię i rozmawiali z ożywieniem. Ruszyłem do baru Conca d'Oro.

Przy stoliku na zewnątrz, pośrodku *piazza*, usiedli Visconti, Milo i Gerardo. Nieopodal, w cieniu budynku, stała taksówka Gerarda, blokując rząd zaparkowanych aut.

Od czasu pojawienia się człowieka z cienia wolałem nie wysiadywać na zewnątrz. Do stolików pod drzewami dawało się podejść z każdej strony. Nigdzie nie siedziałbym plecami do ściany. Nie zauważyłbym go, gdyby tutaj się zjawił. Takiego ryzyka nie mogłem podejmować.

– *Ciao! Come stai? Signor Farfalla!* – zawołał Milo.

– *Ciao!* – odparłem jak zwykle. – *Bene!*

Potem odezwał się Visconti:

– Poczekaj! Słońce jest ciepłe! To dobre!

Pomachał dłonią nad głową, jakby odpędzał muchy, ale tak naprawdę nagarniał mi powietrza, abym poczuł balsamiczną woń i się przysiadł.

– Za gorąco – odparłem.

Wszedłem do baru i zamówiłem cappuccino.

Miałem *piazza* na oku. Przetoczyło się parę aut – kierowcy na próżno krążyli w poszukiwaniu wolnego miejsca parkingowego. Kilku studentów podeszło do fontanny, wyjęło z niej swoje rowery i odjechało. Przy stoliku pod drzwiami usiadło dwóch mężczyzn. Właściciel baru ruszył do nich przyjąć zamówienie. Oni jednak chcieli tylko odpocząć. Wynikła krótka sprzeczka. Patron wrócił do lokalu, mrucząc coś ze złością. Gdy mnie mijał, uśmiechnął się szeroko. Cieszył się ze swojego zwycięstwa.

Zamówiłem drugą kawę i pożyczyłem od barmana kolorowy magazyn. Wszelkie nagłówki i zdjęcia informowały o rządowym skandalu. Jakiegoś ministra bez teki przyłapano bez spodni w towarzystwie pewnej damy, najlepiej znanej ze swoich cycków pokazywanych w telewizji w czasie największej oglądalności. Wydrukowano i jej fotografię. Kobieta leżała owinięta w tygrysią skórę. Podpis sugerował, że w swoim życiu miała już niejednego tygrysa.

Na *piazza* uruchomiono jakiś samochód. Taksówkę Gerarda. Nad rowerami wzniósł się obłok dieslowskiego dymu. Miejsce dla pasażera zajął Milo. Odjechali. Visconti wstał i przeszedł przez placyk, do baru.

– No i? Za gorąco, signor Farfalla?

– Tak, dzisiaj tak. Pracowałem...

– Za dużo pracujesz. Powinieneś wziąć sobie wolne. – Usiadł przy moim stoliku, skinął na barmana, by przyniósł mu szklaneczkę oranżady. – Byłeś w górach i malowałeś swoich małych przyjaciół?

– Nie w tym tygodniu. Kończyłem taką jedną rzecz w domu.

– Aha! – zawołał i wypił łyk soku.

Złożyłem gazetę, rzuciłem szybkie spojrzenie na zewnątrz. Przy jednym ze stolików siedział mężczyzna. Sam, twarzą zwrócony w stronę lokalu. Zmrużyłem powieki. To nie prześladowca. Ktoś stary i przygarbiony.

– Visconti przeszkodził mi w obserwacji.

– Muszę coś ci powiedzieć, przyjacielu.

– Tak?

Twarz miał poważną. Nachylił się, odsuwając szklankę na bok. Wyglądał, jakby bardzo mi współczuł.

– Zjawił się tu jakiś facet i wypytywał o ciebie.

Starałem się nie okazywać zmartwienia, ale Visconti to sprytny gość. Dla niego informacja, że ktoś o kogoś rozpytuje, to zawsze zła wieść.

– Kto to taki?

– Czy ja wiem? – Rozprostował palce, potem zacisnął. – Nie Włoch, ale mówił jakoś tak... Milo stwierdził, że to Amerykanin. Poznał po sposobie wymawiania niektórych słów. Ja nie jestem taki pewien. Giuseppe też. Gerardo wziął faceta do taksówki.

– Dokąd pojechali? Do hotelu?

– Na stację. On tam czeka z innymi taksówkami na pociąg. Ale nieznajomy nie poszedł na peron, tylko do samochodu.

– Jakiego?

– Niebieskiego peugeota. Gerardo kazał mi przekazać tobie tę wiadomość.

– O co pytał?

– O twój dom. Powiedział, że ma dla ciebie ważne wiadomości. Nie zdradził jakie. My mu nic nie mówiliśmy.

Nie odpowiedziałem od razu. Czyli prześladowca odnalazł ten bar, podobnie jak Mopolino.

Zdawało się jednak, że w swoim śledztwie trafił na ślepy zaułek. Nie znalazł mojego domu.

– Dziękuję, Visconti. Jesteś dobrym przyjacielem. Inni też.

– Jasne. Ale w czym rzecz?

Wzruszyłem ramionami.

– Jeśli potrzebujesz pomocy, to... – zaczął.

Dotknąłem jego ramienia.

– Nic mi nie będzie, drogi przyjacielu.

– Wszyscy mają wrogów – stwierdził filozoficznie.

– Tak – zgodziłem się. – Tak właśnie jest.

Zapłaciłem za kawę i wyszedłem z baru. Wracałem do domu bardzo okrężną drogą i tak skrycie, jak tylko potrafiłem. To już tylko kwestia czasu, jak tamten cholerny facet odkryje mój apartament.

Trzeba skończyć broń, zanim do tego dojdzie. To jedyna szansa. Musi mi się udać. I nie chodzi o reputację, bo nie przyjmę więcej zleceń. Stawką jest mój profesjonalizm, moja solidność. Względem solidności nie sposób iść na kompromis.

Skoro prześladowca mnie wyprzedza, to zmusza mnie do działania.

Widok z góry, na loggię, jest tylko z dachu kościoła San Silvestro. Znikąd indziej. Świątynia nie ma kampanili, żadnej prostokątnej wieży, wyższej kondygnacji, skąd dałoby się przejść.

Przyjąłem jednak, że na pewno istnieje taka droga. Może jakieś spiralne schodki o wytartych stopniach wijące się ku górze w wolnej przestrzeni między murami albo stroma seria drewnianych drabinek, schowanych w odległej części budynku, niewidocznych dla wiernych i turystów, rzadko używanych nawet przez duchownych.

Koniecznie muszę odkryć tę drogę albo się upewnić, że nie istnieje. Skoro prześladowca poszukuje mojego mieszkania, kościół stałby się dla niego idealnym punktem obserwacyjnym. Popołudnie spędzone na dachu z lornetką przyniosłoby mu sporo korzyści.

Kościół ten nie jest, w przeciwieństwie do innych świątyń, otoczony przynależnym mu terenem. Nie ma żadnego cmentarza, „ogrodu wypoczynkowego" czy „spokojnego zakątka", a nawet parkingu dla samochodów księży. Północna i południowa strona budynku przylegają do wąskich uliczek, mury chronione są tylko granitowymi słupkami, żeby auta nie obtłukiwały zderzakami kamiennych fundamentów. Głębokie rysy między pachołkami pokazują, że kierowcy i tak robią swoje. W zachodniej części kościoła znajduje się główne wejście, pod którym można spotkać lalkarza i flecistę. Wschodnia ściana, zaokrąglona, jest stromym murem z boku szerokiej *piazza*. Pod nią stoi cała gama drogich aut, niedbale zaparkowanych, bo przy placu urzędują w swoich kancelariach trzej najlepsi prawnicy w okolicy.

W rezultacie kościół stanowi wyspę świętości w samym środku świeckiej dzielnicy. Nie sposób dostać się do niego inaczej, jak przechodząc przez ulicę – nikt nie zdoła wspiąć się na budynek z przyległej kamienicy.

Aby się upewnić, obchodzę świątynię. Może się przecież okazać, że gdzieś trwają prace renowacyjne. Rok temu w mieście poważnie zatrzęsła się ziemia, więc niewykluczone, że pod którąś ze ścian ustawiono rusztowanie. Niczego takiego jednak nie widzę, podobnie jak drabiny zmywacza szyb.

Przed głównym wejściem pracuje lalkarz. Jego skrzeczący głos rywalizuje z szumem ulicznego ruchu. Flecista drzemie w cieniu swojego parasola, który krzywo wisi na zakazie parkowania. Roberto stoi obok straganu z arbuzami, nad głową unosi mu się niebieski tytoniowy dymek jak pszczoły nad maską pszczelarza.

Dołączyło się do nich dwoje nowych ulicznych artystów. Wyglądają na parę. Mężczyzna około dwudziestu pięciu lat, przystojny, ciemne, błyszczące oczy. Nosi luźną koszulę w stylu osiemnastowiecznego dandysa albo gwiazd rocka z lat sześćdziesiątych, do tego duży złoty kolczyk w lewym uchu. Żongluje – piłkami, pustymi butelkami. W powietrzu bywa ich naraz aż siedem. Przy okazji coś trajkocze, a jego słowa przyprawiają włoskich widzów o paroksyzmy śmiechu.

Jego partnerka jest niespełna dwudziestoletnia. Kuca albo klęczy na chodniku i kolorową kredą kreśli obrazki na kamieniach. Długie, potargane ciemne włosy opadają jej na twarz. Co jakiś czas szybko odsuwa je na bok i brudzi przy tym kredowym pyłem. Ma kształtną talię, ale mały biust; bose stopy są brudne. Na jej szyi, na łańcuszku, wisi krzyż ankh. Ona też by mogła być hipisem z lat sześćdziesiątych, który nigdy nie dorósł.

Obserwuję parę przez pięć minut, jednocześnie przyglądając się tłumowi podziwiającemu jej prace i pokaz lalkarza. Nigdzie nie dostrzegam prześladowcy.

Na schodach wiodących do kościoła jest tłoczno. Turyści w średnim wieku czekają na autokar. Siedzą na stopniach albo stoją w skąpym cieniu bramy. Pochodzą z różnych krajów, a każdą narodowość da się rozpoznać tak łatwo jak kwiaty na łące. Amerykanie noszą na piersiach aparaty fotograficzne. Panowie mają rozpięty jeden albo dwa górne guziki koszuli, panie opierają się o kamienne ściany kościoła. Brytyjczycy pocą się obficie i wachlują broszurami biur podroży. Kobiety narzekają na upał, mężczyźni wyglądają na zasmuconych, milczą. Francuzi siedzą na stopniach. Niemcy uparcie wystają na słońcu. Przewodnik – młodzieniec w niebieskiej, bawełnianej marynarce – mknie od grupki do grupki i gorączkowo zapewnia, że autokar zaraz się zjawi.

Przeciskam się przez tłum i otwieram ciężkie drzwi kościoła. Kiedy zamykają się za mną na jęczącym, hydraulicznym zawiasie, zgiełk świeckiego świata zostaje stłumiony, narastają zaś delikatnie ściszone dźwięki świata świętości.

Kościół jest chłodny, obszerny. Gdy idę po czarno-białej szachownicy na marmurowej posadzce, moje kroki rozbrzmiewają głośnym echem, które wzlatuje ku kopule. Pod ołtarzem nie ma długich ław, tylko z jednej strony stoi kilka rzędów siedzeń. Pozostało niewielu parafian. Spoglądam na monstrualne złote sklepienie i pobliskie malowidła. Reflektory wyłączono. Snop słonecznego światła uderza o posadzkę i rozbłyskuje na rzeźbieniach. Jakiś Amerykanin najwyraźniej nie przejmuje się, że autokar niedługo przyjedzie. Leży na plecach na marmurowej podłodze – jako nowoczesny odpowiednik średniowiecznego pątnika. Fotografuje sklepienie.

Podchodzę do ołtarza. Wisi nad nim szokujący gipsowy wizerunek Chrystusa przybitego do krzyża, naturalnych rozmiarów. Z ran i po boku brodatej twarzy cieknie szkarłatna gipsowa krew. Zdaje się, że gwoździe to prawdziwe metalowe ćwieki wbite w rzeźbę. Po obu stronach krucyfiksu umieszczono białe, marmurowe anioły, lecące ku niebu. Tłem dla wszystkiego jest olejne malowidło – Kalwaria o olśniewająco błękitnym niebie, z jedną tylko, ciemną chmurą. Pod nią widać odległy rząd krzyży, a na nich postaci tych, którzy się nie liczą.

Przyglądam się temu rokokowemu przykładowi bezgranicznie złego smaku, a potem odwracam, by obejrzeć kościół jak duszpasterz doglądający swojej trzódki, gdy już skończy się żałośnie becząca modlitwa.

Amerykanin wstał i otrzepuje spodnie. Jego kolega gorączkowo w ciszy daje znaki, żeby już wychodził, ale on go nie zauważa. Kobieta w chuście człapie do drzwi. Z boku stoi jakaś młoda para. Zapalają elektryczne świeczki, wrzucając monety do otworu. Równie dobrze mogliby znajdować się teraz w salonie gier, przy automacie. Pieniądze spadają hałaśliwie do pojemnika pod stołem.

W bocznych ścianach kościoła nie ma drzwi. Mijam ołtarz, idę do zakrystii. To pachnące stęchlizną pomieszczenie, pełne kościelnych przyborów wiszących na hakach, z kilkoma wielkimi starymi skrzyniami zamkniętymi na nowoczesne kłódki. Są w niej też regały z książkami i biurko zasłane papierami. Na skraju blatu stoi cuchnący kubek zimnej kawy. Rozglądam się uważnie. Nie widzę żadnego ukrytego przejścia. Ostatnie miejsce, z którego można by się dostać na dach, jest za grobowcem świętego.

Już mam wychodzić z zakrystii i ruszać w stronę okazałego sarkofagu, kiedy dostrzegam właśnie jego. Człowieka z cienia.

Stoi na samym środku nawy, jakby dopiero co podniósł się z podłogi. Niemal spogląda w moją stronę. Wycofuję się i zerkam z, w miarę bezpiecznego, wejścia do zakrystii. Chyba mnie nie zauważył. Powoli idzie przez kościół i zatrzymuje się przed grobowcem. Nad nim wznoszą się żłobkowane kolumny i czarno-złota wieża z marmuru. Nagle wyobrażam sobie, że gdyby w tej chwili nastąpiło trzęsienie ziemi, zmiażdżyłby go groteskowy przepych tej okropnej konstrukcji.

Zza sarkofagu wyłania się ojciec Benedetto. Niesie trzepaczkę i szczotkę. Prześladowca robi w jego stronę gest, po czym ruszają ku sobie.

Przyglądam się temu podekscytowany. Wytężam słuch, aby uchwycić choć urywek rozmowy, ale mówią cicho i wszelki dźwięk niknie w ogromie świątyni.

Ojciec Benedetto nie odkłada trzepaczki ani szczotki. Tropiciel nie wskazuje na grobowiec, na ołtarz ani na sklepienie. Wnioskuję, że nie dyskutują o artystycznych czy architektonicznych cudach tego budynku.

Po kilku minutach nieznajomy podaje księdzu rękę i szybko opuszcza bogate miejsce kultu. Ojciec Benedetto idzie do stoiska z automatycznymi świeczkami, gmera pod sutanną w poszukiwaniu kluczy.

– Witaj, przyjacielu – mówię, kiedy nachyla się do maszyny.

Jest zaskoczony. Nieczęsto się zdarza, aby dwóch mężczyzn – tak jeden po drugim – zagadywało go w kościele. Szybko się prostuje. Twarz ma bladą.

– To ty! – woła. – Chodź ze mną.

Zamyka skarbonkę, prowadzi mnie w stronę ołtarza i zakrystii.

– Jakiś człowiek pytał o ciebie.

– Naprawdę? – udaję zdziwienie. – Kiedy?

– Ledwie... – Patrzy na drzwi, jakby się spodziewał, że tamten zjawi się ponownie. – Dwie minuty temu. Nie więcej.

– Co chciał wiedzieć?

– Gdzie mieszkasz. Mówił, że jest twoim przyjacielem z Londynu.

– Powiedział mu ksiądz?

Spogląda na mnie z lekkim niesmakiem.

– Oczywiście, że nie. Przecież go nie znam. Może być z policji. Na pewno nie jest przyjacielem.

– Dlaczego tak ksiądz sądzi?

– Przecież podałbyś mu swój adres. Poza tym przyjaciele, kiedy zjawiają się z wizytą, nie noszą broni.

Patrzy na mnie z ukosa. Jego spojrzenie wwierca się we mnie.

– Skąd to ksiądz wie?

– Jeśli ktoś mieszka we Włoszech i zajmował się suknami, to spotykał wielu ludzi. Mężczyzn i kobiety każdego pokroju. A ja kiedyś spędziłem trochę czasu w Neapolu... – Skrzywił się, jakby było zrozumiałe, że jeśli ktoś mieszkał w Neapolu, choćby krótko, to umie odróżnić wypchany portfel od kabury pod pachą.

Czyli prześladowca nosi broń. To stawia sprawę w innym świetle. To nie jakiś zwykły ogon. Kto ma broń, wie, jak jej użyć.

– Co mu ksiądz powiedział?

– Że spotkaliśmy się kilka razy, ale ciebie nie znam. Nigdy nie odwiedziłem cię w domu. Pytał o twoje mieszkanie, a nie o adres. Chciał wiedzieć, czy przychodzisz do kościoła. Odparłem, że czasami. Rzadko.

– Dobrze. – Nie potrafię ukryć ulgi w głosie.

– Nie skłamałem, mój łapiący motyle wspólniku – odpowiada ojciec Benedetto. – Nie odwiedziłem cię w domu. Nie widziałem go na własne oczy. Rozmawiałem tylko z signorą Prascą. Czasem przychodzisz do kościoła, nawet jeśli tylko popatrzeć. I tak naprawdę się nie znamy. – Uśmiecha się smutno.

Dotykam jego ramienia.

– Dziękuję. Prawdziwy z ciebie przyjaciel, ojcze.

– Jestem księdzem – oznajmia, jakby to nie tylko wyjaśniało wszystko, ale też było zaprzeczeniem.

– Czy jest jakaś droga na dach kościoła? – pytam, sięgając ku drzwiom od zakrystii.

– Nie. Jedyną drogą jest Bóg – odpowiada enigmatycznie. – Nic ci nie grozi.

Wychodzę ze świątyni, zachowując maksymalną ostrożność. Turyści odjechali, a uliczni artyści zrobili sobie przerwę. Pracuje tylko flecista, jego płynna muzyka płynie w gorącym powietrzu. Nikt nie zwraca na niego najmniejszej uwagi. Idę przez rozciągającą się pod kościołem *piazza*. Wrzucam mu monetę do puszki. Na szczęście. Szybko zbiegam po stopniach i na dole oglądam się za siebie. Nikt mnie nie śledzi.

Po powrocie do mieszkania siadam w ciszy i rozmyślam. Prześladowca na razie się do mnie nie zbliżył. Zdaje się, że nikt mnie nie wydał. Visconti zaprowadził faceta donikąd, a pozostali już wiedzą, aby nie puszczać pary z ust. Benedetto wymigał się od przekazania mu informacji, a zarazem od kłamstwa przed swoim Bogiem. Żeby dotrzeć do signory Praski, trzeba znać adres. Zostali tylko Galeazzo i obie dziewczęta.

Co do pierwszego, porozmawiam z nim, coś mu nazmyślam o wierzycielu czy kimś takim. Cokolwiek. Jemu można zaufać. Na pewno. Clarze też. Ale Dindinie? Głowy nie dam, nie po tym, jak została publicznie upokorzona.

Kiedy słońce schodzi coraz niżej, a za oknem zbiera się wieczór, zaciągając nad doliną swoje cieniste zasłony, zastanawiam się, czy nadszedł już czas, aby pomyśleć o kryjówce, i co zrobię, gdyby ktoś mnie wydał.

Droga prowadząca na górę, do zamku – warowni, co sterczy nad doliną jak wyszczerzony, szary i poszarpany koguci grzebień – jest bardzo wyboista. Deszcz wyżłobił w niej głębokie kanały, a na ziemi zalegają kamienie duże jak grejpfruty. Krzaki z obu stron wystają na szosę, dlatego trzeba jechać z zasuniętymi szybami. Dodatkowe utrudnienie to stromość szlaku. Wytyczono go z myślą o powolnych rydwanach i koniach, a nie silnikach wewnętrznego spalania. Rolnicy nigdy tu nie docierali, bo zbocza wzgórza przy zamku są zasłane głazami i rośnie tam licha trawa. Poza tym dwustumetrowy klif, na którym tkwią mury, byłby niebezpieczny dla bydła. Tak daleko wędrują tylko historycy i archeolodzy, a od czasu do czasu miłośnicy wspinaczki.

Na krańcu drogi znajduje się toporny placyk do zawracania. Jadę tam citroënem. Przez dwadzieścia minut silnik rzęzi na pierwszym biegu. Kilka razy muszę skręcić o sto osiemdziesiąt stopni. Wychodzę z samochodu i chcę oprzeć się o maskę, ale jest zbyt gorąca, aby jej dotykać. Na drzwiczkach z prawej widać długą rysę.

Parkuję pod drzewem z bujną koroną, zabieram plecak z tylnego siedzenia i zamykam auto.

Z placyku ścieżka wiedzie przez karłowate krzaki, wiatrem przyciśnięte do ziemi, w stronę kamiennego mostka nad wyschniętą fosą, gdzie motyle tłoczą się przy połaciach żółtych kwiatów. Nie zwracam na nie uwagi. Nie przybyłem tutaj, by je malować. Wejście do zamku, nie szersze od wozu zaprzęgniętego w konie, wciąż jest zamknięte żelazną kratą. Łańcuchy ze stopu stali i tytanu oraz ciężkie kłódki nadal wiszą na swoich miejscach, jak wtedy, gdy ostatnio się zjawiłem – chociaż przy jednym z zamków bez powodzenia majstrowano. Okrywa dziurki od klucza jest wykręcona. Na ziemi leży kilka świeżych, jeszcze niepordzewiałych ostrzy od piły, ale łańcuchy są całe. Pręty rozgięto trochę bardziej.

Ci współcześni najeźdźcy w ogóle nie myślą. Nie przychodzi im do głowy, że trzynastowieczni budowniczy mogli być przebiegli. Brama od frontu to niejedyne wejście.

Potrząsam łańcuchami, jakbym dzwonił do drzwi. Oznajmiam duchom w środku, że nadchodzę.

Nieopodal skraju zamku, zaraz przy urwisku, fosa kończy się na skalistej skarpie, przez którą poprowadzono niski, krótki tunel. Fosy nigdy nie planowano napełniać, a woda, jaka by się w niej zebrała, spłynęłaby po stromym zboczu. Od tego tunelu odchodzi jeszcze jeden, pod kątem prostym, ukryty za głazem pozornie nie do ruszenia. To trasa potajemnej ucieczki w trakcie oblężenia. Korytarz jest wysoki na mniej więcej dwa metry i szeroki na metr, o łukowatym sklepieniu i schodkowatej brukowanej podłodze. Wznosi się serią ostrych zakrętów. Na każdym z nich wyraźnie widać masywne, kamienne zawiasy, na których kiedyś opierały się obronne drzwi. Aby dotrzeć do podziemi zamku, wystarczy tylko dobra latarka, a nie piła czy podnośnik hydrauliczny.

Z żyjących na pewno tylko ja wiem o tym przejściu. Za każdym razem, kiedy z niego korzystam, kładąc gałązkę w poprzek wlotu, kilka metrów w głąb. Nigdy nie została poruszona.

Sprawdzam, czy nikt mnie nie obserwuje, chociaż jeszcze nikogo w tym niebezpiecznym miejscu nie spotkałem. Wchodzę do kanału, włączam kieszonkową latarkę i ruszam przed siebie. Omijam swoją alarmową gałązkę. Stopy stawiam płasko. Nie słychać żadnego echa. Docieram do plątaniny krzaków. Bez trudu odsuwam je na bok.

Zamek wybudowano wzdłuż górskiego grzbietu. Obszar twierdzy liczy jakieś dwa hektary i z pewnością nie jest płaski. Pośrodku, w najwyższym punkcie, da się spojrzeć nad murami – wciąż są solidne, nawet jeśli skruszyły się wokół kilku wyciętych w nich okien. Na skałkach i zboczach wzgórz wewnątrz fortecy stoją budynki. Kiedyś to były stajnie, warsztaty, magazyny. Nad nimi znajdują się kwatery robotników, żołnierzy i służby. Kamienne konstrukcje zmieniły się już w stosy gruzu. Żadna ściana nie sięga wyżej niż na trzy metry. W pustych miejscach przeznaczonych na belki kratownicy i podpory widać resztki ptasich gniazd. Nawet one zdają się opuszczone. Między budynkami biegną wąskie zarośnięte alejki. Spomiędzy ścian wyrastają drzewa. Rozpościerają liściaste baldachimy w miejscu dawnych sklepień – drewnianych lub krytych dachówkami. Niektóre ściany okrywa gruba warstwa pnączy – bluszczu i jakiejś odmiany powojnika. Z naturalnych skał wyrasta kilka fig.

Dalej w górę stoją okazalsze budynki. Tam mieściły się apartamenty pana twierdzy, teraz całkowicie zniszczone, a także mała kaplica, po której został tylko ołtarz, spękany i zniszczony przez pogodę. Zimą wszystko przykrywa śnieg. Latem słońce uderza bezlitośnie jak gorączka w trakcie zarazy.

Najwyżej znajduje się fortyfikacja, też zrujnowana. Ale mur osłonowy jest niski celowo, nie za sprawą zniszczeń dokonanych przez czas. Tutaj w ogóle nie było potrzeby stawiać muru. Wystarczał klif.

Ostrożnie się nachylam, mocno zaciskając palce na giętkiej, ale wytrzymałej łodydze zdrewniałego krzaka. Od mojego podbródka biegnie prosta linia ku wiosce na dole, przytulonej do podstawy klifu. Gdybym rzucił kamieniem, z pewnością łupnąłby w jakiś dach. Na dole widzę rozpościerające się szczyty domów, wyglądają jak zwariowany patchwork albo przypominają posępne pola wschodniej Anglii, tyle że zabarwione na czerwono i oglądane z samolotu. *Piazza* w wiosce to zakurzony prostokąt, na którym rowerami jeżdżą dzieci nie większe od mrówek. Na ulicy, w cieniu, przesuwa się miniaturowe auto. Widzę pojazd, ale nie dociera do mnie żaden dźwięk.

Prostuję się, cofam od krawędzi o krok, dwa. Stąd ogarniam wzrokiem całą dolinę. Daleko, z mojej lewej, jest miasto, przykucnięte na garbie wzgórza jak włoskie Jeruzalem. Dostrzegam nawet kopułę kościoła San Silvestro. Tam, za mgłą, znajdują się też mój tymczasowy dom i socimi.

Budowniczowie tej warowni byli tacy jak ja. Kontrolowali śmierć. W dolinie poniżej, w górach za nią nic nie drgnęło bez ich wiedzy ani zgody, wszystko żyło wyłącznie za ich pozwoleniem. Nieprzyjaciół traktowano po rycersku. Niewolę uznawano za coś niehonorowego, lepsza była śmierć. Zabijali i ginęli szybko, z pomstą bogów zamkniętą w pięściach i zakutą w stal. Tutaj każdy miecz, łuk ze strzałami, każdą włócznię czy kuszę błogosławiono na ołtarzu.

Siedzę na kamieniu na płaskim szczycie. Z rozmachem kładę plecak na ziemię. Wśród twardej trawy i martwych liści szura jaszczurka. Widzę śmigający ogon.

Praktycznie rzecz biorąc, dotarłem do domu. Cokolwiek twierdzę o roli historii, jedno muszę przyznać: stanowię część tego procesu. Chodzi tylko o to, że nie pozwalam, aby wywierała na mnie wpływ. Akceptuję, że jestem winien lojalność i pierwszeństwo ludziom, którzy kiedyś tu mieszkali, duchom błąkającym się wśród tych murów i krzaków. One również są częścią procesu.

Dla nich nie istniało żadne kształtowanie historii i nie pozwalali jej kształtować siebie. Myśleli tylko o bieżącym dniu i konsekwencjach, jakie będzie miało jutro. Co się stało, to się stało. Żyli, aby patrzeć, jak wszystko się rozwija.

Właśnie tym się zajmuję. Obserwowaniem, jak wszystko się rozwija. Za sprawą zmian, za sprawą pewnej damy i jej oka przy lunecie. To przyszłość jest, jak mówi młodzież, „na fali". Ode mnie zależy, kiedy ta fala się pojawi.

U mnie i u tamtej młodej kobiety zaciągnięto wielki dług. Bez nas nic by się nie zmieniło. Nie tak naprawdę. Nie drastycznie. A właśnie radykalna zmiana formuje przyszłość, nie stopniowa, staranna metamorfoza rządu i prawa. Tylko potopy zmuszają, by budować arki. Tylko wybuchy wulkanów tworzą wyspy. Tylko epidemie doprowadzają do odkrycia cudownych lekarstw.

I tylko zabójstwa przekształcają świat.

Uświadamiam sobie to właśnie tutaj, w tym miejscu, wysoko w górach starego świata, gdzie zaczęły się marzenia, gdzie pszczoły robią wśród ruin miód o dymnym posmaku, jaszczurki biegają drobnymi kroczkami, a ptaki kołują nad równinami unoszone na górskich kominach powietrza i prądach termalnych. Ja też mam dług. U człowieka, co przetarł szlak dla włóczni, miecza i broni palnej.

Otwieram plecak. Na skale obok rozkładam skromny piknik. Nie jest to taka uczta jak na alpejskiej łące. Tylko kawał chleba, trochę *pecorino*, jabłko i pół butelki czerwonego wina.

Łamię chleb jak hostię dawno zapomnianego boga, jakiegoś pogańskiego bóstwa. To nie delikatne białe pieczywo z Rzymu czy Londynu, ale miejscowy bochen, brązowy jak wyschnięta ziemia, gruboziarnisty za sprawą nasienia pszenicy lub plewy, co umknęła w trakcie przesiewania mąki. Wgryzam się w ciemne ciasto, z pełnymi ustami, odszarpuję kawałek sera. Trudno to pogryźć, ale warto. Pociągam łyk wina. Też jest miejscowe – nie wyśmienity rocznik od Duilia, ale prosty, cierpki trunek, tylko trochę lepszy od octu. Mieszam smaki w ustach, przełykam.

To właśnie jedli ludzie z zamku. Proste jedzenie dla twardych ludzi, szorstkie wino dla wojowników. Ja tylko podtrzymuję tradycję.

Z pewnością właśnie to robię, ja i dziewczyna. Podtrzymujemy starą tradycję usuwania tych, co mają władzę, aby władza została rozdzielona, przearanżowana, na nowo przyswojona. A kiedy ta władza ulegnie zepsuciu, pozwalamy znowu ją rozdzielić.

Bez takich osób jak ta dziewczyna i bez mojej technologii społeczeństwo pogrążyłoby się w stagnacji. Nie dochodziłoby do zmian innymi metodami niż poprzez gradację polityków i urnę wyborczą. A to bardzo niesatysfakcjonujące środki. Głosowanie, politycy, system – wszystko może zostać skorumpowane. Kula zaś nie. Pozostaje wierna przekonaniom i swojemu celowi. Nigdy go źle nie zinterpretuje. Przemawia z niewzruszonym autorytetem. Urna wyborcza tylko szepcze frazesy albo idzie na kompromis.

Ona i ja jesteśmy wehikułami zmiany, lwami na weldach czasu.

Nie zjadłem całego prowiantu. Po kilku kęsach przerywam i rozkładam jedzenie wprost na ziemi – chleb, obok niego ser. Na spękaną glebę leję wino. Gdy butelka jest już pusta, ciskam ją na skały. Rozbryzguje się w blasku słońca jak chluśnięta woda. Brzęk tłuczonego szkła ledwie słychać w upalnym powietrzu.

Oto moja ofiara, dar dla świątyni śmierci.

Scyzorykiem rozcinam jabłko na ćwiartki. Jest bardzo cierpkie. Po winie jego kwaśność odziera mi zęby ze szkliwa. Kawałki ogryzka rzucam w krzaki. Może za wiele lat będzie się tu zbierać jabłka.

Wąski strumień mrówek odkrył jedzenie. Ich malutkie żuchwy trudzą się przy chlebie. To armia duchów. W każdym owadzie kryje się dusza człowieka z tego zamku. Odnoszą kawałeczki do mrowiska niczym żołnierze składający łupy w skalnych jaskiniach.

Poszedłem do miejsca, skąd mogłem obserwować dolinę, za którą szczyty gór wznoszą się na spotkanie z popołudniowymi chmurami. Teraz, kiedy zmniejszył się kąt padania promieni słonecznych, wioski znalazły się w widmowej mgiełce. Przez dolinę sunie jakaś nitka. To pociąg. Kilka minut po tym, jak odjechał ze stacyjki, słyszę dźwięk gwizdka ostrzegającego o jego przybyciu.

Lasy poniżej linii śniegu mrocznieją. Dzienna, leniwa zieleń przechodzi do ciemniejszego, bardziej ponurego odcienia. Czerniejące drzewa są jak starcy, którzy zbierają się w wioskowych barach po zmroku, aby wspominać i narzekać.

Na drogach trwa ruch. Blask słońca już nie odbija się od przednich szyb. Główne szlaki to teraz linie ruchu. Przypominają konwój mrówek, trudzących się przy mojej ofierze z chleba i sera. Na trasie do wioski wciśniętej pod klifem samochody stoją w korku za pługiem mechanicznym. Pojazd telepie się w wolnym, typowym dla wsi tempie. Mija go furgonetka. Widzę słup brudnego dymu wypompowywany z rury wydechowej prosto w spokój wieczoru. Słońce dotknęło skalistych zboczy wysokich gór. Wy-

284

glądają na stare i poszarzałe, chociaż są młode, wciąż jeszcze rosną, prężą muskuły jak nastolatki, a ludziom żyjącym wśród nich przypominają o ich kruchej omylności.

W krzakach za mną rozlega się hałas. Niezbyt głośny; brzmi jak stłumiony śmiech. Od razu robię się czujny. Kiedy praca jest już ukończona, a klient gotów na ostatnie spotkanie, zawsze pojawia się niebezpieczeństwo zdrady, wystawienia do wiatru. Moi zleceniodawcy nie przynoszą żadnych referencji, papierów, dokumentów tożsamości. Istnieje więc ryzyko, że okażą się kimś innym, niż się zdają. Jakże wiele spraw w moim świecie opiera się na instynktownym zaufaniu.

A teraz jeszcze ten człowiek z cienia.

Zwinnie prześlizguję się do plecaka i z zewnętrznej, zapiętej na pasek kieszeni wyciągam walthera P5. To model używany przez holenderską policję. Naciskam kciukiem bezpiecznik i pochylony idę w stronę ruin, gdzie rośnie kasztan jadalny. Na gałęziach pełno kolczastych kul. Będą dobre zbiory.

Jestem już na skraju swojej ziemskiej ścieżki. Jeśli czeka ich tam setka – a bardziej spodziewam się całej brygady *carabinieri* niż dwóch czy trzech funkcjonariuszy, bo właśnie tak reagują Włosi – to kilku wezmę ze sobą za Styks. Ale jeśli jest ich tylko paru i to nie Włochów, lecz Brytyjczyków albo Amerykanów, Holendrów czy Rosjan, to mam szansę. Oni uczyli się w szkołach i na służbach. Mnie wykształcono na ulicach. A jeżeli zjawił się prześladowca, sprawy przybiorą jeszcze inny obrót.

Nie wierzę jednak, aby właśnie on mnie odnalazł. Nie byłem śledzony, gdy wędrowałem od miasta, przez dolinę, górskimi szlakami. Drogi wiły się i baraszkowały jak węże, a przy każdym zakręcie oglądałem się za siebie. Niczego nie dostrzegłem – żadnego niebieskiego peugeota, nic oprócz mechanicznego pługu.

Nie usłyszałem dotąd żadnych odgłosów wydawanych przez człowieka. Teraz jednak jestem wyraźnie świadomy tego dźwięku. Mruczące, terkoczące świerszcze są hałaśliwe, szuranie jaszczurki przypomina szum ze słuchawek stereofonicznych. Potrafię wskazać każde źródło dźwięku. Najgłośniejszy jest mój puls.

Skradam się bardzo powoli. Przed sobą mam wyszczerbiony mur. Przyglądam mu się, szukając obluzowanych kamieni, gałęzi, które mogą trzasnąć pod stopą, ptaka, co ujawniłby moją pozycję.

Potem słyszę to znowu, stłumiony głos. Ktoś z Włoch. Nie rozróżniam słów, ale rozpoznaję tonację. Brak odpowiedzi. Rozkazy zostały więc wydane.

Jeśli zdołam dotrzeć do tunelu, będę bezpieczny, dopóki nie sprowadzą psów. Patrzę na słońce. Jeżeli zawczasu odpowiednio się nie przygotowali, czmychnę, gdy zrobi się ciemno.

W murze jest dziura. Za nią widzę gałęzie kasztanowca. Postanawiam zaryzykować – powoli sunę do przodu na kolanach jak niezdecydowany pokutnik. Nie widzę żadnego ruchu. Żadnych oliwkowych kurtek, ciemnych uniformów ani błyszczących daszków czapek. Kiedy zbliżam twarz do otworu, dostrzegam większy fragment wnętrza budynku i pień kasztanowca.

Ziemię wokół drzewa porasta krótka trawa. Możliwe, że regularnie strzygą ją owce i podlewa deszcz, bo jest gęsta i zielona. Istna oaza w samym środku kamiennej pustyni.

Znowu rozlega się ten głos. Wydaje mi się, że dobiega tuż zza wyłomu w ścianie. Wystawienie głowy byłoby wręcz ekstremalną głupotą. Na wpół wstaję, spoglądam w lewo i w prawo, aby się upewnić, że nie mam nikogo na flankach. Patrzę w dół.

Para kochanków. Ona leży na zielonym dywanie z trawy i liści, spódnicę ma zadartą do talii, nogi rozłożone. Jest tak blisko mnie, że mogę zerknąć poniżej jej brzucha, ku kędzierzawemu, czarnemu „V". On stoi kilka metrów dalej, zdejmuje spodnie. Zrzuca je na ziemię obok halki i różowych majtek. Chwyta własne majtki i opuszcza je do stóp. Dziewczyna śmieje się cicho. Chłopak się nachyla. Ona obejmuje go w pasie i podciąga mu koszulę.

Są nieświadomi wszystkiego, co dzieje się wokół: drzew z kolczastymi owocami przypominającymi malutkie grzeszki; ptaka, który obwieszcza ich obecność; szurania jaszczurek, terkotania cykad i koników polnych. Gdyby właśnie teraz wrócił z krucjat cały zamkowy garnizon, też by tego nie zauważyli.

Odsuwam się od muru. Nie jestem podglądaczem. Nie tak dostarczam sobie bodźców, nie tym drażnię zmysły.

Czy to nie Leonardo da Vinci stwierdził, całkiem błyskotliwie, że rasa ludzka wymarłaby, gdyby każdy mógł się obejrzeć w trakcie uprawiania seksu? W widoku pieprzących się kochanków jest coś zabawnego. Poruszające się pośladki i ocierające uda nie mają w sobie żadnego uroku. To pospieszna zwierzęca rozkosz, nie piękna, tylko absurdalna. Całe piękno seksu polega na tym, że dopóki akt trwa, zdaje ci się, że kształtujesz świat. Tych dwoje wierzy, że zbliżają się do własnego Armagedonu. Swojego wspaniałego, ostatniego zachodu słońca, prywatnej nirwany.

Oto złudzenie zawarte w seksie. W trakcie stosunku człowiek czuje się niezniszczalny, wszechmocny. Myśli, że ma całkowitą kontrolę nad całym światem. Jednak nikt nie jest w stanie kontrolować świata. Można go tylko zmieniać. Większość ludzi sobie tego nie uświadamia. Szybko zapada w głęboki sen, ukołysana przez polityków i trzymających władzę, przez stróżów prawa i szeregi sędziów, przez gospodarzy teleturniejów, gwiazdy seriali, zwycięzców loterii i rozdawców wiary. Każdej wiary, każdego boga, dolara, funta czy jena, kokainy albo karty kredytowej. Większość tych, co uświadamiają sobie własną zdolność czynienia zmian, nie stara się z niej skorzystać.

Ja nie jestem jednym z tych, co śnią o potędze, czekają na szansę. Moja klientka też nie należy do tego grona. My nie kontrolujemy świata. My go zmieniamy. Nie uczestniczymy w spisku wielkiego snu. Choć zmiana, przyznaję, jest pośrednią formą kontroli.

Odzywają się jeszcze jakieś głosy, z innego miejsca wśród ruin. Kochankowie, którzy już skończyli, całują się i niespiesznie ubierają. Idzie druga para, trzymając się za ręce. Obie pary się znają. Rozmawiają ze sobą beztrosko, chociaż ściszonymi głosami.

Raz jeszcze przesuwam bezpiecznik. Chowam pistolet, szybko podchodzę do plecaka, chwytam go i kieruję się do tunelu. Rzucam okiem w stronę bramy zamku. Widzę, że kraty rozgięto jeszcze bardziej: obok prętów, upchnięty pod krzakiem, leży mały podnośnik hydrauliczny.

Wynurzam się z warowni i staję przy citroënie. Od głównego wejścia nadciąga czwórka romantyków. Ostrożnie przypatrują się samochodowi. Chyba go rozpoznają.

– Dobry wieczór – mówię grzecznie, po angielsku.

Mężczyźni kłaniają mi się, dziewczęta uśmiechają miło.

– *Buon giorno* – odpowiada jeden, a drugi: – *Buona sera*.

Swoje auto zaparkowali tuż obok mojego. To ciemnozielone alfa romeo na miejscowej rejestracji. Sprawdziłem to, przed ich przyjściem: zwyczajny, prywatny samochód.

Uruchamiam silnik i wrzucam bieg. Właśnie wtedy po kręgosłupie wspina mi się okropny strach. Wiem, że zjawił się też człowiek z cienia. Spoglądam w tylne lusterko. Nic. Zerkam na boki. Nic. Tylko kochankowie – stojąc, podziwiają widoki.

Czy prześladowcą może być jeden z tych dwóch mężczyzn? Nie. Chciałbym to wiedzieć na pewno.

Ruszam w dół. Citroën trzęsie. Niewygodna jazda. Za pierwszym zakrętem, przycupnięty pod gęstym krzakiem stoi niebieski peugeot z rzymską rejestracją.

Niech go szlag! Znalazł mnie, tak daleko od utartych ścieżek, tak nieprzygotowanego. Nie doceniłem sukinsyna. A to jest groźne, bardzo groźne.

Hamuję na poboczu, wyciągam walthera i odbezpieczam. Przyjrzyjmy się temu popaprańcowi. Otwieram drzwiczki i wysiadam z bronią w gotowości. Z oddali słyszę śmiech flirtujących par.

Peugeot jest pusty. Ani kierowcy, ani żadnego śladu na siedzeniach. Szybko penetruję wzrokiem krzaki. Tutaj się nie przyczaił. Rozglądam się wokół. Pusto. Czyli wszedł na górę, rozmawia z kochankami.

Przeszywa mnie dreszcz. Sam wybrał odpowiednią chwilę, a ja byłem tego całkowicie nieświadomy. Gdyby nie ci młodzi ludzie, znalazłbym się na jego łasce. Ale mimo ich obecności powinniśmy wreszcie stanąć do konfrontacji. Niech to się już skończy. W ten czy inny sposób.

Wyciągam nóż, zręcznie wycinam wentyle z opon peugeota. Co zatrzyma drania na godzinę albo dwie. Musiał śledzić mnie przez wzgórza. Przez lornetkę oglądał sobie moją drogę z doliny – ale teraz już nie podąży za mną do miasta.

To może być zaskakujące, ale to fakt – człowiek, który wykonuje taki zawód jak ja, odczuwa wyraźną, niemałą dumę ze swojej pracy. Sądziłbyś, że skoro moje dzieło jest zwykle ulotne, korzysta się z niego tylko raz, a potem porzuca na miejscu zdarzenia, wysoko go sobie nie cenię.

A jednak bardzo cenię.

Mam nawet swój znak firmowy.

Wiele lat temu – nie powiem dokładnie kiedy, ale wkrótce po tym, jak rozpocząłem obecną karierę – miałem dostarczyć broń do zabójstwa znaczącego sprzedawcy heroiny. W tamtych dniach, gdy jeszcze musiałem zdobywać reputację, przy pracy spędzałem znacznie więcej czasu niż teraz. Przyznaję, że moje obecne dzieła do pewnego stopnia są jednorazowe tak jak każde nowoczesne auto, sprzęt grający albo pralka. W interesie producenta leży, aby jego wytwór został zaprojektowany tak, by po jakimś czasie się zużyć. Jednak, w przeciwieństwie do producentów samochodów i sprzętu grającego, ja nie robię szmelcu.

Swego czasu pokazano mi blok opium dopiero co przywiezionego ze Złotego Trójkąta. Opakowano go w pergaminowy papier tak starannie, jakby to była świąteczna paczka z Harrodsa. Ostre krawędzie zdawały się zaprasowane żelazkiem. Na tej cegiełce urojeniowej śmierci widniał napis: „999 – Strzesz sie imitancji". To podsunęło mi pewną ideę, której od tamtej pory pozostaję wierny.

Na każdej broni, jaką tworzę albo przerabiam, tam gdzie zwykle umieszcza się numer seryjny lub nazwę producenta, graweruję swoją... cechę. Z tym ewidentnym przejawem próżności wiąże się też aspekt praktyczny: grawerunek powstaje w miejscu, gdzie kwas wypalił numer seryjny.

Dzisiaj technicy kryminalistyczni potrafią odcyfrować zatarty numer, używając promieni rentgenowskich. Robią to tak łatwo, jakby czytali gazetę – ale grawerunek bardzo im utrudnia pracę. Muszę jednak przyznać, że egocentryzm odgrywa w tym większą rolę niż kwestie bezpieczeństwa.

Kiedy Alexander Selkirk, podobno pierwowzór Robinsona Crusoe, zmarł na gorączkę drugiego grudnia 1720 roku, bardzo niewiele przekazał w spadku: strój szamerowany złotem, marynarski kuferek, który miał, gdy w pojedynkę przebywał na wyspie, kubek z łupiny kokosa, jaki sam sobie zrobił i potem oprawił w srebro, oraz muszkiet.

Kiedyś, dawno temu, widziałem tę broń. Dziwaczny oręż, niepasujący do żadnego wzoru. Wyrył na nim swoje nazwisko, wizerunek mewy na skale i rymowankę.

Umieszczając nazwisko na swoim dziele, skazałbym się na stryczek, krzesło elektryczne albo pluton egzekucyjny, w zależności od tego, jaka organizacja albo partia polityczna by mnie odnalazła. Sądzę, że nawet pseudonim byłby ryzykowny: celowo nie obrałem sobie przydomka, takiego jak Szakal, Lis, czy Tygrys. Lepiej, żeby w ogóle nic o mnie nie wiedziano.

Ale na każdej swojej broni pozostawiam właśnie ten wierszyk.

Dzisiaj też zamieszczam go na socimi. Wypalam kwasem. Najpierw wycinam słowa w wosku. To nieskomplikowany proces, zabiera zaledwie kilka minut. Wosk ścieka po metalu, a wersy wyciskam w nim małą stalową pieczęcią, którą wyżłobiłem lata temu.

To łatwe, choć trochę się przy tym brudzę. Zachowuję oryginalną pisownię Selkirka:

> *Szczypt prochu troye*
> *We mnie się nabiye*
> *Olowiu z trzy uncje*
> *Celuy – niechybnie zabiye.*

Popełniałem błędy i częściowe błędy. Przyznaję się. Chociaż czyniłem wszystko, co w mojej mocy, aby uniknąć omyłek, one się zdarzały. Jestem tylko człowiekiem. Od czasu do czasu siadam sobie i kajam się za tamte gafy, za każdą z osobna. W ten sposób staram się uniknąć ich powtórzenia.

Kiedyś zaciął się karabin, przez co kula nie zabiła niewiernego męża, a dosięgła jego kochankę. Kiedy indziej pocisk nie eksplodował. W tamtym przypadku to nie miało żadnego znaczenia – cel dostał w głowę i tak czy siak zginął. Pękła też drewniana osada przerabianego przeze mnie G3. To nie była moja wina. G3 nie osadza się w drewnie, ale właśnie tego zażyczył sobie zleceniodawca. Później z międzynarodowej prasy dowiedziałem się dlaczego. Klient używał broni w bardzo gorącym otoczeniu i bał się, że plastik się wypaczy. Głupia, niepotrzebna obawa, ale jak mus, to mus. Ja robię broń, a nie dyktuję warunki.

Jednak najgorsze błędy nie wiązały się z moim rzemiosłem, ale z własnym życiem, jego przebiegiem.

Dwukrotnie zbyt długo pozostawałem w jakimś miejscu. Najpierw to był Londyn. Wtedy to doprowadziło do śmierci tego idioty wyklepującego blachy. Potem Sztokholm, a winę ponosiłem ja. Polubiłem tamto miasto.

Kłamię. Polubiłem Ingrid. Pozwól, że tak ją będę nazywał. To nie jest jej imię, ale w Skandynawii mieszkają dziesiątki tysięcy Ingrid.

Szwedzi są sterylną rasą, wyzbytą poczucia humoru. Życie to dla nich intensywność, jakiej trzeba doświadczyć, a nie odpoczynek od mozołu wieczności. Nie znają leniwych godzin spędzanych w barze, przechadzek po ulicach spokojnym krokiem i ze śródziemnomorską nonszalancją. Przypominają buldogi – zawsze zwarci i gotowi, rozszczekani i bardzo sprawni.

Dla Szwedów seks jest potrzebą fizjologiczną. Piersi służą przede wszystkim do karmienia noworodków, nogi do chodzenia albo biegania, lędźwie – aby nosić kolejne pokolenia. Tak jak ich klimat i niekończące się iglaste lasy są chłodni, powściągliwi, nieustannie nudni i pretensjonalni nie do zniesienia. Mężczyźni to przystojni nordycy o blond włosach i aroganckim stylu bycia dawnej rasy panów. Kobiety to piękne, jasnowłose, gibkie, giętkie automaty, wyniosłe jak rasowe klacze i skrupulatne niczym księgowi.

Ingrid była tylko w połowie Szwedką. Miała wygląd i ciało skandynawskiej bogini. Jej matka pochodziła ze Skelleftea w prowincji Västerbotten, ze trzy czwarte drogi w górę Zatoki Botnickiej, dwieście kilometrów na południe od kręgu polarnego: trudno znaleźć bardziej zapomniane przez Boga i ludzi miejsce. Jednak ojciec urodził się w Irlandii, w Lissycasey, w hrabstwie Clare, i po nim odziedziczyła nieszwedzką delikatność, rozleniwiony głos i miłe usposobienie.

Zbyt długo przy niej zamarudziłem. To był mój błąd. Nie znosiłem Szwecji i nienawidziłem Sztokholmu, ale Ingrid wynagradzała większość udręki związanej z tamtejszą chłodną atmosferą. Wyprawa za miasto razem z nią zawsze dawała mi rozkosz. Ingrid miała taki szwedzki odpowiednik daczy, dwie godziny samochodem od miasta. Tam czekały nas cudowne atrakcje i weekend pod zwierzęcymi futrami na drewnianej ławie, przed płonącymi kłodami sosny, cudzołożenie mniej więcej co godzinę i picie irlandzkiej whisky prosto z butelki. Oczywiście byłem wtedy młodszy.

Idylla trwała tak długo, jak pracowałem nad swoim zamówieniem. Po oddaniu broni planowałem odpłynąć promem na Gotlandię, potem zmienić ubranie i środek transportu, ruszyć do Ystad, jechać do Trelleborga i złapać nocne połączenie do Travemünde. Tam chciałem wynająć samochód do Hamburga, następnie odlecieć do Londynu i jeszcze dalej.

Ingrid mnie zatrzymała. Wiedziała, że wybieram się w drogę. Powiedziałem jej. Ostatni wspólny weekend pragnęła spędzić w zasypanej śniegiem wiejskiej okolicy. Opuściłem gardę. Uległem. Pojechaliśmy jej saabem sedanem. Na miejsce przybyliśmy późnym wieczorem, w piątek. Gdy nadszedł poniedziałkowy ranek, wciąż jeszcze nie była gotowa, aby wypuścić mnie ku przyszłości. Zgodziłem się zostać do środy.

We wtorkowy wieczór, kiedy powędrowaliśmy kilka kilometrów przez las i dotarliśmy do jeziora skutego lodem na kamień, wyczułem, że ktoś jest między drzewami. Drzewa iglaste są bardzo posępne. Jak żadna inna forma bytu utrzymują pod sobą własną, prywatną noc, głęboką i nieprzeniknioną. Od tamtego wieczoru już rozumiem, dlaczego w skandynawskiej kulturze istnieje cały panteon trolli, goblinów i nadprzyrodzonych szkodników.

Rozejrzałem się. Nie zauważyłem niczego. Gruby pled śniegu okrywał świat i tłumił każdy dźwięk. Nie wiał nawet najlżejszy wietrzyk.

– Czemu się rozglądasz? – zapytała Ingrid ze śpiewnym akcentem z kraju swojego ojca.

– Tak sobie – odparłem, ale nie zdołałem ukryć niepokoju.

Roześmiała się.

– Jesteśmy blisko miasta, w tych lasach nie ma wilków.

Jak dla mnie, dwie godziny samochodem to wcale nie było blisko – ale odpuściłem.

Doszliśmy na brzeg jeziora. Na lodzie zobaczyliśmy niewyraźne zwierzęce ślady. Ingrid oznajmiła, że to tropy zajęcy. Obok nich widniały ślady człowieka. Pewnie myśliwy, uznała. Jednak zając schodził z lodu, a ślady stóp wiodły na lód.

Odwróciłem się. Nikogo, ale jakaś niska gałąź przechyliła się i zsunęła się z niej czapa śniegu. Pchnąłem Ingrid na ziemię. Burknęła coś pozbawiona tchu. Leżąc obok niej, usłyszałem trzask kuli. Równie dobrze mógł to być konar pękający pod ciężarem zimy – ale ja wiedziałem, że wcale tak nie jest.

Wyciągnąłem z kurtki kolta i szybko go od-
bezpieczyłem. To z pewnością myśliwy, ale nie
zjawił się, aby polować na drobną zwierzynę.
Podniosłem się i natychmiast padłem. Wśród
drzew znów rozległ się trzask. Ustaliłem miejsce dzięki smudze niebieskawego dymu, prawie
niewidocznej w zimowym powietrzu. Natarłem
śniegiem wełnianą czapkę, lekko się wychyliłem,
tak aby widzieć cokolwiek sponad śniegu, i trzy
razy strzeliłem w ciemność pod drzewem. Usłyszałem stłumiony jęk, a potem odgłos przesuwa-
nia się czegoś, jakbym trafił w tobogan. Z drzewa spadło jeszcze więcej śniegu.

Czekaliśmy. Ingrid odzyskała oddech, ale
straciła rezon.

– Ty masz broń – wymamrotała. – Skąd
masz broń? Dlaczego w ogóle nosisz broń? Jesteś policjantem? Albo...

Nie odpowiedziałem. Myślała gorączkowo.
Ja też.

Wstałem powoli i ruszyłem w stronę tamtego człowieka. Siedział skulony, opadł na śnież-
ną zaspę. Nieruchome ciało głęboko zatonęło
w białej miękkości. Kopnąłem podeszwę jego
buta. Nie żył. Złapałem go za kołnierz i odwróciłem. Nie poznałem faceta.

– Kto to? – wyrzuciła z siebie Ingrid.

Pogmerałem przy jego guzikach i poszpera-
łem w ubraniu. W kieszeni na piersi znalazłem
wojskową legitymację.

– Człowiek z cienia – odparłem, rozmyślając o trollach i goblinach. Wtedy po raz pierwszy
użyłem tego określenia. Potem zawsze okazywa-
ło się stosowne.

– Nieubrany jak myśliwy? Dlaczego jest sam? Myśliwi zawsze chodzą parami, dla bezpieczeństwa.

„Myśliwi zawsze chodzą parami, dla bezpieczeństwa". Z pewnością miała rację. On mógł nie być sam. Usunąłem zamek z karabinu i wyrzuciłem go daleko między drzewa.

– Biegnij po pomoc – poleciłem. – Dzwoń na policję.

W daczy nie było telefonu. Musiałaby pojechać do wioski, sześć kilometrów dalej – a ja potrzebowałem jej saaba. Ruszyła, potykając się na wydeptanej przez nas ścieżce. Strzeliłem do niej tylko raz, w kark. Szarpnęła się na śniegu, jej krew splamiła białe futro kołnierza. Z oddali wyglądała jak trafiony królik.

W daczy zobaczyłem drugiego mężczyznę. Stał obok czarnego mercedesa-benza sedana. Trzymał pistolet automatyczny, ale nie był w gotowości. Ponura zima i okryte śniegiem drzewa sprawiły, że nie usłyszał wcześniejszych strzałów. Powaliłem go bez trudu kulą w ucho, wyjąłem magazynek z kolta i przeładowałem. Zabrałem z domku swoją torbę podróżną i kilka rzeczy, rozbiłem radionadajnik w samochodzie, a z silnika usunąłem osłonę rozdzielacza, po czym zakopałem głęboko w śniegu, na wypadek gdyby po okolicy kręcili się jeszcze jacyś inni. I odjechałem.

Przyznaję, że w drodze do Sztokholmu płakałem. Nie tylko z żalu, lecz też ze świadomości własnej głupoty. Dobrze zapamiętałem tę lekcję, ale drogo mnie kosztowała.

A teraz chętnie osiadłbym tutaj, we włoskich górach, w małym mieście, gdzie przyjaciele są lojalni, wino dobre, a inna młoda kobieta kocha mnie i pragnie zatrzymać przy sobie.

Jednak grozi mi niebezpieczeństwo. Zjawił się prześladowca. Nie chciałbym, aby Clara poszła w ślady Ingrid i trafiła na krótką, lecz drastyczną listę koniecznych strat.

W Pantano, na wiejskim placu, jest pizzeria la Castellina. Podają tam najlepszą pizzę w dolinie, może w całych Włoszech. Siedzi się na patio z widokiem na ogród pełen krzaków róż i drzewek owocowych. Na stolikach stoją proste oliwne lampki i świeczki w garnuszkach pod ceramicznym spodkiem z perfumowanym olejkiem. To odpędza meszki.

Zwykle przychodzę sam. Na powitanie Paolo, właściciel, zamienia ze mną kilka słów łamaną angielszczyzną. Wskazuje mi stolik w kącie patio. Zwykle zamawiam calzoni alla napoletana i butelkę bardolino. To wino dla mężczyzny.

Dzisiaj przyprowadziłem Clarę. Dindina odeszła, rzucając szkołę i miasto. Nie wiemy, dokąd dokładnie. Na północ. Zainteresowała się młodym mężczyzną z Perugii, który jeździ ferrari 360 modena, a na ręku ma solidny złoty zegarek marki Audemars Piguet. Podarował Dindinie MGB – stare, ale jeszcze całkiem na chodzie. I tak oto opuściła uniwersytet, wyrzekła się swojego związku z burdelem przy via Lampedusa, usunęła się z naszego życia. Clara stwierdziła, że jest zadowolona. Podejrzewam jednak, że tę wesołość przykrywa słodko-gorzka zazdrość. Ja czuję wielką ulgę, bo Dindina znalazła się poza zasięgiem prześladowcy.

Zaparkowałem citroëna obok fontanny. Na ścianie nad nią widnieje przedwojenny, faszystowski slogan, litery są teraz prawie niewidoczne. Mówi coś o wartości, jaką dla duszy ma praca w rolnictwie.

Clara włożyła luźną białą spódnicę i bordową bluzkę z jedwabiu. Włosy związała z tyłu zwykłą białą wstążką. Jej skóra emanuje młodością i zdrowiem. Przy Clarze czuję się staro.

Paolo wita nas w drzwiach. Jest wyraźnie zaskoczony, widząc mnie w towarzystwie dziewczyny sporo młodszej. Sądzi, że to dziwka. Oczywiście, częściowo ma rację, ale ja nigdy tak o Clarze nie myślałem. To, że na pół etatu pracuje w burdelu przy via Lampedusa, nie odgrywa żadnego znaczenia. Uważam ją za młodą kobietę, która lubi moje towarzystwo i na tym etapie życia wybrała sobie starszego mężczyznę.

Siadamy przy swoim stoliku i składam zamówienie. Lampka się pali. Dostajemy talerz z funghi alla toscana i butelkę peligno blanco. Na maleńki palnik ze świeczką trafia spodek aromatycznego olejku. Spoglądam w górę i widzę nietoperze przemykające w niedalekiej ciemności nocy. Łapią owady wabione światłem z ciemnego wszechświata powietrza. Biorę grzyb z talerza, wącham go, potem smakuję świeże oregano.

Mamy środek tygodnia. Tylko jeden stolik jest zajęty. Paolo, domyślny gospodarz, grupę złożoną z trzech mężczyzn i dwóch kobiet sadza na drugim krańcu patio. Wyczuwa, że najlepiej będzie, jeśli podstarzały Anglik i jego czarująca włoska towarzyszka zostaną sami, aby porozmawiać o miłości i dotykać się kolanami pod czerwonym suknem na stole.

Gdy już zjedliśmy *antipasti*, córka Paola przynosi nam główne danie: oboje zamówiliśmy pizza quattro stagioni. Placek został podzielony na ćwiartki: na jednej mozzarella i pomidory, na drugiej smażone pieczarki, na trzeciej szynka parmeńska oraz czarne oliwki, a na ostatniej plastry karczocha. Na pomidorach rozsypano jeszcze więcej oregano, a na pieczarkach świeżo posiekaną bazylię. Trzeba wziąć do tego kolejną butelkę wina.

– Cztery pory roku – mówi Clara.

– Która ćwiartka jest jaką porą?

Przez chwilę dziewczyna patrzy na mnie w milczeniu. Jeszcze nie rozwiązywała podobnej zagadki. Zastanawia się.

– Pomidory to lato. Są jak czerwone, zachodzące słońce. Grzyby to jesień. Martwe liście w lesie. Szynka to zima, kiedy wędzimy surowe mięso. A... – nie zna słowa – ... *carciofo* to wiosna. Młoda roślinka.

– *Brava!* – gratuluję Clarze. – Twoja wyobraźnia jest równie dobra, jak twój angielski. Zapamiętaj: „karczoch" – podsuwam jej nowe słówko.

Nalewam wino do kieliszków i zaczynamy jeść. Gorąca pizza parzy język. Przez kilka minut nie rozmawiamy.

– Claro, powiedz mi... gdybyś nagle stała się bogata, to co byś chciała kupić?

Myśli.

301

– Chodzi ci o to, że taka jak Dindina? – pyta.

W jej słowach wykrywam skazę zazdrości.

– Niekoniecznie. Po prostu jakbyś miała sporo pieniędzy.

– Nie wiem. To się nie wydarzy, więc się nad tym nie zastanawiam.

– Nie marzysz o dostatnim życiu? Kiedy już skończysz uniwersytet?

Unosi wzrok znad talerza. Światło oliwnej lampy pada na jej włosy. Znienacka rozbłyskują jaskrawo niczym elektryczna iskra.

– Marzę – przyznaje.

– O czym?

– O wielu rzeczach. Tak, o pieniądzach. O ładnym apartamencie w Rzymie. O tobie...

Ciekawe, czy dodała mnie, bo wypadało, czy dlatego, że to prawda.

– Jak o mnie marzysz?

Zanim odpowie, pije wino. Kiedy opuszcza kieliszek, ma wilgotne wargi. I wiem, że są chłodne.

– Że żyjemy razem gdzieś za granicą. Może w Ameryce.

No tak. Brytyjczycy zawsze pragną uciec do Australii albo do Nowej Zelandii. Chińczycy do Kanady albo Kalifornii. Holendrzy śnią o Południowej Afryce. Ale Włosi i Irlandczycy marzą o Ameryce. Mają to we krwi, w swojej narodowej duszy. Little Italy, West Side, Chicago... Od kiedy, w złych latach na początku XX wieku, z tych gór odeszli wszyscy mieszkańcy, Ameryka stała się krajem wielkich możliwości, gdzie słońce świeci łagodniej niż we Włoszech, pieniądze nie tracą wartości, a ulice są wybrukowane jeśli nie złotem, to przynajmniej nie kocimi łbami, na których podskakują rowery i szybko luzują się śruby w fiacie.

– Co tam robimy? W Ameryce z marzeń?

– Mieszkamy. Ty malujesz. Ja pływam i uczę dzieci. Czasem. Kiedy indziej piszę książkę.

– Byłabyś pisarką?

– Chciałabym.

– A czy w tym twoim śnie jesteśmy małżeństwem?

– Nie wiem. To bez znaczenia.

Kroję pizzę. Ząbkowany nóż z łatwością przecina grubą skórkę przy krawędzi placka.

Przychodzi mi do głowy, że ta dziewczyna mnie kocha. Nie traktuje mnie tylko jako klienta, z którym bzyka się przy via Lampedusa, źródła dochodu, sposobu na opłacenie czynszu i czesnego.

– Ty jesteś moim jedynym – wyznaje cicho.

Piję wino i przyglądam się jej w przyćmionym świetle lampy. W krzakach róż cykady terkoczą swoje wieczorne nabożeństwo.

– Przychodzę do salonu Marii, ale czekam tylko na ciebie. Maria to rozumie. Nie każe mi pracować z innymi mężczyznami. A teraz Dindina odeszła do swojego chłopaka, tego z Perugii...

Czuję się poruszony jej dziewczęcą szczerością, niewinną deklaracją, że jest wyłącznie dla mnie.

– Od jak dawna?

– Od naszego pierwszego spotkania.

– Ale nie płacę ci dużo – zauważam. – Nie wtedy, gdy dzielisz się z Dindiną. Jak wiążesz koniec z końcem?

303

Clara nie rozumie tego wyrażenia i muszę wyłożyć wszystko w prostych słowach, unikając idiomu.

– Popołudniami opiekuję się dziećmi. Nie codziennie. Piszę na maszynie dla pewnego lekarza. Listy po angielsku. I dla architekta. Wieczorami. Bo trochę znam angielski. Dzięki tobie. Tak dużo mnie nauczyłeś.

Sięga przez stolik i koniuszkami palców dotyka mojej ręki. W oczach dziewczyny pojawiają się łzy, błyszczą w żółtawym świetle lampy. Ujmuję ją za dłoń. Nagle stajemy się kochankami przy spokojnym stoliku w małej pizzerii wśród gór. Nocny wietrzyk delikatnie kołysze drzewem. Szczyty ciemnieją na tle nocnego nieba.

– Claro, nie płacz. Powinniśmy cieszyć się tym, co jest.

– Jeszcze nigdy mnie tu nie zabierałeś. To specjalny wieczór. Wcześniej zawsze chodziliśmy do pizzerii Vesuvio. W mieście. Przy via Roviano. Kocham cię, panie... – Puszcza moją rękę, pochlipuje przez chwilę, przyciska chusteczkę do policzków. – Nie znam twojego imienia – mówi głosem pełnym żalu. – Ani adresu.

– Moje imię... tak... – dumam. – Nie znasz go.

Muszę pozostawać ostrożny. Jedno potknięcie i koniec. Chociaż to bardzo mało prawdopodobne, Clara może jednak nie być po prostu ładną studentką, która pieprzy się, pisze na maszynie i opiekuje dziećmi. Może przekupiono ją, aby mnie wyśledziła, wywabiła ze skorupy.

Słyszałem, że jakiś czas temu *polizia* wtargnęła do burdelu – Milo opowiadał, że podobno wysoki oficer złapał tam rzeżączkę i zrobili nalot z zemsty. Wszystkie zastane dziewczyny wypytano o klientów. Czy jedną z nich była Clara i czy poddała się namowom albo szantażowi, obiecała informacje w zamian za zniszczenie doniesienia o przestępstwie?

Teraz, patrząc na nią w miękkim świetle lampy, gdy jej oczy wciąż błyszczą od powstrzymywanych łez, nie wierzę, aby stała się kapusiem, a szczycę się swoją trafnością oceny ludzkich charakterów.

Nie potrafię się jednak przemóc, żeby wyznać prawdę, chociaż w tej chwili jestem pewien, że mogę tej dziewczynie zaufać. Jej miłość stanowi najlepszą gwarancję. Chciałbym opowiedzieć Clarze o sobie, podzielić się z nią swoją przeszłością – w przeciwieństwie do innych, nigdy nie zaznałem luksusu posiadania bratniej duszy. Ale muszę wziąć pod uwagę fakt, że jeśli pewnego dnia Clara ucieknie z przystojnym, młodym byczkiem w bmw, mój sekret wyjdzie na jaw, a przyszłość rozleci się w drzazgi.

Za tymi wszystkimi wymówkami, które tworzę, aby chronić sam siebie, tchórzliwie stawiać mur, starokawalerską barykadę, jest coś znacznie bardziej istotnego. Jeżeli zdradzę choćby drobinkę prawdy, a prześladowca odnajdzie Clarę, odkryje, że wie coś przydatnego... Nie potrafię znieść tej myśli.

– Może nie chcesz mi powiedzieć, jak się nazywasz albo gdzie mieszkasz, dlatego że masz żonę – prawie szepcze zduszonym głosem.

To nie tyle oskarżenie, ile obawa.

– Nie mam żony. Zapewniam cię, Claro. Nigdy nie byłem żonaty. A co do mojego imienia…

Chcę jej podać jakieś imię, którego by używała. Bo wbrew samemu sobie zakochałem się w Clarze. Nawet boję się określić jak bardzo. Już sama miłość to wystarczające zmartwienie.

– A co do mojego imienia… – powtarzam. – Mów do mnie Edmund. Ale niech to zostanie między nami. Nie chcę, żeby kto inny o tym wiedział. W ogóle nikt. Jestem już stary – tłumaczę. – A starsi ludzie cenią swoją prywatność.

– Edmund.

Wypowiada imię łagodnie, sprawdzając je językiem.

– Może… mniej więcej za tydzień, zaproszę cię do siebie.

Rozpromieniła się. Łzy obeschły, pojawił się ciepły uśmiech. Nie doświadczyłem czegoś takiego od wielu, wielu lat. Podnosi kieliszek. Nalewam jej wina.

– Edmundzie, namalowałeś jakieś nowe motyle? – pyta z uśmiechem, znowu wypróbowując to imię.

Paolo zbiera puste talerze po pizzy. Potajemnie puszcza do mnie oko, nachylając się, aby strzepnąć okruchy z obrusa.

– Tak. Wczoraj. *Vanessa antiopa*. Ma czekoladowo-brązowe skrzydełka z żółtymi obrzeżami, a wzdłuż tych obrzeży jest rząd niebieskich plamek. Namaluję kopię dla swoich klientów w Nowym Jorku, a ty dostaniesz oryginał. Gdy spotkamy się następnym razem.

Paolo wraca. Przynosi, jak uroczyście oznajmia, niespodziankę dla uroczej pary. Clara klaszcze z uciechy, kiedy przed nami zjawiają się dwie wysokie, parujące szklanki. Paolo stawia też kieliszki marsali.

– *Budino al cioccolato!*

Clara nabiera łyżkę budyniu czekoladowego. Idę w jej ślady. Jest delikatny, o bogatym smaku, jednocześnie słodki i cierpki. Gorzka kawa i cukrowy miks żółtek, czekoladek i kremu wzajemnie się uzupełniają.

– Bardzo grzeszne jedzenie – mówi. – Zrobił je diabeł. Dla kochanków.

Uśmiecham się. Widzę, że dziewczyna chce się kochać. Wieczór okazał się dla niej szczęśliwy i cieszę się, że właśnie ja przyniosłem tę radość.

– Dlaczego nigdy się nie ożeniłeś? – pyta nagle, usuwając pył tartej czekolady z ust. Sądzi, że mnie przyłapie, ale jestem za sprytny.

– Nigdy nie byłem aż tak zakochany – odpowiadam.

Jak dobrze jest powiedzieć prawdę.

Amunicja została wsadzona w silikożel i do małych okrągłych puszek po owocowych dropsach. Produkuje je Fassi, wytwórca słodyczy z Turynu, a mogłyby być wyrabiane specjalnie na zamówienie szmuglerów. Każdą da się bez trudu zamknąć na nowo, wystarczy jedynie taśma klejąca. W jednym pojemniku mieści się dwadzieścia pocisków. Silikożel ma zapobiec nie zawilgoceniu, które zresztą nie stanowi problemu, ale grzechotaniu. Pociski eksplodujące układam w puszkach z nadrukiem czerwonych wiśni. Lubię symbolizm. Nie jadam słodyczy. Nie przepadam za cukrowymi łakociami. Wrzuciłem je do ubikacji.

Futerał na broń też łatwo zrobić. Na jeden dzień wyjeżdżam do Rzymu. Muszę tam załatwić kilka spraw, między innymi kupić walizkę Samsonite. Przypominam sobie, że mój klient wspominał o walizeczce na kosmetyki, ale postanawiam z niej zrezygnować. Gdybym niósł ją na miejsce naszego spotkania, wyróżniałbym się. W trakcie umiejętnie przeprowadzonego przesłuchania przypadkowi świadkowie przypomnieliby sobie mężczyznę z damską walizeczką. Walizki Samsonite pasują do obu płci, są tak popularne, że w ogóle nie zwracają uwagi. Kiedyś były symbolem statusu wysoko mierzących biznesmenów, teraz używają ich urzędnicy, sprzedawcy damskiej bielizny i szyb, nawet uczniowie. Idealnie spełniają moje potrzeby. Obudowa z poliwęglanu jest twarda, rączka mocna, a zamek szyfrowy odporny na majstrowanie. Zawias biegnie przez całą długość kufra, wewnętrzne kieszenie składają się na płask, a pokrywę trudno podważyć. Woda nie dostaje się do środka. Odrobina musztardy rozsmarowana na brzegach ogłupi maszyny węszące za materiałami wybuchowymi i kokainą – czyli spaniele.

Nie muszę się martwić aparatami rentgenowskimi, przynajmniej tak zapewniał mnie piękny klient. Chciałbym jednak wszystko zrobić tradycyjnie. Tego wymaga moja zawodowa duma. W sklepie fotograficznym przy piazza della Repubblica proszę o sześć ochronnych torebek na filmy. W pasmanterii kupuję jeszcze kilka opakowań haftek do zapinania staników.

W walizce trzeba zrobić fałszywe dno. To nic trudnego. Chodzi tylko o oszukanie kogoś, kto robi pobieżną inspekcję. Nikt nie przegrzebuje całej walizki. Wykładam dno i boczne ścianki torebkami na filmy, przycinam. Torebki są wzmocnione ołowiem. Potem na sam dół przyklejam odpowiednio ukształtowane kawałki szarej pianki, aby uformować kieszenie, do których będą pasować poszczególne części broni. Nad tym haftkami przypinam fałszywą osłonę z twardego kartonu, a na niej przyklejam papiery – kilka faktur, parę kartek z logotypem, podręczny notes, trochę kopert. Każdy przygodny obserwator, gdy zajrzy pod główną klapę, zobaczy wnętrze wypchane dokumentami. Po wizycie w papierniczym dokonuję ostatnich prac wykończeniowych. W centralnej przegródce umieszczam stalową linijkę, mały zszywacz, nożyczki, miniaturowy dyktafon, bardzo małe radio tranzystorowe, dwa metalowe długopisy i cienkie plastikowe pudełko ze spinaczami. Gdy ołów osłabi promienie rentgenowskie, te przedmioty będą miały zamazane kształty, a umiejscowiłem je tak, by ukryły kontury broni. Nie jest to niezawodne, ale wystarczy. Zawsze lepiej się przygotować.

Ustalenie najlepszego rozmieszczenia zabiera godzinę, ale gdy już mi się to udało, rysuję jego konturowy plan. Oznaczam kolejne przedmioty, tak aby dziewczyna nie musiała sama eksperymentować. Wykonując usługę, przy okazji przekazuję fachową wiedzę.

Wreszcie po raz ostatni składam broń.

Jestem z niej bardziej niż zadowolony. Świetnie wyważona, doskonale leży w rękach. Inskrypcja wyraźna, ale nie nachalna. Przykładam socimi do ramienia. Nie mógłbym go używać – dla mnie trochę za krótki. Kieruję lufę w stronę umywalki i zastanawiam się, w kogo zostanie wycelowana w ciągu najbliższych kilku miesięcy. Kto zginie za sprawą mojego dzieła i klienta wyćwiczonego we władaniu śmiercionośnym narzędziem?

Jak dobrze trzymać broń. To jak uchwycenie przeznaczenia. Właśnie o to chodzi. Broń palna jest machiną ostatecznego przeznaczenia. Bomba może być podłożona w złym miejscu albo nie wybuchnąć, bazooka nie trafić, a na truciznę da się znaleźć antidotum. Karabin i nabój to już coś innego. Proste, chytre, zupełnie niezdradliwe środki rażenia. Po nastawieniu lunety i naciśnięciu spustu nic nie powstrzyma pocisku. Żaden wiatr nie zepchnie go z kursu, żadna dłoń nie zablokuje, żaden antypocisk nie strąci w połowie lotu.

Trzymać socimi to mieć cudowną moc, która krąży w żyłach, oczyszcza arterie z tłustych i ospałych komórek, nastawiać mózg na działanie, pompować adrenalinę.

Wolałbym, aby moja ostatnia broń została całkowicie wykonana przeze mnie, a nie stanowiła tylko adaptację cudzego wyrobu. Chciałbym użyć całej swojej fachowej wiedzy, może nawet być poproszonym o zrobienie pneumatycznego pistoletu na strzałki. Utoczyć lufę, osadzić ją i gwintować, uformować i wykończyć mechanizmy, zaprojektować pociski. To by zabrało sześć miesięcy pracy i ciągłych testów. Kosztowałoby też znacznie więcej.

Ale tamte czasy minęły. Powinienem raczej się cieszyć, że efekt mojego ostatniego zlecenia klient wykorzysta tradycyjnie do strzału z niezbyt dużej odległości, klasyczną, sprawdzoną amunicją wybuchową.

Wyjmuję poszczególne elementy, układam w dopasowanej piance. Metal jest zaledwie odrobinę ciemniejszy od obicia.

Ustalam szyfr zamka na 821, zatrzaskuję walizkę i kręcę małymi mosiężnymi kółeczkami.

Praca skończona. Teraz tylko dostarczyć zamówienie, odebrać zapłatę i odejść na emeryturę.

Na autostradzie panuje duży ruch. Tiry powoli wspinają się na zbocza, ze wzgórz zjeżdżają autokary pełne pasażerów, przyhamowując samochody osobowe. Kierowcy migają światłami jak dziwki bezczelnie mrugające do żeglarzy w barze. Swoim citroënem muszę się trzymać za ciężarówkami, stale dusi mnie czarny dieslowski dym. Wyprzedzam wyłącznie wtedy, gdy mam wolne z pół kilometra pasa albo trasa wiedzie w dół.

Pomimo tej niedogodności jestem w doskonałym nastroju. Wykonałem zlecenie na czas i zgodnie z wytycznymi. Broń działa prawidłowo. Nie zatnie się.

Spoglądam na góry. Autostrada opasuje skalne monolity, rozpościera nad przepaściami na zapierających dech wiaduktach, przebija przez zbocza wąskimi tunelami, gdzie wiszą ogromne wentylatory usuwające spaliny.

To dobre miejsce do życia. Słońce świeci jasno, letnie deszcze są ciepłe, śniegi w zimie nieskazitelnie czyste, góry młode, o ostrych kształtach, piękne. Jesienią zalesione stoki nabierają delikatnych odcieni kasztanowego albo dębowego mahoniu, a wiosną pola soczewicy w wysokich dolinach to patchworki zieleni. Podoba mi się tutaj, wśród niewielkiej gromady towarzyszy.

Pozwalam swoim myślom swobodnie wędrować. Gdybym ożenił się z Clarą, stałbym się im nawet bliższy. Ojciec Benedetto ucieszyłby się, widząc mnie w stałym związku. Galeazzo dzieliłby ze mną szczęście i przypuszczalnie, pod wpływem mojej ewidentnej radości, ponownie by się ożenił. Visconti z innymi radowaliby się, że i ja popadłem w matriarchalne niewolnictwo.

Jednak temu wszystkiemu zagraża człowiek z cienia. Przeklinam go, kiedy zmieniam pas, aby wyprzedzić ciężarówkę. Prześladowca jest łyżką dziegciu w beczce miodu, nie odejdzie z własnej woli, dopóki nie osiągnie celu.

Na dużej stacji benzynowej z kilkoma rzędami dystrybutorów opatrzonych znakami Agip i Q8, znajduje się jeszcze sklep, warsztat samochodowy i kafejka, gdzie sprzedają napoje, kawę, pączki. Zatrzymuję citroëna na niedużym parkingu, przodem do niedozwolonego wyjazdu. Drogę przegradza tam szlaban, ale zauważam, że go podniesiono. Czy zrobiła to mroczna dama, czy ma towarzysza, który jej asystuje przy podobnych sprawach i właśnie przyjechał?

Możliwość pojawienia się drugiej osoby sprawia, że staję się czujny. Sprawdzam stan magazynka i wsuwam walthera do kieszeni marynarki. Wychodząc z citroëna, rozglądam się uważnie. Nigdzie nie widzę niebieskiego peugeota 309. Zabieram walizkę z tylnego siedzenia. Nie zamykam wozu, chociaż udaję, że to robię. W razie potrzeby chcę móc natychmiast odjechać.

W kawiarni siadam przy stoliku nieopodal okna i stawiam walizkę na krześle obok. Na stole przy cukiernicy kładę papierową torebkę. Stąd widzę citroëna i większość parkingu. Przyjechałem o kilka minut za wcześnie, zamawiam espresso. Zanim jednak dostaję kawę, pojawia się klientka. Dzisiaj ma na sobie obcisłą czarną spódnicę, prostą niebieską bluzkę i granatowy żakiet. Wypolerowane pantofle na płaskich obcasach, makijaż nienaganny, ostrzejszy niż poprzednio. Wygląda dokładnie jak kobieta nosząca walizkę Samsonite.

– Witam. Widziałam, jak brał pan to ze sobą z samochodu – mówi cicho niskim, zmysłowym głosem.

– Tu jest wszystko, tak jak się umawialiśmy.

– A papierowa torba?

Podchodzi kelnerka z moją kawą. Klientka zamawia jeszcze jedną dla siebie.

– Słodycze. Dla pani na podróż.

Otwiera torebkę i wyjmuje jedną puszkę. Od razu czuje, że zawartość jest cięższa, niż powinna.

– Niezwykle pan troskliwy. Ktoś się z nich ucieszy.

– Nie skosztuje pani?

– Nie. Są dla kogoś innego, kto podobno jest wielkim łasuchem.

Uśmiecha się do mnie, a ja wypijam łyk kawy. Kelnerka wraca z drugą filiżanką. Płacę za obie.

Kobieta energicznie miesza cukier w smolistym napoju. Śpieszy się. Doskonale wybrane miejsce. Tutaj wszyscy się spieszą.

– Nie znam celu – przyznaje się cicho. – Nie jestem... – szuka stosownego wyrażenia – ... ostatecznym użytkownikiem.

Wywołuje to we mnie rozterkę. Socimi zostało wykonane pod tę kobietę, aby pasowało do jej ramienia, barku, siły. Cały czas zakładałem, że właśnie ona użyje broni.

– Przygotowałem to do pani wymiarów. – Wyrażam się jak krawiec, który właśnie dostarczył nową garsonkę.

– Takie miałam instrukcje – wyjaśnia.

– Jak przypuszczam, przeczytam o całym zdarzeniu w „Timesie" albo „International Herald Tribune", albo w „Il Messaggero".

– Tak sądzę – odpowiada po namyśle.

Wypija kawę, trzyma filiżankę w powietrzu i wygląda przez okno. Od niechcenia podążam za jej wzrokiem, aby upewnić się, że nie daje znaku wspólnikowi. Stawia filiżankę na spodku. Jestem pewien, że nie komunikowała się z nikim.

– Mówią, że to pana ostatnie zlecenie.

Przytakuję.

– A konkretnie kto mówi? – dopytuję się.

Uśmiecha się raz jeszcze.

– Wie pan, świat. Ci, co pana znają... Smutno panu?

To nie wydaje mi się smutne. Po prostu od teraz życie będzie inne.

– Nie – zaprzeczam. Chociaż może trochę jest mi smutno. Że zrzekam się pozycji najlepszego na świecie fachowca w swojej dziedzinie. Że ktoś staje na drodze mojemu pragnieniu pozostania w tych górach. – Niech mi pani powie... – odzywam się po chwili. – Dała mi pani jakiś ogon? Anioła stróża?

Rzuca mi krótkie, baczne spojrzenie.

– Nie widziałam takiej potrzeby. Pańska reputacja...

– Dobrze. Ale ktoś to zrobił. Myślę, że powinna pani o tym wiedzieć.

– Rozumiem. – Zastanawia się kilka sekund. – Jak wygląda?

– Młody mężczyzna. Biały. Szczupły. Mniej więcej pani wzrostu. Brązowe włosy. Bardziej się nie zbliżyłem. Jeździ niebieskim peugeotem 309 na rzymskich rejestracjach.

– To z pewnością pański problem, nie nasz – stwierdza stanowczo. – Ale dziękuję za ostrzeżenie. – Dopija kawę. – Idę tylko do toalety. – Wstaje. – Proszę tu poczekać.

Zabiera walizkę. Przejęła inicjatywę, zdobyła nade mną przewagę, dałem się zaskoczyć, podejść. Gotów jestem uwierzyć, że już ostatecznie nastał czas, aby przejść na emeryturę. Czekam. Nic innego nie mogę zrobić. Wszystko teraz zależy od zaufania i nieufności. Trzymam rękę w kieszeni na waltherze i starannie przyglądam się parkingowi, drzwiom do toalety na drugim końcu kawiarni i pozostałym klientom.

Po kilku minutach kobieta wraca.

– Zbieramy się?

To nie sugestia, lecz polecenie. Muszę wyjść.

– Nie potrzebuje pan spluwy – komentuje, kiedy kroczymy w stronę zaparkowanych samochodów.

Użycie przez nią tego określenia wydaje się niemal komiczne. To wszystkiego wygląda jak scena z telewizyjnego serialu o detektywach.

– Nigdy nie wiadomo.

– Racja, ale nie zauważyłam tu niebieskiego peugeota.

Zatrzymujemy się obok dużego forda. Za kierownicą siedzi mężczyzna. Krótkie jasne włosy, okulary przeciwsłoneczne Ray-Ban, takie jakie nosi amerykańska drogówka. Elektryczny mechanizm z warkotem odsuwa szybę.

– Cześć! – mówi; chyba jest Amerykaninem.

– Witam.

Cały czas zaciskam palce na waltherze. Facet trzyma obie ręce na kierownicy. Zna zwyczaje naszego fachu i ich przestrzega.

– W porządku? – pyta młoda dama.

– Wszystko gra – odpowiada nieznajomy.

Zastanawiam się, czy ona też pochodzi ze Stanów.

Jego prawa ręka wyślizguje się z pola widzenia. Obracam dłoń, napinam kurek. Z tak małej odległości pocisk bez trudu przebije drzwiczki, zsuniętą szybę, tapicerkę i klatkę piersiową gościa.

– Ostatnia rata.

Wręczą mi kopertę. Sądząc po ciężarze – z pieniędzmi.

– Dołożyliśmy jeszcze sześć tysięcy – wyjaśniła kobieta. – Zafunduje pan sobie zegar emeryta.

Ku mojemu zdumieniu pochyla się i szybko, delikatnie całuje mnie w policzek; wargi ma suche. To mogła być jakaś sztuczka, a ja byłem na nią całkowicie nieprzygotowany.

– Zabrał pan już swoją kochankę na tę łąkę?

– Nie.

– Proszę to zrobić.

Nie „proszę tak zrobić”, ale „proszę to zrobić”. Czyli jednak Amerykanka.

W fordzie włącza się silnik. Kobieta siada z przodu i rzuca walizkę na tylne siedzenie.

– Do widzenia! – woła. – Niech pan o siebie dba.

Kierowca podnosi dłoń na pożegnanie.

Samochód cofa się i odjeżdża w stronę autostrady. Zwalniam kurek walthera, idę do citroëna i ruszam pod uniesionym szlabanem na wiejską drogę.

Trasa wije się między winnicami. Zachowuję skupienie, mimo że pragnę się odprężyć. Broni już nie ma, jestem na emeryturze. Chociaż jeszcze nie. Muszę się zająć swoją ostatnią sprawą – prześladowcą. Dopiero kiedy on zniknie, albo przed nim ucieknę, wszystko się skończy.

Dwie godziny później w apartamencie, po okrężnej drodze powrotnej, bardzo ostrożnie otwieram kopertę. Do taśmy klejącej nie przylegają żadne druciki, nie ma żadnych pułapek, jest za to sześć tysięcy dolarów. Ci Amerykanie naprawdę wiedzą, jak wprawić w zakłopotanie.

Kiedy wracam do mieszkania z Banco di Roma przy corso Federico II, zaczepia mnie Galeazzo. Nalega, abym natychmiast poszedł do jego sklepu. Przywiózł nową dostawę z tego tajnego źródła na południu. Książki przyjechały ciężarówką w czterech małych skrzynkach po herbacie, na których przez szablon namalowano napis: „Best Ceylon Tea".

– Skrzynki to własność starszej pani. Pozbyła się już wielu książek. Umiera i pragnie odejść bez balastu.

– To jakaś kolonialna dama – zauważam, przyglądając się opakowaniom po herbacie, owiniętym folią aluminiową.

– Chcę pokazać ci te tutaj. – Galeazzo bierze ze stolika pod oknem jeden z sześciu tomów. – To cię zaciekawi.

Wolumin oprawiony jest w zielone sukno; na skórzanym grzbiecie widnieją złote tłoczenia. Trzymam książkę pod słońce. *Życie Johnsona* Boswella, zredagowane przez Hilla. Otwieram na stronie tytułowej. Wydawca: Oxford University Press, 1887 rok.

– Masz komplet?

– Wszystkie.

Poklepuje stos na stole.

318

– Cenny zbiór.

– Nawet bardzo! Zajrzyj na drugą stronę okładki.

Znów otwieram tom. Na ciemnozielonej wyklejce jest biały ekslibris, odbity ze stalorytu. Po bokach są żonkile. Między nimi odległe wzgórza, zadymione miasto i rzeka – która wije się ku parlamentowi i Big Benowi, widocznym na pierwszym planie. Na zwoju wydrukowano: „Z księgozbioru Davida Lloyd George'a".

Oszałamia mnie arogancja tego starego kobieciarza, politycznego linoskoczka, liberalnego uszczęśliwiacza i flirciarza. Walijski wieśniak, górniczy Dick Whittington cały swój księgozbiór naznaczył symbolem własnej zarozumiałości. Gdy mali ludzie trafiają na trony polityki, puszą się niczym pawie. I są jak pawie: wszystkie barwy tęczy, pióra... i nic więcej.

– Co o tym myślisz? – pyta Galeazzo.

– Że to mistrzowski przykład absurdalności władzy – odpowiadam.

Galeazzo się zmartwił. Liczył, że pochwalę jego znalezisko, ten bibliofilski sukces. Próbuję go pocieszyć.

– Wspaniały nabytek. Znalezienie całego takiego zestawu w południowych Włoszech, w tak doskonałym stanie, oto przykład pracy prawdziwego łowcy książek. Jednak to najbardziej obsceniczna i pornograficzna książka w całym twoim sklepie.

Wiem, że Galeazzo ma prywatną kolekcję włoskiej literatury erotycznej, w większości bogato zilustrowanej. Trzyma ją w sypialni i nigdy nie pokazał mi choćby jednego tomu, więc moje słowa odnoszą pożądany efekt. Spogląda na mnie jak na bufona.

– To literatura! – woła. – Najlepsza!

– Obsceniczność i pornografia to nie tylko opowieści o dwóch dziewczynach i mężczyźnie liżących się po częściach intymnych. W jednym małym zakamarku świata polityki można znaleźć więcej ordynarnego bluźnierstwa niż w dzielnicach czerwonych latarni Neapolu, Amsterdamu i Hamburga razem wziętych.

Postanawia nie wdawać się ze mną w dyskusję. Nalewa kieliszek wina. Trunek jest jasnoczerwony i *frizzante*, musujący. Pociągam łyk. Czuję wytrawny, cierpki posmak.

– Parasini. Z Kalabrii. Dobre, prawda?

– Tak.

Słońce prześwieca przez brudne okienko, a ja ulegam – co dla mnie niezwykłe – wielkiemu pragnieniu, aby w przyszłości jeszcze po wielokroć powtarzać takie popołudnie.

Odnoszę mocne wrażenie, że sprawy mojego życia zmierzają do kulminacji. Cóż, broń dostarczyłem, pieniądze są w banku, całkiem lukratywna kariera dobiegła końca. Może to zostało zapisane w gwiazdach, chociaż nie wierzę w astrologię i nie wyczekuję z niecierpliwością cotygodniowego wydania horoskopu w tabloidzie. Odrzucam astrologię jako irracjonalne brednie.

Oczywiście, chodzi o to, że człowiek z cienia jest już blisko. Wyczuwam go przez cały dzień, a od czasu do czasu spotykam we śnie. Nie widziałem prześladowcy od kilku dni, ale on się czai gdzieś w mieście, jego obecność wywołuje na moim grzbiecie ciarki. Na pewno się zbliża, ulica po ulicy, aleja po alei, bar za barem. Mogę jedynie czekać.

Ojciec Benedetto wyjechał na dłużej, niż się spodziewał. Zostawił u gosposi wiadomość dla mnie. Z Florencji ruszył do Werony, nie wiem na jak długo. Napisał, że jego przykuta do łóżka osiemdziesięcioletnia ciotka umiera i poprosiła o odpuszczenie grzechów. Może umrzeć jutro albo wytrwać jeszcze miesiąc. Według mnie wizyta będzie krótka. Kobieta po osiemdziesiątce, obłożnie chora, z pewnością nie zdoła popełnić więcej grzechów, zanim umrze.

Bardzo mi smutno. Chcę napić się z nim dobrego wina i skosztować jego domowej wędzonej szynki, podzielić się swoimi obawami, dylematami, może poprosić o radę. Latorośl w ogrodzie z pewnością ugina się już pod ciężarem ciemnofioletowych owoców i Benedetto niewątpliwie zaproponowałby mi, abym zjadł ich wiele.

Dręczy mnie okropne i podstępne przeczucie, że nigdy więcej go nie zobaczę. Nie potrafię stwierdzić, co to znaczy. On by już zdołał to odczytać. Nie spodziewam się rychłej śmierci. Jeszcze mam czas, by w panice zwrócić się na nowo ku kościołowi i wydukać długą spowiedź, borykać się z aktem skruchy. Ale na pewno nigdy tego nie zrobię.

Chcę dać mu prezent. Namalowałem akwarelę przedstawiającą jego ogród. Nie jestem szczególnie zadowolony z tego obrazu. Pejzaże mi nie wychodzą. To impresjonistyczny bohomaz o wymiarach zaledwie dwadzieścia na piętnaście centymetrów, ale niezbyt dobrze sobie radzę z przedstawianiem ogółu. Preferuję drobne detale: skrzydełko motyla, gwint lufy. Trudno jednak byłoby przedstawić ten skrawek spokoju.

Rzadko pozwalam sobie na emocje. Kiedy do duszy wkraczają uczucia, rozum czmycha, a od niego zależy moje ocalenie. Ale skłamałbym, twierdząc, że z farbami tego obrazka nie mieszały się łzy.

Nigdy nie znałem się na drewnie. Jedyne, co rzeźbiłem, to łoże broni. Trzy razy musiałem próbować, by dopasować ramę do obrazka. Metal jest o wiele posłuszniejszy, bardziej wyrozumiały. Twardy. I cały czas szepcze, gdy się nad nim pracuje. Każdy zgrzyt pilnika mówi: „spokojnie, spokojnie". Wreszcie rama jest gotowa. Osadzam w niej malunek. Z odległości kilku metrów wygląda nieźle. Ksiądz będzie zadowolony.

Piszę list, który dołączę do tego drobnego upominku. To zupełnie do mnie niepodobne. Nie licząc kontaktów zawodowych, nie prowadzę korespondencji. Czuję jednak potrzebę skomunikowania się z ojcem Benedettem.

Używam włoskiego papieru listowego – taniego, bez żadnych znaków wodnych. Wyrabia się taki w zaułkach Neapolu ze starych gazet i szmat. Nie jest biały, lecz żółtawy, bo nie nasączono go chlorem.

Aby napisać ten list, wchodzę do loggii i siadam przy stole. Słońce pada pod ostrym kątem, więc panoramę nad moją głową spowija głęboki cień. Dolina i góra płyną w gęstym powietrzu środka dnia. Kolumny rzędów topoli w parco della Resistenza dell'8 Settembre drgają, jakby szarpane obłędnym wiatrem, jednak w tę skwarną godzinę brak choćby najlżejszej bryzy.

Siadam zwrócony twarzą do doliny. Zamek na skale jest ledwie widoczny. Spoglądam w tamtym kierunku i myślę o mężczyźnie leżącym na swojej dziewczynie w tamtych ruinach, pod drzewem kasztanowca, z lędźwiami wstydliwie przesłoniętymi fałdami zadartej spódnicy. Zaczynam pisać. To nie będzie długi list. Zaczynam od słów „Drogi Ojcze" i przerywam.

To nie żadna spowiedź.

Jeśli ktoś nie uważa, że zgrzeszył, nie może okazać skruchy. Ja nie zgrzeszyłem. Od czasu ostatniej spowiedzi niczego nie ukradłem. To było wtedy, kiedy zająłem się swoim obecnym zawodem i porzuciłem paserkę. Nie cudzołożyłem – wszystkie romanse miałem z samotnymi, chętnymi damami i nawet jeśli uprawiałem seks pozamałżeński, nie uważam się z tego powodu za grzesznika. Żyjemy pod koniec XX wieku. Starannie unikałem wzywania nadaremno imienia chrześcijańskiego Boga. Szanuję cudze religie; w końcu pracowałem dla sprawy kilku z nich – islamu, chrześcijaństwa, komunizmu. Nie zamierzam wyśmiewać wiary innego człowieka. Z czegoś takiego nie wynika nic prócz kontrowersji i wątpliwej satysfakcji z obelgi.

Przyznaję, kłamałem. A dokładniej, mówiłem nieprawdę. Oszczędnie gospodaruję prawdą, zgodnie z najlepszymi tradycjami tych, którzy nami rządzą. Moje kłamstwa nigdy nie wyrządziły krzywdy, zawsze chroniły mnie bez szkody dla innych i dlatego nie są grzechami. A jeśli jednak są i istnieje jakiś Bóg, przygotuję się do osobistego wyjaśnienia swojej sprawy, kiedy się spotkamy. Zabiorę sobie dobrą książkę do czytania – *Wojnę i pokój*, *Przeminęło z wiatrem* albo *Doktora Żywago* – bo kolejka grzeszników z tej kategorii na pewno okaże się bardzo długa. A znając arogancję Kościoła katolickiego, na jej czele będą stać kardynałowie, biskupi, nuncjusze papiescy, a nawet sporo papieży.

Myślisz sobie: co w takim razie z morderstwami? Nie popełniłem żadnych morderstw. To były zabójstwa na zlecenie i nie ja ich dokonywałem. Ale co z Ingrid i Skandynawami? Co z mechanikiem i jego przyjaciółką? Co z nimi? To nie morderstwa, lecz konieczne, doraźne działania. Nie zabiłem ich, podobnie jak terier nie zabija szczura.

Nigdy nie wysadziłem w powietrze odrzutowca pełnego niewinnych pasażerów. Nie molestowałem dzieci, nie uwodziłem młodych chłopców, nie gwałciłem kobiet, nie dusiłem i nie paliłem włóczęgów. Nie sprzedałem nawet grama kokainy, heroiny, cracku, dopalaczy ani otumaniaczy. Nie manipulowałem przy ani jednej emisji akcji, nie brałem udziału w żadnym handlu papierami wartościowymi w oparciu o nielegalnie zdobyte informacje – ani na giełdzie paryskiej, ani na innej: nigdy nie wpływałem na indeksy FT i Nikkei. W każdym razie nie dla własnej korzyści. Muszę przyznać, że dwa z moich zabójstw na zlecenie spowodowały wahania rynku, ale to dlatego, że śmierć celów została mylnie zinterpretowana przez akcjonariuszy, którzy nie mieli ochoty tracić nawet dolara przed państwowym pogrzebem. Nikt przeze mnie nie stracił pracy – nie licząc kilku ochroniarzy, którzy i tak szybko znaleźli nową posadę.

Zabójstwo na zlecenie nie jest morderstwem. Rzeźnik nie morduje jagnięcia: on je zabija na mięso. To część procesu życia i umierania. Jestem tylko trybikiem tego cyklu jak weterynarz, który wychodzi z gabinetu uzbrojony w igłę i strzykawkę albo pistolet rzeźniczy. Zabija konia, który złamał nogę, usypia psa umierającego w bólu i poniżeniu.

Sędzia sądu najwyższego mimo swojego wyszukanego stroju niczym się ode mnie nie różni. Zapewniam, żaden sąd nie rozważa zabójstwa na zlecenie. To przecież strata czasu i pieniędzy – choć nie dla establishmentu i prawników, budowniczych więzień i sądów – wytaczać proces człowiekowi ewidentnie winnemu zbrodni. Żaden zamachowiec nie bierze zaś na cel kogoś absolutnie niewinnego. Prezydent z niezliczonymi kontami bankowymi w Zurychu, producent narkotyków z luksusową hacjendą w dżungli, biskup w pałacu nieopodal slumsów, premier odpowiedzialny za nieszczęścia i ubóstwo tysięcy ludzi. On albo ona. Proces byłby zbędną formalnością. Ich zbrodnie widzą wszyscy. Zabójca tylko wymierza sprawiedliwość.

Nie mam się więc z czego spowiadać i mój list nie jest spowiedzią.

Promienie słońca zaczęły dotykać rogu papieru. Przesuwam stolik w cień i zaczynam pisać.

Drogi Ojcze B.

Piszę do Ciebie krótki list, który dołączam do tego podarunku. Mam nadzieję, że przypomni Ci on nasze miłe leniuchowanie w słoneczne godziny.

Obawiam się, że wkrótce będę musiał opuścić miasto. Nie wiem, na jak długo. A zatem przez jakiś czas nie będziemy się spotykać, aby – niczym starsi panowie, którymi zresztą jesteśmy – dyskutować sobie przy butelce armaniaku i brzoskwiniach miękko spadających z drzewa.

Przerywam i czytam swoje słowa. Między linijkami dostrzegam własne pragnienie, aby zostać, wrócić.

Przez ten czas, jaki spędziłem w Twoim mieście, czułem taki błogostan, może i wewnętrzną radość, jakich nigdzie indziej nie doświadczyłem. Tam, dokąd pójdę, postaram się zabrać ze sobą esencję tych doznań. Tutaj, w górach, panuje szczególny spokój, który pokochałem. Jednak pomimo umiłowania naszych rozmów i życia w samym środku tego gwarnego, małego miasta, z natury jestem samotnikiem, skrytym i ascetycznym. To może Cię zaskoczyć. Zrozumiem.

Kiedy już odejdę, błagam, nie szukaj mnie. Nie módl się za mnie. Roztrwonisz tylko swój cenny czas. Dam sobie radę bez boskiej interwencji, mam nadzieję.

Znasz tylko mój przydomek. Ale teraz… Tak naprawdę nigdy nie interesowałem się entomo-

326

*logią, więc daję Ci imię, abym pod nim poja-
wiał się w Twoich myślach.*

Twój przyjaciel, Edmund"

Zamykam list w taniej kopercie i przyklejam
przylepcem do drewnianej płyty z tyłu ramy. Całość pakuję w mocne kartonowe pudełko, owijam
brązowym papierem i zawiązuję szpagatem. Gdy
ksiądz wróci, signora Prasca mu to zaniesie.

Było wczesne popołudnie, słońce stało wysoko i nie oświetlało pokoju. Clara przeciągała
się w pościeli. Nasze ubrania leżały splątane na
jednym z krzeseł. Kieliszki wina na nocnym stoliku zawilgotniały od rosy. Okno zostawiliśmy
otwarte na oścież. Clarze to nie przeszkadzało –
w kwestii seksu cechowała ją spora śmiałość.
Mnie jednak niepokoiło. Prześladowca mógł odkryć ten budynek i dostać się do kamienicy naprzeciwko – choć z okna nie widać łóżka.

Upiłem łyk wina. Po miłosnych igraszkach
zdawało się bardziej wytrawne.

– Edmundzie, zostaniesz na całe popołudnie?

Minęła chwila, zanim zdołałem odpowie-
dzieć. Poraziło mnie to imię, dopiero potem sobie przypomniałem.

– Tak, nie mam nic do zrobienia.
– A wieczorem?
– Będę zajęty.

– Artyści powinni pracować za dnia. Chyba trudno malować przy sztucznym świetle.

– W zasadzie tak. Ale z miniaturami jest inaczej. Zazwyczaj używam szkła powiększającego.

– Szkła po-więk-sza-ją-ce-go – mówiła, wypróbowując słowo. – Co to?

– Coś jak…

Nie potrafiłem wyjaśnić. To tak podstawowy przedmiot, że nie sposób opisać go innymi słowami. I nie mogłem oprzeć się myślom o tym, jak cudownie rozmawiać o takich bzdurkach w łóżku z Clarą, w samym środku upalnego, włoskiego dnia.

– Dzięki temu rzeczy wydają się większe. Pod soczewką.

– Aha! – Zaśmiała się. – *Lented'ingradimento*.

Potem zamilkliśmy. Clara przymknęła powieki. Odbity blask słońca łagodził każdą krzywiznę jej ciała. Włosy miała zmierzwione na poduszce, a czoło wilgotne od chłodzącego potu.

– Zostaniesz? – zapytała nagle, szeroko otwierając oczy.

– Powiedziałem, że tak.

– Na zawsze.

– Chciałbym.

– Ale ty…

– Od czasu do czasu muszę wyjeżdżać. Sprzedawać swoje prace. Zbierać zlecenia.

– Będziesz wracał? Za każdym razem?

– Tak. Zawsze.

Nie mogłem powiedzieć niczego innego.

– To dobrze – mruknęła i znów zamknęła oczy. – Nie chcę, żebyś się zgubił. Nigdy.

Dotknęła mojego uda. Nie seksualnie, lecz czule. Zbyt kochała, była zbyt niewinna, naiwnie przebiegła, aby wywierać presję. Wiedziała jednak, podobnie jak ja, że w ten sposób próbuje mnie nakłonić, abym został w tych górach, w tym mieście, w jej życiu. Uroczy podstęp się nie udał. Myliła się, bo ja już byłem i jestem zagubiony. I – jak sądzę – to się nie zmieni.

Dziś wieczór staję się myśliwym. Jagnię uniknęło rzezi i włożyło wilczą skórę. Wyszedłem z kryjówki. Zrobiłem kilka rzeczy, aby zmylić człowieka z cienia, a może nawet schwytać.

Po pierwsze, zaprowadziłem samochód do garażu Alfonsa, na regulację. Zajmie się tym, gdy tylko przyjdzie rano, ale go przekonam, że jakiś czas mnie nie będzie, więc zgodzi się przetrzymać auto przez noc. To sprawi, że prześladowca pozostanie na zewnątrz, szukając citroëna.

Po drugie, na jakiś czas przysiadłem w jednym z barów przy corso Federico II i na widoku czytałem gazetę. Dwa razy wyczułem obecność tropiciela, ale się nie przypałętał.

Po trzecie, przespacerowałem się wzdłuż sklepowych wystaw. Od czasu do czasu mnie śledził. Postarałem się, aby odniósł wrażenie, że ma nade mną przewagę. Rozglądałem się trochę ostentacyjnie, jednak nigdy nie patrzyłem w jego stronę.

Odkryłem też niebieskiego peugeota. Stał sprytnie zaparkowany za kontenerami na śmieci, przy ulicy osiedla mieszkaniowego na obrzeżach miasta. Miał dwie nowe opony. Jestem pewien, że człowiek z cienia nie wie, iż odkryłem miejsce postoju jego pojazdu.

Nic prostszego niż podłożyć bombę i podłączyć do światła cofania. Ale ja chcę zobaczyć tego człowieka, dowiedzieć się, czego chce. Dlatego na niego poluję.

Teraz je kolację w restauracji przy uliczce odchodzącej od via Roviano. Siedzi tam już prawie godzinę i spodziewam się, że wkrótce znowu pojawi się pod otwartym niebem. Samotny posiłek zawsze trwa znacznie krócej niż biesiada w towarzystwie, ale w tej restauracji obsługa jest dosyć powolna.

Teraz ja kryję się w cieniu, u wylotu alejki tak wąskiej, że nie zmieściłby się w niej nawet rowerzysta. Wieczór nie jest chłodny, mimo to mam na sobie ciemnobrązowy garnitur. Mógłbym uchodzić za biznesmena, który poszedł na dziwki, gdyby nie fakt, że włożyłem wysoko sznurowane buty do joggingu, a nie skórzane pantofle. Są nowe – kupiłem je dzisiaj po południu, kiedy zaglądałem w sklepowe wystawy. Granatowo-białe paski zapastowałem na czarno.

Nikt nie zwraca na mnie uwagi. Ludzie tacy jak ja kryją się w cieniu. Po zaułkach kręcą się narkomani i dilerzy.

Wyszedł z restauracji i rozgląda się po ulicy. Zadowolony rusza w stronę via Roviano. Podążam jego tropem.

Podchody to męski sport. Wymaga cierpliwości, zręczności, wyczucia, naprężenia ciała i umysłu, podjęcia pewnego ryzyka. Lubię to. Może powinienem zostać tym, kto używa broni, a nie tworzącym ją artystą.

Prześladowca zmierza w stronę ulicy, przy której do niedawna stał citroën. Jest tak pewny siebie, że nie wysila zmysłów, aby mnie odkryć. Sądzi, że zastanie mnie tam, gdzie chce, ostrożnego jak królik z dala od nory.

Znika za rogiem i nagle nieruchomieje. Zamiast citroëna zobaczył fiata uno. Rozgląda się, nie po to, aby sprawdzić, czy jestem w pobliżu, ale czy samochód nie znalazł się gdzieś indziej.

Przez chwilę się zastanawia. Potem oddala szybkim krokiem, ze mną na ogonie.

Obchodzi wszystkie uliczki, przy których do tej pory parkowałem. Na próżno. W barze zamawia kawę. Pije przy kontuarze. Płaci i wychodzi. Skręca w lewo. Nie spuszczam go z oczu.

A niech to cholera, idzie prosto w stronę garażu Alfonsa. Musiał się domyślić. No jasne. Zatrzymuje się pod garażem i rozgląda. Nie widzi citroëna. Kuca, aby zerknąć przez zawiasy starej stalowej bramy. W środku pali się światło, aby zwieść włamywaczy. Przez chwilę nie widać jego twarzy. Wstaje. Wyczuwam, że pojawił się na niej uśmiech złośliwej satysfakcji.

Na ulicy jest pusto. Zbliża się jedenasta i mieszkańcy miasta kładą się do łóżek. Z okna powyżej rozlegają się odgłosy z telewizji. To jakiś romantyczny film, skrzypce zawodzą ze smutkiem. Skądś na dole płyną ciche dźwięki jazzu.

Prześladowca tkwi pod latarnią, która zwisa z bardzo starego wspornika na ścianie kamienicy. Zastanawia się nad następnym krokiem albo stara określić moje kolejne posunięcie.

Wkrótce się dowie. Już czas.

Wyjmuję walthera z kieszeni i trzymając go za plecami, odciągam kurek. Ciche kliknięcie. Facet tego nie słyszy. Ja bym na jego miejscu usłyszał. Nie jest więc ekspertem.

Wynurzyłem się z cienia i szybko ruszam w stronę nieznajomego. Prawe ramię zwisa mi u boku, jakby pistolet ciążył w ręce. Wcale tak nie jest. Ledwie go czuję. To przedłużenie mojego ciała – szósty, zabójczy palec.

W butach do joggingu poruszam się bezszelestnie. Mam do przebycia około pięćdziesięciu metrów. Mężczyzna wpatruje się w bramę garażu, jakby mógł ją skłonić, żeby się otworzyła.

Unoszę prawą rękę. Celuję w niego. Trzydzieści metrów. Palec opiera się na spuście. Dwadzieścia metrów.

Za mną w uliczkę skręca jakiś samochód. Wciskam walthera do kieszeni. Prześladowca ogląda się w moją stronę, niemal od niechcenia. Dostrzega zarys sylwetki w świetle reflektorów. Przez króciutką chwilę widzę jego oczy, szeroko otwarte i zaszokowane. Potem zniknął. Nie wiem, gdzie się podział. Po drugiej stronie warsztatu Alfonsa nie ma żadnej alejki, bramy, w pobliżu nie parkuje żaden samochód. Reflektory auta oświetlają całą okolicę niczym plan filmowy. Wszędzie pusto.

Niewidzialny człowiek jest jeszcze gorszy od człowieka w cieniu. Zawracam, cicho przebiegam kilka ulic. Po drodze klnę jego, kierowcę auta, samego siebie. Każde przekleństwo mamroczę, wypuszczając oddech.

Dzisiaj w barze Conca d'Oro są stali bywalcy, siedzą w środku. Stoliki zewnętrzne ściśnięto na chodniku. Kierowcy fiatów i skuterów pokonali właściciela baru, wypędzili go spod drzew. Stoję i patrzę.

Przy jednym ze stolików widzę grupę angielskich turystów. Ojciec rodziny to dumny posiadacz nowiutkiej kamery wideo: na ziemi stoi aluminiowy pojemnik z parcianą granatową taśmą. Mężczyzna postawił but na taśmie. Jeśli chwyci za nią jakiś ulicznik, Anglik od razu zareaguje. Jest przecież za granicą, gdzie ulice aż roją się od drobnych przestępców, i już zapomniał o włamywaczach ze swojego rodzinnego miasta.

Leniwie rozważam możliwość ukrycia broni automatycznej w kamerze. To do zrobienia. Wymiary są odpowiednie. W małym, wystającym mikrofonie bez trudu da się zamontować lufę, samą kamerę można wykorzystać jako lunetę. Gdyby udało się wszystko całkowicie wyciszyć, stałaby się doskonałym narzędziem dla zabójcy. Operator nie tylko zdołałby strzelić, ale też nakręcić całą akcję, by odtworzyć ją w przyszłości – jak sportowiec, który ogląda nagrania swoich występów, aby je ocenić, poddać krytyce i poprawić. Dopiero po chwili uświadomiłem sobie, że to już nie mój problem.

Żałuję, że nie miałem czeladnika. Tyle mógłbym go nauczyć. Jego albo ją. Wraz z moim odejściem na emeryturę odchodzi też pewna część ludowego rzemiosła.

Żona turysty jest zgrzana i podenerwowana. Bluzka klei jej się do pleców. Przez cały dzień chodziła za mężem filmującym ten kościół i tamten targ, tę ulicę i tamten widok. Za nią szło dwoje dzieci, mniej więcej dwunastoletni chłopiec i kilka lat młodsza dziewczynka. Oboje mają już dosyć. Każde dostało lody. Pożerają je łapczywie, chociaż nadal są znudzeni. Nie byli nad morzem, tylko w muzeum, żeby obejrzeć szkielet ichtiozaura, i w parco della Resistenza dell'8 Settembre, aby podziwiać panoramę doliny. Spierali się: jak to możliwe, że morskiego dinozaura znaleziono aż w połowie góry? Przez minutę albo dwie przyglądam się tej grupce dość ostrożnie, bo jeśli człowiek z cienia wezwał wsparcie, oni mogą okazać się jego wspólnikami. Przypomniałem sobie lekcję pobraną w Waszyngtonie, u pary z fałszywą córką. Jednak moje obserwacje wkrótce potwierdzają, że to prawdziwa rodzina: za bardzo są opaleni, zbyt zaaferowani, wytrąceni z równowagi, aby być udawanymi turystami.

Opuszczam Anglików i wchodzę do sanktuarium baru. W porównaniu z atmosferą na zewnątrz tu nawet syk maszyny do parzenia kawy wydaje się chłodny. Z radia nie grzmi kosmopolityczna muzyka rockowa, lecz włoska opera. Jest równie kakofoniczna i nieskomplikowana. Na półkach w ciasnych rzędach stoją nieznane trunki w butelkach pocętkowanych przez paskudzące muchy. Flaszki wyglądają tak, jakby zatrzymały się oniemiałe za sprawą zgiełku piszczących głosów. Zapas małych drewnianych koralików z maszyny do gry jest już trochę uszczuplony, ale zdaje się, że w obrotowym pojemniku z pleksiglasu wciąż znajduje się tyle samo zegarków.

– *Ciao! Come stai?* – witają mnie znajomi. Wszyscy poza Milem, który wpatruje się w jaskrawe promienie, które przechodzą przez plastikową kurtynę w drzwiach.

– *Bene! Va bene!*

Odpowiedziałbym tak, nawet gdybym był chory i u progu śmierci. Życie jest dobre. Choroba minie, a zatem wszystko w porządku.

Visconti głową wskazuje okno. Turyści niemal się jarzą od palącego słońca. Przypominają filmowych kosmitów, teleportowanych na pokład swojego statku.

– *Inglesi!* – mówi z lekką wzgardą, stukając się w czoło palcem wskazującym. Nie myśli o mnie jako o Angliku. – Signor Farfalla? – Kiwa na mnie tym samym palcem. To nie znaczy, żebym się zbliżył, ale żebym się skupił. – Jedna godzina, zobaczysz, i z kamery... puff! – Naśladuje odgłos pękania. Tak samo brzmi socimi wypuszczające pocisk.

– Za gorąco?

Visconti krzywi się i przytakuje ze znawstwem.

– *Giapponese*. Nie za dobra. Aparaty... tak! Ale nie wideo...

Znowu się krzywi, podnosi dłoń kilka centymetrów nad stołem. W górach taki grymas jest gorszy od głośnej krytyki.

Milo nic mówi. Pytam, czy ma jakiś problem. Odpowiada Giuseppe. Kilka nocy temu narkomani włamali się do stoiska Mila na piazza de Duomo. Szukali zegarków. Chcieli je ukraść, a potem sprzedać turystom, by mieć za co kultywować swoje nałogi. Niczego nie znaleźli: Milo co wieczór w walizce zabiera do domu cały towar. Rozzłoszczeni niepowodzeniem rozbili stoisko w drzazgi. Mechanicy Alfonsa zrobią mu nowe, ze stalowych arkuszy i kątowników, ale dopiero za dwa tygodnie. Tymczasem Milo musi rozstawiać się pod parasolem. Wygląda więc bardziej jak dorywczy sprzedawca zegarków, a nie doświadczony zegarmistrz. Spadły mu obroty.

Przekazuję swoje wyrazy współczucia i Milo się rozpromienia na ten dowód przyjaźni. Twierdzi, że zależy mu tylko na odrobinie szacunku. *Polizia* niczego nie wskóra. Wzrusza ramionami i po cichu mówi, co sądzi na temat miejskich stróżów prawa.

Plastikowa kurtyna rozdziela się, do baru wchodzi żona angielskiego turysty. Prowadzi córkę.

– *Scusi* – mówi.

Podnosimy wzrok. Armando obraca się na krześle. Nasza jednoczesna reakcja wprawia kobietę w zakłopotanie.

– *Il... il gabinetto, per favore? Per una signora piccolo.*

Podnosi rękę córki, jakby wystawiała dziewczynkę na aukcji.

– Za drzwiami przy końcu kontuaru – wyjaśniam.

Kobieta wpatruje się we mnie. Nie sądziła, że jestem Anglikiem.

– Dziękuję – odpowiada skonsternowana. – Dziękuję bardzo.

Gerardo przesuwa się, aby przepuścić obie damy. Mała uśmiecha się pięknie, co całkiem rozbraja Giuseppego.

Visconti jako fotograf jest bardzo spostrzegawczy.

– Ona myśli, że jesteś Włochem – zauważa.

– *Si!* Ja jestem Włochem!

Wszyscy śmieją się z mojego wyznania. Signor Farfalla Włochem? Śmieszne! Kiedy jednak im się przyglądam, widzę, że mamy podobne ubrania, siedzę tak jak oni – albo przygarbiony nad espresso, albo luksusowo rozparty na niewygodnym metalowym krześle. W trakcie rozmowy też mocno gestykuluję.

Zachowuję się tak od lat, niczym kameleon wtapiam się w tło. Nawet jeśli dobrze nie znam języka, potrafię dopasować się do tego stopnia, by przypadkowy obserwator nie dostrzegł różnicy.

Kobieta wraca z toalety i uśmiecha się do mnie.

– Dziękuję. To było bardzo miłe z pana strony. My nie mówimy po włosku. Przyjechaliśmy na wakacje – dodaje nieśmiało i całkiem niepotrzebnie.

– Ależ proszę bardzo – wychwytuję w swoim głosie delikatny akcent, który mnie od niej odróżnia.

– Mieszka pan tutaj?

Kobieta chętnie nawiązuje rozmowę z bratnią duszą. Czuje się zagubiona w barze pełnym

Włochów. Jest takim archetypem cudzoziemca, co chwyta się każdej możliwości przyjacielskiego kontaktu jak tonący kawałka dryfującego drewna.

– Tak. W mieście.

Jej córka przygląda się maszynie z zegarkami. Giuseppe podchodzi do baru i staje obok dziecka.

– Ty? – Wskazuje na maszynę, potem na małą Angielkę.

– *Si* – odpowiada dziewczynka i pyta uprzejmie: – Mamusiu, dasz mi pieniążka?

Giuseppe macha ręką i wrzuca do otworu jedno euro. Gestem instruuje dziecko, aby przekręciło gałkę. Kilkulatka robi to obiema dłońmi, bo gałka chodzi ciężko. Słychać metaliczne kliknięcie, jak wtedy gdy rygiel zamka wchodzi na swoje miejsce. Do kubka spada drewniany koralik.

– Zobacz, co wygrałam – cieszy się dziewczynka, sądząc, że to właśnie nagroda.

– Teraz musisz z dziurki w koraliku wyciągnąć papierek – tłumaczę. – Obok kubka jest mały szpikulec.

Dziecko robi to, co mówię. Giuseppe bierze karteczkę, rozwija, sprawdza flagę na spisie obok pleksiglasowego pojemnika. Dziewczynce należy się elektroniczny zegarek. Wręcza go właściciel baru.

– Patrz! Patrz! Dostałam zegarek! – Bardzo uroczyście odwraca się do Giuseppego, który uśmiecha się szeroko, jakby sam zdobył tę bezużyteczną rzecz. – *Multo grazie, signore* – mówi do niego dziewczynka.

– *Brava!* – woła Giuseppe, rozpościera ramiona pełen czystej radości.

Matka, która przez cały czas się nie odzywała, mówi:

– To było bardzo miłe z jego strony. Mógłby mu pan to powiedzieć?

– Myślę, że on wie.

– Oddam pieniądze. Za maszynę.

– Chyba nie trzeba. Pewnie znalazł tę monetę. Zamiata ulice na rynku.

Obserwuję Angielkę. Znowu jest zmieszana. W jej bezpiecznym i schludnym życiu nie spotyka się zamiataczy ulic.

– Przepraszam, a gdzie jest kościół San Silvestro? – pyta jeszcze.

Tłumaczę jej i wychodzi, znów uśmiechając się do Giuseppego. Dla niego to całe wydarzenie jest zarówno wzruszające, jak i zabawne. Kiedy zbieram się do wyjścia, wciąż się śmieje.

– *Arrivederci! Arrivederci a presto!*

To odpowiedni sposób, aby się pożegnać, zachować dobre wspomnienie baru Conca d'Oro i tych prostych, szczęśliwych ludzi z filiżankami kawy i kieliszkami grappy, drobnymi pogawędkami oraz wzajemną miłością.

Noc jest pochmurna. Gwiazdy, zamiast wisieć nad głową, tkwią po bokach doliny – światła wiosek i farm, malutkich osiedli starszych od pamięci. Wzgórza wyglądają jak kurtyna w podupadłym teatrze na angielskiej prowincji, nadgryziona przez mole i bezskutecznie cerowana przez sędziwe panie o artretycznych palcach.

Zasiadam w loggii i słucham nietoperzy. Potrafię dokładnie rozróżnić ich radosne popiskiwania.

Jakże często doświadczałem procesu przechodzenia z jednego życia do drugiego. To zawsze taki kłopotliwy okres. Jestem wtedy jak rak pustelnik. Gdy nie mieści się już w swoim domku, szuka innego. Maszeruję po podłodze świata, zmierzając do następnego miejsca zamieszkania, a mój delikatny ogon i bladoróżowe podbrzusze są obnażone, mogą stać się łupem przygodnego drapieżnika.

Niektóre skorupy opuszczam z zadowoleniem. Taką był Hongkong – zanieczyszczona kryjówka w Kwun Tong, z powietrzem przesyconym chemikaliami i plastikowym jedzeniem, z podrobami w rynsztoku, pociągiem piszczącym na pomoście, ciężarówkami z dieslowskimi silnikami. Żaden tajfun, nieważne jak gwałtowny, nie potrafił zmieść tego brudu. Wiatry tylko go rozrzucały dookoła jak wentylatory w Livingstone, które bez końca mielą gorące powietrze.

Swoją drogą, w Livingstone mi się podobało. Tam niedaleko są Wodospady Wiktorii, a samo miasto jest taką afrykańską karykaturą Dzikiego Zachodu – długa, główna arteria z szeroką jezdnią i ekstrawagancją płomienistych, leśnych drzew, zrzucających płatki kwiatów na chodnik. Te zaś wyglądają jak krople gęstej krwi, rozlane przez pojedynkujących się bandytów albo przez szeryfów chętnie pociągających za spust. Miałem tam do wykonania małe zlecenie. Nie potrzebowałem innych narzędzi oprócz zestawu wkrętaków, pary kombinerek, pudełka z miniaturowymi kluczami nasadowymi i palnika acetylenowo-tlenowego. Z tego, co wiem, broni nigdy nie użyto. Trwała wtedy wojna z Zimbabwe, tereny wokół Wodospadów stały się strefą zakazaną, wojskową, ale mnie towarzyszył jakiś żołnierz i dostałem przepustkę na miesiąc. To było podwójnie ekscytujące. Oglądałem niesamowity przepych Dymu, Który Grzmi – bo tak wodospady nazywają się w miejscowym języku – ze świadomością, że w każdej chwili może mnie trafić pocisk wystrzelony z rodezyjskiej strony wąwozu.

Z miast uwielbiałem Marsylię, pomimo ohydy mojej tamtejszej kwatery. Wysoka przestępczość w okolicy stanowiła świetną przykrywkę. Tutaj przyjaźnię się z księdzem i księgarzem, zamiataczem ulic i zegarmistrzem. Tam za tymczasowych kumpli miałem: fałszerza certyfikatów akcji, dilera marihuany, dystrybutora filmów pornograficznych – który był też ich producentem, reżyserem, kamerzystą, dźwiękowcem i robiącym casting – fałszerza paszportów, podrabiacza kart kredytowych umiejącego ponownie ustalić kod na magnetycznym pasku, a także, co najbardziej nieprawdopodobne, nielegalnego importera papug. Dziwaczna, przyjacielska, nieokrzesana, ekscentryczna i godna zaufania zgraja. Myśleli, że wybijam dolarówki. Nie wyprowadzałem ich z błędu.

Madryt okazał się nieprzyjemny. Wśród policjantów niższych stopniem panowała taka sama korupcja jak w Atenach. A ja staram się unikać miejsc, gdzie się wyłudza albo bierze, gdzie dawanie w łapę jest powszechnie akceptowane. Nie winię tych małych ludzi od haraczów. Każdy musi z czegoś żyć. Ale łapówkarz ma *per se* coś do ukrycia i staje się obiektem zainteresowania plotek w szatni lub na stołówce miejscowej komendy. W obu tych stolicach spędziłem tylko po tygodniu i wyjechałem tak szybko, jak się dało.

Madrytu nie żałuję. Gardzę Hiszpanią za jej tłuste kobiety o włosach gładko zaczesanych do tyłu i ściśle spiętych w kok i za mężczyzn z dziewczęcymi taliami. Hiszpanie sprzedają małe welwetowe byki. Z pomalowanych na czerwono ran wystają miniaturowe drzewca włóczni pikadorów. Oni nie są cywilizowani. Zostało w nich za dużo z fanatycznych, średniowiecznych Maurów.

Z drugiej strony, żałuję Aten. To było w czasach pułkowników: wojskowe junty zawsze dawały zarobić ludziom parającym się moim fachem – podobnie jak porządny huragan dostarcza zleceń budowniczemu. W trakcie swojego pobytu nie odwiedziłem Partenonu, nie pojechałem turystycznym autokarem na półwysep Sounion, nie wybrałem się do Delf czy Epidauru. Nie oglądałem niczego prócz warsztatu na przedmieściach i stale wyciągniętej po pieniądze dłoni pewnego policjanta Vassillioa Tsochatzopoulosa. Poskarżyłem się swojemu zleceniodawcy na chciwość tego człowieka. Gliniarz zniknął. Powiedziano mi, że pożarły go wilki na Parnasie: mój pracodawca uznał to za odpowiedni i godny koniec stróża prawa, autora tomiku miernych wierszy.

Zrobiło się późno, na ulicach miasta zamarł ruch. W tej dolinie od północy aż do świtu czas biegnie wspak. Nie siedzę tutaj tylko dzisiaj wieczór. Jestem każdego wieczoru, od kiedy postawiono ten budynek. Pięćset lat nocy skompresowało się do tego jednego, krótkiego odcinka czasu.

Rozsuwają się chmury. Przeświecają gwiazdy. Gasną światła w górach. Układ gwiazd prawie się nie zmienił, od kiedy tę loggię przykryto dachem, a wewnątrz powstało malowidło za sprawą kogoś, kto nie tylko chciał patrzeć na ten widok, ale i mieć go na własność.

Bardzo pragnę osiąść tu na stałe. Ojciec Benedetto miał rację. Odnalazłem spokój: miłość jest ważna.

Ale przez człowieka z cienia to wszystko staje się cholernie niepewne. Tak mocno jak chcę pozostać w tych górach, chcę też, aby prześladowca wykonał już swój ruch, rzucił kości.

Postanowiłem zmienić taktykę. Już dłużej nie będę polował na myśliwego. Od trzech dni staram się ściągnąć tropiciela. Celowo zdaję się na jego łaskę.

Wyjeżdżałem za miasto, spacerowałem po wzgórzach, podążałem ścieżkami przecinającymi żleby, dębowe i kasztanowe gaje. Na każdym spacerze udawałem czujność; udawałem, że maluję motyle albo rysuję. Ani razu mnie nie śledził. Raz za razem dostawał sposobność, aby stawić mi czoło, by mnie zabić. Teraz nie przeszkodzili mu żadni niesforni kochankowie.

Wieczorami włóczyłem się po mieście. Często zbaczałem w ciemne alejki i pustawe ulice. Tam już mnie śledził, ale zawsze utrzymywał dyskretny dystans.

Kiedyś na ulicy go nie zauważyłem i wróciłem po swoich śladach. Ulotnił się.

Nie potrafię wysondować faceta. Krąży jak sęp, który czeka, aż ciało przestanie się ruszać. Jest stałym utrapieniem, natrętną muchą – nie sposób jej dosięgnąć złożonymi stronami o sporcie z niedzielnej gazety. Przypomina osę na piknikowym obrusie. Gra na czas. Ale dlaczego?

Wczoraj, sadząc, że może da się złapać na jakąś sprytniejszą przynętę, udawałem skrytość. Po cichu dotarłem do citroëna, ruszyłem do opuszczonego gospodarstwa, nieopodal tego kościoła ojca Benedetta, z freskami. Zdjęto już napis „na sprzedaż", poza tym nic się nie zmieniło. Zaparkowałem samochód jak ostatnio i zacząłem się kręcić przy domu. Nawet wszedłem do środka. Zachowałem się ryzykownie, ale chciałem dać człowiekowi z cienia szansę, żeby zbliżył się po kryjomu.

Śledził mnie w niebieskim peugeocie, ale przystanął w odległości pół kilometra. Spodziewałem się, że dalej ruszy na piechotę. Przyglądałem mu się przez lornetkę, z półmroku izby na piętrze. Nawet nie wystawił nogi z samochodu – wycofał auto do wjazdu do winnic, wykręcił w stronę drogi i opuścił szybę. Patrzyłem, jak wachluje się gazetą i odgania muchy.

Opuściłem gospodarstwo i pojechałem prosto ku prześladowcy. Postanowiłem zatrzymać się pięćdziesiąt metrów od niego, wysiąść i przekonać się, co zrobi. Dochodziło już prawie południe, żar lał się z nieba, a na drodze było pusto. Gdy się zbliżyłem, nagle wynurzył się z pól i oddalił, przyspieszając. Przycisnąłem gaz do dechy, ale nie mogłem się równać z większym sedanem. Po dwóch kilometrach zniknął mi z oczu.

Zaparkowałem w wiosce przy drodze do miasta i wszedłem do baru. Przy stole z tyłu lokalu starsi mężczyźni grali w karty, w *scopa*. Prawie nie zwrócili na mnie uwagi.

– *Si*? – Kobieta za barem przelotnie otaksowała mnie spojrzeniem. Na stoliku za nią stał dozownik ze świeżym sokiem owocowym.

– *Una spremuta, per favore* – zamówiłem. – *Di pompelmo*.

Nalała soku grejpfrutowego i uśmiechnęła się sympatycznie. Zapłaciłem i wyniosłem grubą szklankę na zewnątrz. Zamierzałem pić, stojąc w gorącym słońcu. Sok był lodowaty, cierpki, drażnił mi zęby.

Rozmyślałem o prześladowcy. Co on planuje? Jego niechęć do zaatakowania mnie, do konfrontacji, wprawiała w zakłopotanie. Na pewno wiedział, że musi sam coś zrobić albo mnie skłonić, żebym wykonał ruch. Ale przecież właśnie tak się zachowuję. Dałem mu okazję – on z niej nie skorzystał. Śledziłem go nocą po uliczkach, uciekł. Zastanawiałem się, wysysając z dna owocową pulpę, czy wtedy w zamku chciał przypuścić atak, czy tylko mnie śledził. Może kochankowie wcale nie uratowali mi skóry, a tylko zepsuli mu obserwację.

Zachowanie człowieka z cienia sugerowałoby, że nic mi nie grozi. Ale ojciec Benedetto zauważył, że facet nosi broń. Jednak wtedy, gdy zdołałem mu się lepiej przyjrzeć, wydawał się nieuzbrojony. Nie widziałem charakterystycznego wybrzuszenia pod pachą, naciągniętych spodni, szerszego niż zazwyczaj paska albo zdeformowanej kieszeni marynarki. Jeśli miał spluwę, musiała być bardzo małego kalibru, przydatna tylko na krótki dystans. A przecież unikał bezpośredniego kontaktu.

Skąd się wziął? W myślach eliminowałem kolejne typowe źródła takich ludzi, różne najbardziej prawdopodobne wersje. Nie był z CIA, MI5, dawnego GRU czy KGB – nic takiego. Oni nie bawiliby się w podchody. Zlokalizowaliby cel, obserwowali dzień albo dwa, potem ruszyli do akcji. To są ludzie wysłani przez rząd, urzędnicy z gnatami. Muszą się zmieścić w terminach wyznaczonych zza biurek swoich zwierzchników. Trzymają się urzędowych godzin pracy.

A jeśli to wolny strzelec wynajęty przez agencję rządową? Nie. Szybko odrzuciłem tę opcję. Nie zatrudniliby kogoś, kto bawi się w kotka i myszkę. Ktokolwiek dostaje od nich forsę, działa według ich reguł. Starałby się wykonać pracę szybko i skutecznie – pieniądze podatników… i tak dalej.

Nie pochodził więc z mojego świata. Intensywnie się zastanawiałem, kto żywi do mnie aż taką urazę, by chcieć mnie zabić. Nikogo takiego nie mogłem znaleźć. Nie przyprawiłem rogów żadnemu mężowi, nie okradłem wdowy, nie porwałem dzieci. Przyznaję, rodzina mechanika pewnie chętnie patrzyłaby, jak cierpię, ale oni sądzili, że to było samobójstwo. Tego się dowiedzieli z tabloidów i od koronera. Zresztą nie starczyłoby im determinacji ani środków, aby tropić mnie po tylu latach.

Minęło już ponad dziesięć lat, od kiedy ostatni raz wykonywałem zlecenia dla amerykańskich syndykatów, a mojej broni nie użyto przeciwko członkowi mafii, nawet w rywalizacji wewnątrz Rodziny. Nie chciałaby mnie też zabić żadna z grup politycznych, dla których pracowałem. Nie po tak długim czasie. Gdyby zamierzali mnie uciszyć, załatwiliby sprawę na miejscu, a nie czekali latami, aż spiszę pamiętniki. To nie była też urocza klientka. Gdyby pragnęła mojej śmierci, jej partner sprzątnąłby mnie na parkingu przy stacji benzynowej.

Co jeszcze może nim kierować? Nie jest szantażystą: nie stawiał żądań. To amator. Dlatego nie łaził za mną dla zabawy, żeby mnie zmęczyć albo odkryć szczelinę w moim pancerzu. A więc pragnie jednego. Zemsty. Ale za co?

Nagle zrozumiałem, że on się mnie boi. Bardziej niż ja kiedykolwiek bałem się jego czy też innych ludzi z cienia. Nabrałem też równie mocnej pewności, dlaczego jeszcze nic nie zrobił: zbierał się na odwagę.

Krążę po mieście od czterdziestu pięciu minut. Prześladowca zaczął jeździć za mną peugeotem i mam z tym problem. Aby pozbyć się drania, wmanewruję go w pułapkę. Wjedzie tam na własną zgubę.

Przy końcu corso Federico II znajduje się jednokierunkowa uliczka. Ma tylko kilkanaście metrów i miejscowi kierowcy ignorują zakaz wjazdu. Dzięki temu nie muszą okrążać placu często zapchanego autokarami. *Polizia* o tym wie i od czasu do czasu – kiedy jest akurat w odpowiednim nastroju albo spadają statystyki zatrzymań – na niedozwolonym wyjeździe sprytnie ustawia blokadę. Dostrzegłem policjantów już wcześniej, gdy szedłem do citroëna, którego ten cholerny facet znowu przyuważył. Starannie manewrując, przyjeżdżam obok uliczki. Przede mną na placyku stoi sznur samochodów. Dołączam do kolejki. Prześladowca to widzi. Nie chce wjeżdżać w drogowy chaos, więc rusza pod prąd jednokierunkowej uliczki. Odczekuję chwilę i prędko cofam, zanim mnie zablokuje inne auto. Przed wozem tropiciela wyrasta policjant z uniesionym lizakiem. Dwaj pozostali funkcjonariusze, jeden z notatnikiem, podchodzą do drzwiczek od strony kierowcy. Uśmiechając się szeroko, zawracam i błyskawicznie odjeżdżam.

Clara czeka na mnie na via Strinella, przy wejściu do parco della Resistenza dell'8 Settembre. Kryje się w cieniu drzew rosnących wzdłuż ulicy. Trzyma torbę. Przy nodze ma jeszcze jedną, z cienkiego, niebieskiego plastiku, z arbuzem w środku. Zatrzymuję citroëna przy krawężniku.

– *Ciao*, Edmundzie! – Otwiera drzwi i siada na miejscu dla pasażera, z torbami u stóp.

– Połóż je z tyłu – proponuję. – Przed nami długa droga.

Ogląda się przez ramię i kładzie torby na tylnym siedzeniu. Sadowi się w fotelu, zapina pasy.

– Dokąd się wybieramy? Do Fanale? – dopytuje.

Zakłada, że jedziemy nad Adriatyk, bo prosiłem, żeby wzięła bikini, olejek do opalania i ręcznik. Kiedyś zabrałem ją i Dindinę nad morze. Cała nasza trójka spędziła bardzo miły dzień. Leniuchowaliśmy na plaży z wypożyczoną parasolką i krzesełkami, pluskaliśmy się i jedliśmy *calamari* w pobliskiej restauracyjce, wciśniętej między plażę a główną, nadbrzeżną linię kolei. Jak dzieci machaliśmy do przejeżdżających pociągów. Wyjaśniłem, że to taki angielski zwyczaj. Ale nikt nam nie odmachiwał. Pasażerowie spoglądali z tępym niezrozumieniem. Kiedy już zmierzchało i wracaliśmy w góry, Clara napomknęła, że podobałoby się jej, gdybyśmy byli tam tylko we dwójkę. Dindina westchnęła ze złością.

– Godzina drogi. I nie jedziemy nad morze, tylko w góry.

Wydawała się trochę rozczarowana. Najwyraźniej liczyła, że pamiętam jej dawną sugestię.

– A to... – Ruchem głowy wskazuje rattanowy koszyk.

– Na piknik.

Od razu się ożywia i rozwesela.

– Jedziemy na piknik – powtarza w kółko. – Tylko my dwoje? My dwoje?

– Tak. Nikt inny.

Kładzie swoją dłoń na moją, a ja zmagam się z tą śmieszną dźwignią. Redukuję bieg, kiedy zjeżdżamy ze stromego wzgórza za miastem, kierując się ku rzece i stacji kolejowej.

– Kocham cię, Edmundzie. I uwielbiam pikniki.

– Dzień jest piękny. Cieszę się, że mamy taką okazję.

– Urwałam się z dwóch zajęć – przyznaje się i puszcza do mnie oko. – Nieważne. *Professore* to – nie potrafi znaleźć angielskich słów... – *una mente intorpidita*.

– Nudziarz. – Odsuwam brezentowy dach, smaga nas gorący wiatr.

– Tak! Nu-dziarz.

W nocy, ledwie godzinę przed świtem, kiedy czas z powrotem stawał się teraźniejszy, niebo na krótko się zachmurzyło i niedługo, ale bardzo intensywnie padał deszcz. Obudził mnie hałas wody – bębniła w okiennice i spływała pękniętą rynną. Powietrze zrobiło się chłodne, naciągnąłem na siebie kołdrę. Gdy wstał dzień, niebo było już czyste, nieskalane choćby jedną chmurką. I takie pozostało. Dlatego słońce grzeje bardzo mocno, a w powietrzu nie ma kurzu. Góry są ostre. Cienie, drzewa i trawa, zimny kamień – wyraźne. Dostrzegam każdą rozpadlinę i dolinę, każdy wąwóz, każde osuwisko.

W Terranera zatrzymaliśmy się w barze. Auta nie postawiłem jak poprzednio przy drodze, ale wycofałem je w wąską uliczkę obok lokalu. Jeżeli jakimś cudem prześladowca wyłgał się od mandatu, machając zagranicznym paszportem i tłumacząc się nieznajomością przepisów, a teraz za nami podąża tym wynajętym samochodem, to przejedzie obok i go zauważę. Bardzo chcę, aby tak się nie stało, bo wtedy musiałbym zrezygnować z pikniku, a nie wymyśliłem żadnej wymówki i bardzo rozczarowałbym Clarę.

Spotykamy tamtą naburmuszoną dziewczynę. Uważnie przygląda się Clarze.

– *Due aranciate, per favore. Molto freddo**.

Uśmiecham się, ale kelnerka nie odwzajemnia uśmiechu. Jestem dla niej starym facetem z młodą dziwką i tyle. W dodatku cudzoziemcem.

Chwilę grzechocze w lodówce i stawia na ladzie dwie butelki. Odkręca kapsle, wlewa oranżadę do szklanek. Płacę i wychodzimy z Clarą na zewnątrz. Siadamy przy jednym ze stolików na chodniku, w blasku słońca.

– Daleko jeszcze? – pyta.

– Dziesięć, dwanaście kilometrów. Nie więcej. Ze dwadzieścia minut jazdy.

Clara liczy coś po cichu.

– Dwanaście kilometrów! Dwadzieścia minut?

– Zjeżdżamy z utartego szlaku.

Nie zna tego wyrażenia i spogląda na mnie z zakłopotaniem.

– Myślę, że ty byś powiedziała *lontano. Fuori mano*.

Śmieje się, a mnie przenikają miłe dreszcze.

– Będziesz mówił po włosku. Kiedyś. Nauczę cię, Edmundzie.

---

* *Due aranciate, per favore. Molto freddo* (wł.) – Poproszę dwa soki pomarańczowe. Bardzo zimne.

Nie pojawia się żaden pojazd, nigdzie nie widzę peugeota. Po dziesięciu minutach – w tym czasie prześladowca już by nas minął, gdyby jechał z tyłu – zostawiamy szklanki na metalowym stoliku i ruszamy dalej. Gdy zaczyna się ścieżka, ostro w nią skręcam, nie puszczając kierunkowskazu. Citroën podskakuje na kamieniach. Clara trzyma się poręczy przy drzwiach. Nie zatrzymuję się, aby sprawdzić okolicę. Jesteśmy bezpieczni, po prostu to wyczuwam.

– Dokąd jedziemy?

Dziewczyna jest zaskoczona, że wjechałem na taką ścieżynę, i najwyraźniej zaniepokojona. Nie tego się spodziewała.

– Zaraz zobaczysz.

To tylko wzmaga jej obawy.

– Chyba lepiej trzymać się bliżej drogi.

– Nie martw się, Claro. Byłem już tutaj kilka razy. Kiedy robiłem wypady na motyle.

Kręcę kierownicą, aby ominąć szczególnie duży kamień, i citroën kołysze się jak uderzony niewidzialną falą. Nagłość tego ruchu przeraża Clarę jak wstrząs samolotu targniętego turbulencjami. Dziewczyna krzyczy.

– Nie boisz się jechać ze mną na odludzie, prawda?

– Nie. – Śmieje się nerwowo. – Oczywiście, że nie. Nie z tobą. Ale to... – pstryka palcami – ...*sentiero!* – Macha dłonią. – Na taką ścieżkę powinieneś mieć dżipa, toyotę. To nie jest dobre dla... *una berlina*, *sedano*.

Zdaje się, że niebezpieczeństwa ścieżki pomniejszyły jej znajomość angielskiego.

– Jeśli chodzi ci o sedana, to prawda. Ale to nie jakieś wydumane alfa romeo albo niemiecka limuzyna. To citroën. – Uderzam dłonią w kierownicę. – Francuzi go używali do wożenia ziemniaków na targ. Zawsze przyjeżdżam tutaj tym autem! Nic się nie stanie.

– Jesteś pewien?

– Oczywiście. Ja też nie chcę wracać do miasta na piechotę.

– Myślę, że zwariowałeś. Ta ścieżka donikąd nas nie zaprowadzi.

– Zapewniam, że zaprowadzi.

Robi kwaśną minę. Trochę się uspokoiła, ale cały czas prawą dłonią trzyma się uchwytu, a lewą rękę wciska w obicie siedzenia, żeby się nie bujać. Nie rozmawiamy aż do miejsca tuż przed doliną, gdzie ścieżka znika w cieniach traw.

– Teraz już w ogóle nie ma drogi! – woła Clara z rozdrażnieniem, tonem „a nie mówiłam".

Zatrzymuję samochód obok zrujnowanej pasterskiej chaty i wyłączam silnik. Dziewczyna opuszcza szybę. W nagłej ciszy słyszymy ptasie popiskiwanie wśród drzew i śpiew świerszczy.

– To tutaj mnie wiozłeś?

– Nie całkiem. Jeszcze sto metrów, za te kamienie. Ale stąd po prostu się potoczymy. Bez uruchamiania silnika, bez dźwięku. I wtedy zobaczysz cud.

Chwyta się okna.

– Nie będziesz musiała się trzymać. Pojedziemy bardzo wolno. Odpręż się i patrz.

Zdejmuję stopę z hamulca i samochód zaczyna się toczyć, sprężyny delikatnie trzeszczą. Przy kamieniach kręcę kierownicą, lekko zwalniam. Suniemy na skraj łąki i pod orzech.

Dolina jest taka, jaka była przez ostatnich kilka tygodni – istna kwietna orgia.

Chociaż słońce świeci prosto na kwiaty, nie wyblakły, zachowały jaskrawe barwy. Przy brzegu jeziora stoi czapla nieruchoma jak szara sztacheta płotu, szyję ma prostą i pochyloną do przodu.

– Jak się dowiedziałeś o tym miejscu? – dopytuje się Clara.

Wzruszam ramionami. To wystarczająca odpowiedź.

Otwiera drzwiczki i wysiada. Czapla wygina szyję, kuca w sitowiu, ale nie odlatuje. Przypatruję się Clarze. Wolno idzie na przód samochodu, staje przed maską. Spogląda na dolinę, lasy, rozpadnięte, płowożółte budynki kamiennej *pagliara* i wzniosłą srogość skalnych grani ponad tym wszystkim. – Nikt tutaj nie przychodzi? – Mówi tak cicho, że ledwie rozróżniam słowa.

– Nikt. Przemierzyłem całą dolinę. Aż do tamtych zabudowań. Ani żywej duszy.

– Tylko ty.

– Tak – kłamię i przypominam sobie radę ostatniego klienta: „Musi pan tutaj zabrać kiedyś swoją kochankę". Znowu czuję na policzku jej suchy, szybki pocałunek.

Clara rozpina bluzkę, rzuca na trawę. Nie nosi stanika. Na jej skórze igrają cienie za sprawą słońca przeświecającego przez konary orzecha. Wymachami nóg zrzuca buty, lecą łukiem i spadają na zielony dywan. Pochyla się, zgrabnie zdejmuje majtki. Pośladki ma jędrne i krągłe, bielsze od reszty ciała, talię wąską. Odwraca się do mnie, lekko rozstawia długie, opalone nogi. Nieduże piersi sterczą dumne, nieskazitelne. Sutki są twarde; ich jasnobrązowe otoczki wyglądają jak aury wokół maleńkich, ciemnych księżyców. Spoglądam na brzuch dziewczyny, na sprężyste mięśnie, kępkę włosów. Wysiadam z samochodu.

– I co? – pytam.

Zachowuje się kokieteryjnie, kręci głową. Jej kasztanowe włosy omiatają twarz.

– I co? – powtarza. – Popływam w jeziorze. Idziesz ze mną? – Nie czeka na odpowiedź, tylko rusza przez trawę.

– Tam są żmije! – wołam pospiesznie. – *Vipera! Marasso!* – dodaję, na wypadek gdyby nie zrozumiała. Strach wspina mi się po kręgosłupie jak starość.

Clara przelotnie spogląda przez ramię.

– Może. Ale ja mam szczęście.

Czapla macha skrzydłami. Unosi się z trzcin z niezgrabnym łopotem, długie nogi majtają się do przodu i do tyłu. Potem je podciąga i leniwie leci w dół doliny. To włoska czapla, a my przeszkodziliśmy jej w sieście.

Rozbieram się. Wiele lat minęło, od kiedy ostatni raz zdejmowałem ubranie poza domem. Na plaży się nie liczy. Wtedy przynajmniej mogłem się skromnie skulić za ręcznikiem.

Moje ciało jest stare. Skóra pozostaje gładka, a mięśnie dopiero zaczynają flaczeć jak u moich równolatków, ale brzuch przestał już być prężny, a klatka piersiowa lekko zwiotczała. Ramiona robią się zbyt żylaste, szyja staje się cieńsza. Nie czuję się zawstydzony czy zakłopotany. Tylko już nie młody. Ostrożność nabyta przez lata nakazuje mi nie zdejmować butów, dopóki nie dotrę na brzeg jeziora.

Clara pluska się na samym środku. Nie zmoczyła włosów.

– Chodź tutaj. – Jej głos niesie się nad przejrzystą taflą. Dziewczyna unosi dłoń i wskazuje zwał ciętego kamienia, który kiedyś mógł być zjazdem albo podejściem dla pijących zwierząt. – Tam nie ma błota. Tutaj też nie ma. Tylko kamyczki.

Chlupocząc, podchodzę do Clary. Jezioro jest czyste, ciepłe i gdy idę coraz głębiej, przyjemnie omywa mi ciało. Clara stoi na dnie zanurzona po pachy. Spoglądam na bezchmurne, bezlitosne niebo.

– Stań przy mnie. – Pod wodą chwyta mnie za rękę i trzyma ją przed nami. – Patrz. Nie ruszaj się.

Gdy zmarszczki na wodzie spowodowane moim nadejściem znikają wśród trzcin, wokół naszych dłoni zbiera się ławica małych rybek, nie większych niż płotki. Niczym odłamki szkła unoszą się tuż pod powierzchnią, a potem podpływają, aby kąsać nasze palce; ich maleńkie ząbki lekko zdrapują skórę. Myślę o myszy odkrytej w Dolinie Królów przez dziewiętnastowiecznych egiptologów, która zjadała trupy faraonów.

– Jeśli zostaniemy tutaj przez rok, to one nas pożrą.

– Podobno jeśli te rybki podgryzają czyjeś splecione dłonie, to dla tych ludzi miłość będzie dobra.

Potem mnie całuje. Przyciskam się do niej, ciało ma ciepłe i nieskazitelne.

– Kochałeś się w wodzie? – pyta.

– Nie.

Obejmuje moją szyję. Unosi stopy znad kamieni, oplata nogami w pasie i wsuwa się na mnie.

Pomagam dziewczynie, ale niepotrzebnie – woda odejmuje jej ciężaru. Przez kilka chwil przemykają wokół nas ławice rybek, zaraz uciekają jednak ku trzcinom, niesione delikatnymi falami rozchodzącymi się ku brzegom.

Wychodzimy z jeziora i trzymając się za ręce, wolno wracamy do citroëna. Słońce nas praży i suszy, zanim docieramy do auta. Rozpościeram na ziemi koc, tuż za krawędzią cienia, ale Clara go przeciąga.

– Nie chcemy chować się przed słońcem – upomina mnie. – Ono jest dobre. Możemy tu spokojnie leżeć, a kiedy znowu rozgrzeje się w nas krew, będziemy się kochać.

Bierze z torby tubkę kremu do opalania i macha do mnie. Kiedy zaczyna wcierać kosmetyk w skórę, powietrze wypełnia się zapachem olejku kokosowego. Patrzę, jak jej dłonie masują piersi; odsuwa je na boki, przyciska i unosi. Pieści kremem brzuch, potem przesuwa się w dół ud. Pochyla się, gdy dociera do goleni.

– Nasmarujesz mnie z tyłu?

Wyciskam na dłoń kremowy wężyk. Rozsmarowuję go na jej łopatkach. Gładzę całe plecy.

– Niżej – domaga się. – Dzisiaj chcę się opalić wszędzie.

Nabieram więcej kremu i wcieram w pośladki dziewczyny. Czując sprężystość młodego ciała, rozmyślam o tym, że moje jest starsze, obwisłe.

Gdy kończę, ona smaruje mnie. Potem w pełnym słońcu leżymy obok siebie na kocu, Clara na plecach, ja na brzuchu. Zamykam oczy. Nasze ręce ledwie się stykają.

– Powiedz mi, signor Farfalla: czego się boisz? – Głos ma senny od upału, słowa są zabarwione ironią.

Jest mądrzejsza, niżby się zdawało. Praca na via Lampedusa, jak przypuszczam, nauczyła ją więcej niż uniwersytet. Wie, jak pieścić męskie ciało, potem umysł, zanim zacznie poszukiwać samego sedna. Wobec mojej duszy używa takiej samej techniki, jaką w Neapolu prawdziwa dziwka wykorzystywałaby, żeby dobrać się do portfela marynarza spragnionego seksu.

Jednak mnie nie tak łatwo podejść. Jeśli chodzi o ochronę samego siebie, swojej prywatności, to umiem jeszcze więcej od Clary.

– Nie boję się.

– Tak, jesteś odważny. Ale się boisz. Strach nie musi być zły. Cały czas możesz być jak bohater i się bać.

Nie otwieram oczu. Gdybym to zrobił, dałbym dowód słuszności jej oskarżeń, tego przebiegłego spostrzeżenia.

– Zapewniam cię, że ja nie mam się czego bać.

Opiera się na łokciu, głowę podtrzymuje dłonią. Palcami drugiej ręki przesuwa po liniach kreślonych przez pot na moich plecach.

– Boisz się. Czuję to. Jesteś jak motyl. Żyjesz w ciągłym lęku. Przenosisz się z kwiatka na kwiatek.

– W swoim ogrodzie mam tylko jeden kwiat – oznajmiam i od razu tego żałuję.

– Może, ale się boisz. – Mówi z taką pewnością, jakby znała prawdę.

– Niby czego?

Nie wie. Nie podaje żadnej odpowiedzi. Znów kładzie się na kocu i zamyka oczy. Pod jej piersiami pojawiają się malutkie cienie.

– Miłości – odzywa się po chwili.

– Nie rozumiem…

– Boisz się miłości.

Zastanawiam się nad tym zarzutem.

– Claro, miłość to skomplikowane uczucie. Nie należę do grona romantycznych junaków z corso Federico II, który wypatrują dziewcząt na żony i kochanki. Jestem starym człowiekiem, coraz starszym. Powoli podążam ku śmierci jak gąsienica do krańca liścia.

– Będziesz jeszcze długo żył. A gąsienica zmienia się w motyla. Miłość może tego dokonać.

– Przeżyłem wiele lat bez miłości. Całe życie. Wiązałem się z kobietami, ale nie uczuciowo. Z miłością wiąże się niebezpieczeństwo. Bez niej jest spokojnie.

– I nud-no.

– Może.

Siada, podciąga kolana pod brodę i obejmuje nogi. Odwracam się i patrzę, jak z potu na jej ramionach formują się krople. Chciałbym je wszystkie scałować.

– Claro, ale z tobą mi się nie nudzi.

Wzrusza ramionami. Pot rozpoczyna wędrówkę wzdłuż kręgosłupa.

– Skoro miłość jest dla ciebie niebezpieczna, to się boisz. Poczucie zagrożenia wzbudza strach.

Siadam i kładę dłoń na jej rozgrzanej ręce.

– Claro. To nie ma nic wspólnego z tobą. Przyrzekam. Jesteś słodka, bardzo ładna i niewinna...

– Niewinna! – Śmieje się z ironią. – Pracuję na via Lampedusa.

– Ale nie jak Elena, Marine, czy Rachele. Albo Dindina. Ona tylko czeka na lepsze czasy, aby się wyrwać. Ty trafiłaś tam, bo...

– Wiem dlaczego. Potrzebuję pieniędzy na studia.

– Właśnie!

– I potrzebuję miłości.

Przez chwilę myślę, że mówi o seksie, ale zaraz uświadamiam sobie, że nie o to chodzi. Pragnie mężczyzny, aby go kochać, aby on ją kochał. Okrutny los przyniósł Clarze mnie, starego człowieka, za którego głowę wyznaczono nagrodę, a prześladowca depcze mu po piętach.

– Masz już miłość.

– Tak?

– Kocham cię, Claro.

Jeszcze nigdy tego nie wyznałem: ani Ingrid, ani nikomu innemu, nawet by zyskać to, czego bym chciał. Ona ma rację. Boję się miłości. Ale nie dlatego, że tworzy lukę w pancerzu groźną dla mojego bezpieczeństwa, tylko że nakłada moralne zobowiązania, a ja nigdy nie brałem żadnej odpowiedzialności – nie licząc troski o siebie samego i jakość swojej pracy. Siedząc tutaj, w tym raju, muszę przyznać, że kazanie ojca Benedetta o miłości ma sens. Potrzebuję jej po tych wszystkich latach wmawiania sobie, że jest nieistotna. Co za ironia, że odnajduję ją właśnie teraz, kiedy życie stało się takie niepewne.

– Ja też ciebie kocham, Edmundzie.

Wiem, że powędrowałem ku poważnym tematom. Wstaję, przeciągam się. W słońcu jakby się skurczyłem. Skóra napina mi się jak za ciasna marynarka.

Biorę z citroëna rattanowy kosz. Clara przesuwa koc w cień, potem ja wykładam jedzenie. Nie ma go dużo: *prosciutto*, chleb, oliwki. W polistyrenowej turystycznej lodówce przyniosłem butelkę moët et chandon i dwa tuziny truskawek w aluminiowym pojemniku. Pod spodem jest jeszcze pakunek owinięty folią.

– Masz szampana!

Ciekawe, co by powiedział ojciec Benedetto, widząc mnie teraz: siedzę całkiem nagi obok pięknej, młodej i też nagiej kobiety, wśród lasów, przy francuskim musującym winie.

Clara sięga po butelkę, zgrabnie odkręca drucik, podważa korek. Ten wyskakuje z trzaskiem i leci w trawę. Clara trzyma butelkę tak, że szampan ochlapuje jej piersi. Głośno wsysa powietrze, gdy przenika ją ziąb.

Wręczam dziewczynie pakunek. Chłodny, bo też leżał w lodówce.

– To dla ciebie.

– Co to jest? – Zaintrygowana rozwija folię.

– Twoja ucieczka. Już nigdy więcej via Lampedusa.

Wyciąga pieniądze i wpatruje się w nie uważnie. To wpływ z przekazu bankowego, plik amerykańskich banknotów ściągniętych gumkami.

– Dwadzieścia pięć tysięcy dolarów. W setkach.

Na jej rzęsach zaczynają tworzyć się łzy. Kładzie pieniądze na kocu, bardzo ostrożnie, jakby były kruche, i odwraca do mnie twarz.

– Skąd masz tyle? – pyta. – Jesteś niezamożnym malarzem...

Ona potrzebuje wyjaśnień, ale ja nie czuję potrzeby tłumaczenia.

– Nie pytaj.

– Jak...?

Nie kończy, jednak wiem, o czym myśli.

– Nie, nie ukradłem ich. Nie obrabowałem banku. Zarobiłem.

– Ale aż tak dużo...

– Nikomu nie mów – radzę. – Jeśli wpłacisz je na konto, będziesz musiała zapłacić podatek. Ludzie się dowiedzą. Lepiej siedź cicho i z nich korzystaj.

Przytakuje. Dla Włocha to przypomnienie, nie polecenie. Taka suma jest dla Clary jak jacht o długości przeszło dwudziestu metrów.

Po policzkach dziewczyny ześlizgują się łzy, oddech staje się urywany, jak gdyby właśnie przybiegła znad jeziora. Uświadamiam sobie, że nie ma makijażu. Jest tak całkiem naturalnie, nieskazitelnie piękna. Czuję się zakłopotany tym uroczym płaczem.

– Naprawdę, nie trzeba.

Ocieram dziewczynie łzy. Bardzo powoli kładzie mi dłoń na twarzy i tuli mój podbródek palcami. Oczy znów jej wilgotnieją, lecz oddech się uspokaja. Clara nachyla się i całuje mnie tak delikatnie, że ledwie to czuję. Brak jej słów.

Nalewam szampana do plastikowych kubków, podaję Clarze jeden, do tego truskawkę. Bierze łyk, łzy przestają płynąć.

– Nie mówmy już o miłości – domagam się cicho. – Tylko pijmy i rozkoszujmy się doliną.

Unoszę kubek, gestem ogarniam całą okolicę. Spogląda w dół, na ukwieconą łąkę przy jeziorze. Czapla wróciła, by łowić malutkie rybki. W miarę jak mija popołudnie, pogłębiają się cienie pod drzewami. Podążam za spojrzeniem Clary, ale moją uwagę przyciąga stos kamieni ukryty pod naziemnymi pnączami. Przypominam sobie ustawiony na nim cel. Motyle fruwają wokół niczym skrawki kartonu.

Otwieram drzwi na podwórze. Signora Prasca zostawiła włączoną słabą żarówkę u podnóża schodów. Wśród nocy woda z fontanny hałaśliwie kapie.

Trzymam Clarę za rękę i kładę palec na ustach. Boso wspinamy się po schodach. Kamienne stopnie, tam gdzie deszczówka ciekanie z pękniętej rynny, są niemal boleśnie chłodnie. Kiedy byliśmy w górach, tutaj w dolinie musiało padać. Otwieram apartament i wprowadzam dziewczynę do środka. Po cichu zamykam za sobą drzwi, włączam lampę na stoliku.

– Proszę. Oto mój dom. Napijesz się? Jest wino i piwo.

Nie odpowiada, rozgląda się. Przypomina mi się moja klientka, która oceniała pokój pod względem bezpieczeństwa. Clara przypatruje mu się z ciekawością. Spogląda na obrazy na ścianie.

– Ty je namalowałeś? – dopytuje z niedo-
wierzaniem.

– Nie, kupiłem.

– Oczywiście, twoje byłyby lepsze.

Pochodzi do półek z książkami i czytając tytuły, lekko przechyla głowę.

– Możesz pożyczyć albo wziąć... Nie czytam dużo.

Idzie do stołu, ogląda leżące tam wizerunki,
w większości pazi królewskich. Nachyla się, aby
dokładniej im się przyjrzeć.

– Nie powinieneś mieć brzydkich obrazów
na ścianie. Tylko takie. Piękne.

Staję u jej boku, porządkuję obrazki
w schludny stosik. Jest ich może ponad dwadzieścia.

– Chciałbym, żebyś je wzięła. Nie są na
sprzedaż ani do wysłania. Są dla ciebie. Żeby ci
przypominały o tej dolinie.

Ostrożnie wkładam kartki do dużej koperty,
a Clara przygląda się im tak jak wcześniej pliko-
wi dolarów.

– *Grazie* – mamrocze. – *Molto grazie, tesoro
mio.* – Delikatnie odkłada kopertę na stół. Podchodzi do okna, staje odwrócona do mnie plecami i patrzy poprzez dolinę, teraz skąpaną w słabym, mizernym blasku księżyca w nowiu.

Przyglądam się jej kilka chwil, potem idę do
kuchni, skąd wracam z dwoma kieliszkami frascati. Jeden podaję Clarze i raz jeszcze chwytam
ją za rękę.

– *Salute!*

– *Evviva!* – odpowiada niemal uroczyście.
Wysuwa dłoń z mojej dłoni. – Chcę tutaj miesz-

kać. Z tobą – oznajmia wprost. – I troszczyć się o ciebie.

Nie odpowiadam. Nagle to wszystko za bardzo boli. Ja też pragnę, aby życzenie Clary stało się przyszłością.

Ale na to nie pozwala ten cholerny człowiek z cienia. Gdyby tylko wypowiedział swoją kwestię, wykonał ruch, problem zostałby rozwiązany. Jeśli zamierza mnie szantażować, proszę bardzo – zapłacę. Potem ruszę za nim i go zabiję. To będzie wyglądało na wypadek, na samobójstwo.

Teraz nie jestem w stanie przeprowadzić Clary przez granicę dzielącą teraźniejszość od przyszłości. To ja wybrałem grę i ustanowiłem reguły. według których żyję. Nie mogę ich nagiąć, wycofać się, nie mając niczego, czym zdołałbym przekupić los. Niczym Faust zostałem schwytany we własne sidła.

– Chodź ze mną – mówię wreszcie.

Odstawiła wino.

– Weź kieliszek.

Może signora Prasca miała rację. Powinienem podzielić się z kimś loggią. Prowadzę Clarę korytarzem, obok pierwszej sypialni. Zerka tam, zatrzymuje mnie i ciągnie w tył.

– Nie. Nie teraz. Jeszcze będzie czas...

To kłamstwo. Osaczyły mnie okoliczności. Gdy spoglądam na jej twarz w blasku księżyca, uświadamiam sobie, że nie ma alternatywy dla przyszłości. Jest niezmienna, tak jak przeszłość, ustalona i przewidywalna niczym wschód słońca.

– Mieszkasz bardzo... *Vita spartana*.

Zerkam na toporne łóżko, krzesło o plecionym siedzisku i sosnową komodę. W nikłym świetle sączącym się przez żaluzje pokój wygląda złowrogo.

– Tak. Nie dbam o ozdoby.

– Ale łóżko jest akurat tak duże jak dla nas. Dla nas teraz.

– Chodź ze mną – powtarzam i razem wchodzimy po krótkich schodach do loggii.

Staję obok żelaznego stołu i się rozglądam. W mieście wciąż panuje lekki zgiełk. Nie wybiła jeszcze jedenasta. Auta jadą przepastnymi rozpadlinami wąskich ulic, w kilku odległych domach ciągle palą się światła. Ale nic już nie słychać muzyki albo ludzkich głosów.

– Stąd widać całą dolinę. Kiedy rankiem w górach pada deszcz i zachodzi słońce, właściwie możesz zobaczyć wszystko: zamek, przedgórze i góry, wioski. Sięgasz wzrokiem prawie do... – Przerywam, ale tego nie da się uniknąć, zdanie powstało już w mojej głowie i ona wie, jak się kończy. – ...do naszej doliny.

Unosi wzrok ku niebu wewnątrz kopuły, teraz słabo oświetlonej. Złote gwiazdy błyszczą.

– Ty namalowałeś to niebo?

– Nie, ma setki lat.

Później przez noc suną pasma muzyki flecisty. Melancholijne dźwięki płyną tak, jakby nie dobiegały z *piazza* przed kościołem San Silvestro, ale z ponurych jaskiń dawno zapomnianej przeszłości. On nie jest ulicznym muzykantem, lecz minstrelem grającym na dworach czasu. Magikiem, którego melodia potrafi tkać niezwykłe czary i zatrzymać zegar.

Clara całuje mnie, szepcze, że chce się kochać, lecz ją zniechęcam. Tłumaczę, że już późno i poparzyłem sobie plecy słońcem. Kochaliśmy się dzisiaj dwa razy, raz w wodzie i raz po szampanie, kiedy piersi miała lepkie od wina. Ostrzegam, że jutro musi iść na zajęcia. Wypija więc wino, odstawia kieliszek na żelazny stolik i schodzimy do apartamentu. Idziemy korytarzem, przez salon i drzwi. Niemal zapomina zabrać swoich obrazów, muszę jej przypomnieć. Ociąga się. Mówi, że zawsze może je obejrzeć tutaj. Mimo to nalegam. Odprowadzam Clarę na piazza del Duomo. W ręku dziewczyny kołysze się torba, w której są moje obrazy i jej przyszłość.

– Kiedy cię zobaczę?
– W sobotę.
– Jak tylko…
– A znajdziesz drogę do apartamentu?
Uśmiecha się promiennie. Wierzy, że zdołała wyłamać moją bramę, przejść przez moje zasieki, przekroczyć fosę mojej prywatności.

– Tak – odpowiada prawie odruchowo.
– Dobrze. Więc o dziesiątej.
Bardzo delikatnie całuje moje usta.
– *Buona notte, il signor Edmund Farfalla.*
– Dobranoc, ukochana Claro. – Patrzę, jak odchodzi, stawia sprężyste kroki, taka młoda, beztroska. Na rogu via Roviano skręca w lewo, macha do mnie i znika.

Słońce jaśniało przez okna, kiedy signora Prasca obudziła mnie, uprzejmie pukając do drzwi i cicho wołając. Z trudem usiadłem, bo plecy mnie bolały, a oczy piekły ze zmęczenia. Zasnąłem na leżance w salonie i całą noc się wierciłem. Grzbiet mi zesztywniał. Ale głowę mam jasną. Przezornie zawsze staram się nie pić za dużo. Zerkam na zegarek. Dopiero co minęła dziewiąta. Tak długo nie spałem już od wielu lat. Czy to aby nie cecha emerytów?

– *Un momenta, signora!* – Obciągnąłem ubranie i przeczesałem włosy palcami. Używając jako lustra szybki jednego z obrazów, doprowadziłem się do względnego porządku. Postarałem się wyglądać mniej niechlujnie, a bardziej szacownie. Signora Prasca wie, że jestem artystą. Ale nawet bohema musi trzymać się pewnych standardów, jak mi kiedyś powiedziała. Otworzyłem drzwi.

Stała odwrócona plecami. Może się spodziewała, że pojawię się w pidżamie lub, co gorsza, nagi. Bez wątpienia takie właśnie miała doświadczenia z poprzednim lokatorem, Lotariem.

– *Buon giorno, signora.*

Lekko się odwróciła, ze skromnością, która bardziej pasowałaby do niewinnej dziewczyny. Zauważyła, że jestem ubrany, i dopiero wtedy stanęła przodem. Wyciągnęła przed siebie rękę z kopertą.

– *La posta?* Tak wcześnie?

Pokręciła głową.

– *No!*

Poczta rzadko przychodzi przed dziesiątą rano. Co więcej signora Prasca nigdy nie przynosi mi jej pod drzwi.

– *Un appunto.*

– *Grazie, signora* – podziękowałem.

Co też ją skłoniło, aby przemierzyć tę całą drogę w górę budynku, aż tutaj? Ukłoniła się jak pokojówka i drobnymi kroczkami odeszła ku schodom.

Na kopercie ani stempli, ani adresu, tylko jedna linijka pochyłym, schludnym charakterem pisma – *Signor E. Farfalla*. Nie rozpoznałem autora. W zakłopotanie wprawił mnie inicjał „E". List może być od Clary. Albo od prześladowcy.

Umysł znów napełnił mi się obawami z niespokojnego snu. Rozdarłem kopertę. List napisano na grubym, kremowym papierze czerpanym, ciężkim niemal jak książka. Kartka, starannie złożona na pół, nosiła wyszukany znak wodny.

Zacząłem czytać:

Mój drogi przyjacielu, wróciłem już do miasta, mojej krewnej nieco się polepszyło. Dostałem twój piękny obraz i niezwykle poruszający list. Przyjdź się ze mną zobaczyć. Powinniśmy porozmawiać jak mężczyzna z mężczyzną. A raczej jak mężczyzna z księdzem. Ale niech to cię nie odrzuci. Jestem w kościele do południa.

O. Ben.

Złożyłem list na nowo i upuściłem go na leżankę, na której spędziłem noc. Przeciągnąłem się i wyjrzałem przez okno. Słońce wisiało już wysoko, w powietrzu szybowały jerzyki albo jaskółki, cienie stawały się coraz krótsze. Nad skrajem miasta dostrzegłem ptasiego drapieżnika nieznanego mi gatunku. Unosił się na ciepłym prądzie, nad średniowiecznymi murami, które zachowały się w tamtym rejonie. Gdy skręcił, niemal widziałem, jak odwraca końcówki skrzydeł. Wyobraziłem sobie, że poszczególne pióra rozcapierzają się jak palce i chwytają się wzlatujących mas powietrza.

Zdjąłem pomięte ubranie i wziąłem długi, kojący prysznic. Ciepło spłukało nie tylko pot po niespokojnych godzinach, ale też tępy ból z pleców. Starannie się namydliłem, umyłem włosy. Wytarłem się ręcznikiem do sucha, włożyłem świeże ubranie i wślizgnąłem się w wygodną lnianą marynarkę. Przed wyjściem z mieszkania, sprawdziłem walthera. Czysty i błyszczący bardziej przypominał zabawkę niż śmiercionośną broń. Powąchałem go, słodki zapach oliwy drażnił mi nozdrza, gdy zamykałem drzwi.

Na ulicach panował duży ruch. Szedłem w stronę długich schodów prowadzących w górę, do kościoła. Cały czas wypatrywałem człowieka z cienia. Zastanawiałem się, co ze sobą zabrał, jaką spluwę poleciły mu filmy, telewizja albo katalogi broni. To nie miało dla mnie znaczenia – kierowała mną tylko zawodowa ciekawość. Po latach praktyki znałem walthera tak dobrze jak dziennikarz starą, podniszczoną olimpię, jego każdy kaprys, każdą słabostkę, możliwości i ograniczenia.

U dołu marmurowych schodów zatrzymałem się i uniosłem wzrok. Gdy patrzyłem tak pod kątem, wzdłuż pochyłości wzgórza, wydawało się, że fasada kościoła opiera się tyłem o niebo, sadowi jak starzec na ławce w parco della Resistenza dell'8 Settembre.

Na stopniach walały się śmieci typowe dla środkowych Włoch: opakowania po filmach Kodaka i Fuji, skórki arbuzów, niedopałki papierosów, kartoniki po napojach. Nie widziałem żadnej igły, ale między dwoma marmurowymi płytami uwięzła popękana i brudna plastikowa strzykawka.

U szczytu schodów przyjrzałem się autom zaparkowanym przy krawężniku. Niebieskiego peugeota 309 nie zauważyłem.

Pod kościołem tętniło już poranne życie. Lalkarz dawał przedstawienie grupce dzieci, za którymi stali dorośli. Wszyscy byli turystami. Na scenie występowała akurat marionetka rozbójnika w trójgraniastym kapeluszu i z kordem przyszytym do ręki. Popiskiwała coś po włosku. Z dołu wyskoczył bohater, aby zabić zbója. Też trzymał kord. Obie lalki zaczęły się pojedynkować. Artysta zręcznie przetykał dialog brzękiem stali i odgłosami ciosów, naśladowanymi własnym językiem. Dzieci stały oczarowane.

Nigdzie nie dostrzegłem flecisty. Zobaczyłem za to żonglera. Przerzucał trzy jajka, co jakiś czas udając, że jedno zaraz mu upadnie. Jego towarzyszka tworzyła kredowy szkic na kamiennej płycie. Zatrzymałem się obok niej i spojrzałem w dół: ukończyła kontury tego, co było dokładnie widokiem z mojej loggii. Teraz kolorowała niebo.

Na stopniach kościoła stała grupa turystów. Przewodnik wskazywał im architektoniczne cuda świątyni. Po chwili gęsiego ruszyli przez drzwi. Przeszedłem przez ulicę i już miałem do nich dołączyć, kiedy za mną rozległ się czyjś ochrypły głos.

Nadszedł więc czas. Wiedziałem o tym i gdzieś głęboko poczułem rozdrażnienie, że to się stało w tak publicznym miejscu. Jednak na powierzchnię mojego istnienia nie przeniknęły żadne emocje. One wszystko niszczą i przytępiają zmysły.

– Hej! Panie Motyl!

Głos był równie piskliwy jak u lalkarza, taki zniewieściały, i przez chwilę sądziłem, że to krzyczy Dindina. Brzmiał przenikliwie jak wtedy, gdy biła się z Clarą. Ten ktoś miał amerykański akcent typowy dla wyższych sfer. Wołanie przecięło gwar turystów, zgiełk samochodów i miasta.

Odwróciłem się szybko, przesunąłem spojrzeniem po ulicy. W zasięgu wzroku nadal nie było żadnego niebieskiego peugeota i wszystko zdawało się w porządku. Oprócz tego, że między lekarzem a zakazem parkowania, do którego flecista przywiązał parasol, stał ciemnozielony fiat stilo. Zaparkował w miejscu niedozwolonym, kierowca został w środku, to jednak nie wzbudziło moich podejrzeń, bo podobne widoki są częste we Włoszech.

Wtedy jednak dostrzegłem, że w aucie pracuje silnik. Przyjrzałem się dokładniej. Rejestracja z Pescary – w tych stronach to nic nadzwyczajnego. Wielu mieszkańców Pescary ma domy w górach. Ale na przedniej szybie, obok naklejki z rejestracją, widniało małe, żółte kółko.

Zacisnąłem palce na waltherze.

– Hej! Panie Motyl! – raz jeszcze rozległ się głos, teraz już niższy, bardziej opanowany.

Krzyczał kierowca tego fiata. Nie widziałem go dokładnie, bo stałem pod światło.

Nie odpowiedziałem. Chciałem osłonić oczy przed blaskiem.

Otworzyły się drzwiczki samochodu, facet wysiadł. Teraz mogłem go obejrzeć z odległości dwudziestu metrów. Szczupły, krótko ścięte, brązowe włosy. Ubrany w modne sprane dżinsy – te same, w których widziałem go po raz pierwszy – luźną brązową marynarkę i kremową koszulę. Chyba z jedwabiu.

– Tak, ty, panie Motyl.

Chyba nie czuł się zbyt pewnie i przez chwilę miałem ochotę się wykpić, odwrócić plecami, jakbym nie wiedział, o co chodzi. Ale to by tylko przedłużyło całą sprawę.

Skinąłem głową.

– Ty sukinsynu – wrzasnął. – Ty cholerny śmieciu!

– Czego chcesz?

Zastanowił się chwilę.

– Chcę twojej pieprzonej dupy, zasrany partaczu – znowu piszczał. – Kutas!

Bez wątpienia był Amerykaninem. Mogłem to poznać po wymowie słowa „kutas" z przedłużonym „a", podobnym do krótkiego beczenia owcy. Jego głos wydawał mi się dziwnie znajomy. Starałem się go umiejscowić, nadać mu imię. Nie potrafiłem.

Wrzaski przyciągnęły uwagę turystów. Zignorowali sztukmistrzów i teraz przyglądali się zamieszaniu. Rozpoczynało się konkurencyjne przedstawienie.

– Śledziłeś mnie. Dlaczego?

Nie odpowiedział, a między nas wjechała taksówka i na chwilę straciłem go z oczu. Wyciągnąłem walthera z kieszeni.

W ciągu dwóch sekund – tyle zajął taksówce przejazd – mężczyzna całkiem wysunął się zza drzwiczek wynajętego fiata. Dostrzegłem, że w dłoniach, na wysokości pasa, trzyma pistolet maszynowy. Słońce świeciło jasno, a broń mierzyła we mnie. Pomyślałem, że to sterling, tyle że z lunetą.

Tak jakby moja uwaga skupiła się w soczewce, wychwyciłem skurcz jego palca i rzuciłem się w bok. Usłyszałem szybką serię pyknięć i trzask pękającego drewna. Nic poza tym. Zgiełk dnia trwał dalej, nieprzerwanie.

Walther wystrzelił, zdawało się, że niezależnie ode mnie.

Prześladowca uchylił się, jakby dostrzegł nadlatującą kulę, machnął peemem i wypuścił kolejną, krótką serię. Dotarł do mnie świst pocisków.

Turlając się po schodach, z szeroko rozstawionymi nogami, znów spojrzałem na niego i wypaliłem. Dwa razy. Jedna kula rozbiła przednią szybę fiata, druga przedziurawiła tylne drzwiczki, tuż obok uda człowieka z cienia. Drgnął i na chwilę stracił równowagę. Odturlałem się.

Teraz ludzie wrzeszczeli i piszczeli, wszędzie rozlegały się odgłosy bieganiny. Lalkarz szamotał się pod przewróconym teatrzykiem.

Wśród kakofonii paniki dosłyszałem coś za swoimi plecami. Nie mogłem się odwrócić. Nie w takich okolicznościach. Dźwięk rozbrzmiewał nie blisko, ale i nie daleko. Cicho jak szuranie liści na wietrze.

To na pewno nie wspólnik, bo zobaczyłem, że na twarzy człowieka z cienia pojawia się strach połączony ze zmieszaniem.

Zrobił dwa szybkie kroki w lewo, aby zmienić kąt ognia, i wypalił. Pociski odbiły się od stopni za mną, odłamki marmuru pokłuły mi łydki.

Odpowiedziałem ogniem. Przeciwnik upuścił broń, padł na kolana, powoli przechylając się do przodu. Wycelowałem szybko, lecz starannie. Teraz nie wydawał mi się niczym więcej niż kępą nad jeziorem nieopodal *pagliara*. Przez kilka sekund wokół nie było ulicy, kościoła, zaparkowanych aut, tylko górskie lasy pełne dębów i kasztanowców oraz czyste górskie powietrze.

Nie chciałem trafić w głowę. Pragnąłem zobaczyć, kto to jest, a kula mogłaby oderwać mu pół twarzy. Wymierzyłem w szyję, walther zrobił resztę. Mężczyzna zatoczył się do tyłu, błyskawicznie podniósł rękę do gardła, potem ją opuścił. Osunął się na fiata i ześlizgnął na chodnik.

Nastała cisza. Ruch na ulicach jakby ustał, miasto wstrzymało oddech.

Schylony pobiegłem do niego, rozglądając się dookoła. Wszyscy leżeli na ziemi. Poza lalkarzem – ten wygrzebywał się spod teatrzyku. Przykucnąłem obok prześladowcy.

Dłoń mężczyzny drgała spazmatycznie. Z lewej strony piersi miał paskudną, szkarłatną masę, okoloną poszarpanym rozdarciem koszuli. Pocisk wypełniony rtęcią dobrze się spisał. Z szyi sączyła się krew i ciekła po karku, na plecy marynarki. Głowa opadła do przodu. Bok fiata zbryzgała krew, spływała teraz jak źle nałożony lakier.

Szybko przetrząsnąłem facetowi kieszenie marynarki. Nic, ani portfela, ani paszportu.

Chwyciłem go za podbródek i uniosłem mu głowę. Teraz nie ważyła dużo. Arbuzy Roberta bywały cięższe.

Nie miałem pojęcia, kto to, ale wychwytywałem w jego wyglądzie coś znajomego, czego nie potrafiłem dokładnie określić. Może, pomyślałem, chodziło tylko o taki stereotypowy wizerunek ludzi z cienia, jakich kiedykolwiek widziałem albo wyczułem. Puściłem głowę prześladowcy. Opadła do przodu, potem przechyliła się w prawo. Prawy policzek drgnął. Zakrwawione palce szybko wytarłem do czysta o rękaw jego marynarki.

Wtedy sobie przypomniałem – to Amerykanin, a oni noszą portfele z tyłu, w spodniach. Delikatnie przewróciłem ciało na bok i szarpnięciem rozpiąłem kieszeń. Znalazłem portfel, a tam dokument z godłem Stanów Zjednoczonych na okładce. Otworzyłem książeczkę.

Już rozpoznałem człowieka z cienia. I już wiedziałem, gdzie słyszałem jego głos.

Obok zwłok leżało socimi 821, z lufą wydłużoną tłumikiem. Upuszczając broń, przekręcił lunetę. Na metalu widniały krople zakrzepłej krwi, ale dojrzałem ostatni wers inskrypcji: *Celuy – niechybnie zabiye*.

Sięgnąłem po pistolet. Ale może przed śmiercią właśnie tego chciał prześladowca, bym naznaczył jego broń swoimi odciskami palców. A więc mimo wszystko jej nie podniosłem. Spoglądałem tylko na nią z milczącego jądra ciemności w sobie samym. Umysł wypełniała mi jedna myśl: że ostatnia broń, przy której pracowałem, zawiodła w decydującej chwili.

Nikt jeszcze nie wstawał. Dopiero po chwili jakieś dziecko wrzasnęło w panice. Nie rozumiałem słów piskliwego bełkotu, ale dzięki temu się otrząsnąłem.

Biegiem wróciłem do wejścia do kościoła. Tam, gdzie pociski socimi poobłupywały drzwi, wiekowe drewno było jaśniejsze. Przed otwartymi skrzydłami, na ziemi zobaczyłem ciemny kształt.

Ojciec Benedetto leżał skulony jak embrion, rękoma trzymał się za brzuch. Między palcami miał gęstą, zakrzepłą grudę z krwi i ciała. Oddychał płytko, gwałtownie łapiąc powietrze, jakby pospiesznie smakował swój ostatni kieliszek armaniaku. Po szklistym spojrzeniu poznałem, że jest na wpół przytomny.

Kiedy dotknąłem jego ramienia, drgnął, ale odebrałem to raczej jako znak akceptacji niż protestu. W takich chwilach nie dopuszcza się do siebie najgorszej interpretacji.

– Benedetto – wyszeptałem. Mogło też to być *„benedicte"*. Nigdy nie miałem całkowitej pewności.

Wycie syren się zbliżało, słyszałem tupot stóp biegnących z dalszej części ulicy, od corso Federico II. Turyści zaczęli się poruszać. Wystrzeliłem raz jeszcze, w powietrze. Rozległy się dalekie krzyki, a odgłosy stóp nagle ucichły. Ludzie znów przypadli do ziemi. Dziecko pisnęło krótko jak szczur, gdy zatrzaskuje się pułapka.

Dałem susa przez ulicę, przeskakując nad ciałami, i na łeb na szyję ruszyłem w dół marmurowych schodów, potem w stronę swojego mieszkania.

Otarcia na goleniach i łydkach od rozłupanego kamienia okazały się powierzchowne. Wymagały jedynie plastra i posmarowania maścią cynkową. Z szafy w sypialni zabrałem swoją wysłużoną torbę sportową i po raz ostatni wszystko posprawdzałem. Popiół w palenisku został dokładnie pokruszony. Żaden specjalista od kryminalistyki nie zdoła poskładać go do kupy. Przejrzałem się w lustrze. Peruka wyglądała dobrze, marynarka była schludna, okulary wypolerowane, a homburg ładnie prezentował się na głowie.

Wychodząc, zerknąłem w górę schodów, ku loggii. Niemal dojrzałem matowe złoto gwiazd wewnątrz kopuły.

Przewidywałem, że niełatwo wydostanę się z miasta. Włoskie władze mają dużą praktykę w blokowaniu dróg. W ciągu dwudziestu minut od strzelaniny porozstawiano mnóstwo punktów kontroli pojazdów. Poszedłem na piazza Conca d'Oro, udając, że utykam, i wziąłem jakiś rower spod fontanny. Nie jedną z tych lekkich kolarzówek czy drogiego górala, lecz taki tradycyjny, czarny i solidny. Zawiesiłem torbę podróżną na kierownicy i powoli przełożyłem nogę nad siodełkiem, tak jak by to zrobił starszy pan. Po raz ostatni spojrzałem na bar. Przy stoliku przed wejściem siedzieli Visconti i Milo. Z ciekawością popatrzyli w moją stronę, ale mnie nie poznali.

Ruszyłem drogą ucieczki, którą opracowałem sobie już dawno temu, pasażami i alejkami ku obrzeżom miasta. Dotarłem na błonia, potem spokojnie pedałowałem uliczkami, ścieżkami i szosami do odległej o piętnaście kilometrów wioski, gdzie zatrzymują się dalekobieżne autobusy przez góry.

Ten do Rzymu okazał się w połowie pusty. Wszedłem na schodki, kupiłem bilet i usiadłem z tyłu. Nawet tutaj zaalarmowano *carabinieri*. Przy wejściu do autokaru stało dwóch funkcjonariuszy. Dokładnie obserwowali wsiadających i wypytywali niektórych pasażerów. Mnie w ogóle nie zaczepili. Drzwi syknęły, kierowca wrzucił pierwszy bieg. Gdy minęła czwarta, autobus przejechał już pierwszym z tuneli autostrady przecinających góry. O szóstej znalazłem się w Rzymie.

Z piazza della Republica przeszedłem kawałek do Metropolitana na piazza del Cinquecento, pojechałem na stację nieopodal piazza del Partigiana i wsiadłem do podmiejskiej kolejki do Fiumicino. Na lotnisku Leonarda da Vinci zamknąłem się w męskiej ubikacji i przybierałem nową postać. Niczym gąsienica, stałem się poczwarką, a potem wyrwałem się z niej jako dojrzała istota, imago. Przecież jestem motylem. Nastał czas, by znaleźć ciepły prąd powietrza, unieść się nad wzgórzem i opaść ku nowej, nieoznaczonej na mapie dolinie pełnej kwiatów i nektaru. Zabrałem skórzaną walizę ze schowka po lewej. Po tak długim czasie pachniała stęchlizną.

Pewnie chcesz poznać tożsamość prześladowcy. To był syn milionera, potomek specjalisty od wykupu majątku, smarkacz tego kobieciarza syfilityka. I miałem rację – kierowała nim chęć zemsty. Jego matka zabiła się, a ojciec ożenił ponownie.

Dowiedziałem się o tym z ostatniego listu Larry'ego. Wcale mnie nie potępiał. Znał życie, wszystko rozumiał – ale także ostrzegł. Chłopak, albo jego ojciec, miał swoje kontakty – Larry wyrażał się dość ogólnikowo. Nie do końca też było dla mnie jasne, który z nich pozostawał w przyjaznych stosunkach z jakimiś znanymi z gazet klientami prawnika, pochodzącymi z Chicago, Miami albo Little Italy. Ponadto Larry pisał, że nieudana próba zabójstwa nie zostanie przeoczona. Zwłaszcza dokonana publicznie. Twierdził, że tamte osoby uznają lekcję za nieutrwaloną i – jak się wyraził – mogą zatrudnić drugiego nauczyciela. W ramach postscriptum dodał: „Przynajmniej skróciłeś biednemu dupkowi męki". Musiałem się z nim zgodzić.

Wręcz nie chciało mi się wierzyć w taką ironię losu. Jakiś mściwy dyletant zdołał osiągnąć to, co nie powiodło się agencjom rządowym całego świata. Tropienie mnie na pewno zajęło mu wiele lat. Zastanawiałem się, czy trudził się tym cały czas, czy też tylko po godzinach, kiedy akurat niczym innym się nie zajmował. Tak jak Amerykanie robią na wakacjach w Europie, gdy starają się wyśledzić przodków.

W końcu mu się udało. Nic nie jest tak niezłomne – albo tak perwersyjne – jak niezaspokojona żądza zemsty.

To, że użył mojej broni, stanowiło kolejną z tych zmyślnych psot, jakie płata nam dowcip-

380

na fortuna. Dostrzegam w tym pewien urok, ale i szyderstwo. Kiedy dowiedział się, gdzie mieszkam, z pewnością udał się do swojego „kontaktu" i poprosił, aby zatrudniono dla niego najlepszego fachowca. Prośbę spełniono – zatrudniono · mnie. Przecież nie zdawał sobie sprawy, że właśnie ja jestem najwybitniejszym ekspertem.

Powiedziałbym, że kryje się w tym pewien morał: to od ciebie zależy jaki.

I tak cała moja przyszłość legła w gruzach za sprawą zdeterminowanej małostkowej nienawiści obłąkanego maminsynka.

Już na emeryturze często rozmyślałem o tym, co mogło być. Przekonywałem sam siebie, że to bezcelowe, ale nie potrafiłem tego uniknąć. Gdyby nie prześladowca i jego niekończąca się wendeta, wciąż mieszkałbym w pięknych górach i czekał na śmierć wśród życzliwych ludzi. I zostałbym z Clarą.

Clara. Tyle jej było w moich myślach przez te tygodnie zaraz po strzelaninie, przez dnie i noce ucieczki, krycia się, uników oraz wymijania, kluczenia i mylenia śladów po całym świecie.

Wspominałem jej wizytę w apartamencie. Ona jakoś do niego pasowała, zdawała się na swoim miejscu wśród moich książek i obrazów, siedząc na moich krzesłach. Wierzyłem, że pasowałaby też do mojego łóżka. A im więcej o niej myślałem, tym wyraźniej widziałem, co utraciłem: to, jak uczy się, leżąc obok mnie, może tłumaczy coś z włoskiego na angielski, a ja pomagam jej, kiedy mnie prosi. Czytam, maluję i po raz pierwszy pozwalam sobie popaść w rutynę –

regularnie odwiedzam bar i księgarnię Galeazza, a co tydzień jem kolację u ojca Benedetta.

Byłbym szczęśliwy. Mój przyjaciel ksiądz dzieliłby ze mną to szczęście. Mógłby dać nam ślub w tym swoim wypełnionym ozdobami kościele o groteskowym suficie. Cała ceremonia nic by dla mnie nie znaczyła, ale podejrzewam, że chciałaby jej Clara. Przygodni widzowie – lalkarz, flecista i Roberto – dziwiliby się, że taki stary sukinsyn może być atrakcyjny dla młodej dziewczyny. Cieszyłbym się chwilą publicznego występu, a potem znowu objęłyby mnie lata pełne ciszy.

Podróżowalibyśmy, Clara i ja. Są jeszcze miejsca, do których mógłbym pojechać, gdzie nie pracowałem. Zostało również kilka takich, gdzie mógłbym ponownie się zjawić, mając Clarę jako przykrywkę. Każdego roku spędzalibyśmy na wyjazdach miesiąc czy dwa i zawsze potem wracać do tego pięknego górskiego odludzia.

Oczywiście, nie musielibyśmy mieszkać w samym mieście. Na przykład kupiłbym dom gdzieś w okolicy – choćby tamto opuszczone gospodarstwo, z hektarem sadu albo winnicy. Robiłbym własne wino, tak jak Duilio, o nazwie Vino di Casa Clara. Myślę, że nieźle by to brzmiało. Trunek byłby krwistoczerwony, treściwy jak pocałunki. Jej pocałunki.

A teraz to wszystko stało się niemożliwe, za sprawą człowieka z cienia i tych, co za nim stali, przez tę jego publiczną strzelaninę, gówniarską mentalność rodem z filmu *W samo południe*. Kiedy samotnie przesiaduję wieczorami, często sobie myślę, że on specjalnie wybrał tamten moment. Wiedział, że zmuszając mnie do odegrania swojej roli przed kościołem, zabija nie tylko mnie, ale też moją nadzieję. Podobnie, jak przypuszczam, zabiłem ja jego.

Co gorsza, często się też zastanawiam, co Clara sobie o mnie pomyślała. Porzuciłem ją. Zapłaciłem zawrotną sumę, jakby była tylko luksusową dziwką. Zbyłem ją, zaprzeczyłem własnemu wyznaniu miłości, której tak potrzebowała. Przyznaję, liczę na to, że skorzystała z tych pieniędzy, że nie wyrzuciła ich w przypływie typowo włoskiej furii. Kilka razy rozważałem, czy do niej nie napisać, ale nigdy nie dotarłem dalej niż do chwycenia za pióro. Może już do tej pory znalazła sobie młodego mężczyznę z Perugii.

A co myślą inni: – Galeazzo, Visconti, Milo, Gerardo? To przeze mnie zginął ich ksiądz. Jestem tym Anglikiem, który sprowadził śmierć w ich strony. Pewnie wciąż opowiadają sobie tę historię przy stołach. Na pewno ciągle mówi się o mnie w barze i pewnie jeszcze będzie się mówiło przez dziesięciolecia. Tyle że krew, według legendy sącząca się spomiędzy kamiennych płyt przed kościołem San Silvestro, będzie należeć do ojca Benedetta. Przynajmniej tyle mu dałem, miejsce w historii.

To, dokąd uciekłem, jest tajemnicą. Muszę pozostać skrytym człowiekiem, teraz odrodzony w nowym życiu i wygodnie w nim usadowiony. Oczywiście mam wspomnienia. Pamiętam, jak maluje się owady, że szybkostrzelność broni typu Sterling Para Pistol Mark 7A wynosi pięćset pięćdziesiąt pocisków na minutę, prędkość wylotowa trzysta sześćdziesiąt pięć metrów na sekundę. Nie zapomniałem też, że wiem to, bo taką broń miał ostatni prześladowca. Potrafię sobie całkiem wyraźnie przypomnieć piwnicę w Marsylii, mały ogródek ojca Benedetta, cuchnącą norę w Hongkongu, krwistoczerwone wino jak dziewczęce pocałunki, pracownię pod arkadami w południowym Londynie, Viscontiego, Mila i innych. Galeazza, signorę Prascę i delikatne piękno *pagliara*. Nigdy nie zapomnę widoku z loggii.

Rzecz jasna, nie oczekuj ode mnie, że wyjawię, w kogo się przemieniłem. Wystarczy, że powiem, że pan Motyl – *il signor Farfalla* – wciąż pożywia się dzikim miodem życia i jest względnie zadowolony. I całkiem bezpieczny.

Ale nie umiem wyrzucić ze swoich myśli Clary, nieważne jak bardzo się staram.